新潮文庫

英雄の書

上巻

宮部みゆき著

「学我者死」

——我を学ぶ者は死す

目次

〈念歌〉あるいは〈黄衣《こうい》の王の忌歌《きか》〉
プロローグ　破獄《はごく》
第一章　壊《こわ》れてしまった大切なもの……一五
第二章　世捨て人の図書館……八三
第三章　〝無名の地〟……一五九
第四章　咎《とが》の大輪《たいりん》……二〇七
第五章　追跡《ついせき》の始まり……二七〇
第六章　事件の内側《うちがわ》……三三七
第七章　囚《とら》われの姫君《ひめぎみ》と白馬の騎士《きし》……三七八

英《えい》雄《ゆう》の書

上巻

〈念歌〉あるいは〈黄衣《こうい》の王の忌歌《きか》〉


天地の境目さえしかとは見定め難《がた》い、この蒼灰色《あおばいいろ》の雲と霧《きり》。流れ、流されて入り交じりながら重く垂れ込《こ》め、屍衣《しい》にも似た冷ややかさとしめやかさで、すべてを包み込む。

この地——古《いにしえ》の時代からここに有り、遥《はる》か未来もここに存在し続ける。

限りなく無に近い静寂《せいじゃく》のみを統治者に、時の流れの恩寵《おんちょう》から見放され、その軛《くびき》からも解き放たれている。

国ではなく、郷《さと》でもない。ここに居る者どもは、ただ「この地」と呼ぶ。ここを訪《おとず》れる運命に見舞《みま》われた者どもは、雄弁《ゆうべん》なる沈黙《ちんもく》のなかに、この地の真の呼称《こしょう》を、かく読み取る。

「無名の地」と。

如何《いか》なる奇遇《きぐう》に因《よ》りしか、相まみえて今、この一文を照覧しある善良なる人びとよ。構えて約定を違《たが》え給《たも》うことなかれ。

〝無名の地〟の物語を、人には問わず。

〝無名の地〟の言葉を、その口唇《こうしん》にのぼらせず。

〝無名の地〟に囚《とら》われし者を、人として遇せず。

これより後、ひとときを費《つい》やして語られるべき物語は、二人の幼子《おさなご》と、一人の僧侶《そうりょ》と、一人の魂《たましい》なき流浪《るろう》者の織りなす、忌《い》まわしき命の物語である。

我ら〝紡《つむ》ぐ者〟は、永劫《えいごう》の時の流れのうちに、幾度《いくど》となくこの忌まわしき命の相貌《そうぼう》を垣間見《かいまみ》た。我らはそれを記し、それを語り継《つ》ぎ、それを懼《おそ》ること甚《はなは》だしく、それを待望することとまた甚だしきが故《ゆえ》に、かの忌まわしき命の描《えが》き出す暗黒の光芒《こうぼう》を、世界から世界へ、時代から時代へ、旧《ふる》き神から新しき神へと、受け渡《わた》し続けてきた。

我らは咎人《とがびと》である。

すべての物語は、等しく、紡ぐ者の罪業《ざいごう》にほかならぬ。

善良なる人びとよ、貴方《あなた》の夢に平穏《へいおん》あれ。我ら紡ぐ者が足踏《あしぶ》みを許されぬ楽園の地に、貴方の憩《いこ》う家の窓明かりは灯《とも》る。

その明かりのもと、かの忌まわしき命の訪《こ》れを請い願い給うことなかれ。

その明かりを消し、窓辺で耳を澄《す》まし、かの忌まわしき命の声音《こわね》を待ち給うことなかれ。

されば貴方の道の先に〝無名の地〟はなく、この物語は言霊《ことだま》なき言の葉の集積に留《とど》まり、貴方の歩みを遮《さえぎ》ることもない。

その忌まわしき命の名を「英雄《えいゆう》」という。

時に「黄衣の王」を名乗る者である。

プロローグ　破獄《はごく》

〝碾《ひ》き割り麦の丘《おか》〟へと続く長い坂道を半ばまで登ったあたりで、若者は鐘《かね》の音を耳にした。

立ち止まり、顔を上げる。冷ややかにたちこめる蒼灰色《あおばいいろ》の霧《きり》の奥《おく》深くから、霧の衣《ころも》の厚みをやすやすと通り抜《ぬ》け、慥《たし》かに響《ひび》いてくる。足元から震《ふる》えが伝わってくる——大鐘楼《だいしょうろう》の一《いち》の鐘の音だ。

若者は立ちすくんだ。これからどうすればいいのかわからない。一の鐘の音が意味するところを、彼《かれ》は熟知していた。だが、実際にその音を聴《き》くのは、彼の生涯《しょうがい》において初めての経験だったからである。

丘の上まで行けば、作務《さむ》についている朋輩《ほうばい》たちも、〝咎《とが》の大輪《たいりん》〟を押《お》す手を止めて、彼と同じように立ちすくんでいるはずだ。足を急がせ、そのなかに混じればいい。言いしれぬ不安と共にここで凍《こお》りついているよりは、ずっと。

だが。

ここにあるのは不安だけだろうか。若者は、黒衣に包まれた己《おのれ》の胸に掌《てのひら》をあてた。

彼ら〝無名僧《むめいそう》〟は、その呼称《こしょう》のとおり、名を持たない。それ以前に個々の存在ですらない。この地――〝無名の地〟の分身であり、ひと欠片《かけら》であり、その意志を体現するために作り上げられた些末《さまつ》な部品に過ぎぬ。

魂《たましい》はない。

それでも、いやだからこそ、時の軛《くびき》から解き放たれたこの地の永劫《えいごう》のなかで、本来は魂があるべき器《うつわ》に、宿るものが生じる。かつてこの地を訪《おとず》れた、他の世界からの来訪者たち――星々とも、国々とも呼ばれる、名と色彩《しきさい》を持つ命ある場所から訪れた者たちは、無名僧のうちに宿るそのものを、様々な名称で呼んできた。それは感情だ。それは心だ。あるいは、それをこそ人間らしさというのだ、と。

どうあれ、そのものは、今若者が掌をあてているあたりに宿るものだという。

この地に時はない。時がなければ、日常は形成されない。無名僧にあるのは、丘の上の作務と、〝万書殿《ばんしょでん》〟の警備の繰《く》り返しのみ。休息はないが、疲労《ひろう》もない。この地で、予想のつかない動きをするものといえば、ただ雲と霧の流れだけである。

それを退屈《たいくつ》と感じないのかと、ある来訪者が尋《たず》ねたことがある。

退屈とは？

倦《う》むということだ。飽《あ》き飽きするということだ。

同じことを繰り返していれば、誰《だれ》でもそうなる。

無名僧は、「誰」ではない。「誰」でもない。だから、倦むということもない――はずであったのに。

若者は、薄《うす》っぺらい黒衣の下の痩《や》せた身体《からだ》の奥深くから、震えがこみあがってくるのを感じていた。慥かに、彼は倦むことを知らなかった。が、今の今、それとまったく逆の思いがここにある。

逆のあるところには、真もある。

若者は身体のどこかで――本来ならば魂が宿るべき空っぽの器のなかで、己が一の鐘の音を待っていたことに気がついた。

事が起こる。事が動く。

ほどなく、新たなる来訪者がこの地へ足を踏《ふ》み入れることになろう。

私《わたくし》はそれを喜んでいる。

若者は、胸にあてた掌を握《にぎ》りしめ、拳《こぶし》をつくった。目を閉じると、己の身体の震えがいっそう強くなってくる。

一の鐘は鳴り続けている。若者の坊主頭《トンスラ》に、霧が触《ふ》れて小さな水滴《すいてき》となり、やがてこめかみを伝って流れ落ちる。深く吐《は》き出す息は白い。裸足《はだし》の足先は、丘へ続く道の泥《どろ》にまみれている。

やがて、霧の流れに乗って、かすかに念歌が聞こえてきた。若者は目を開き、丘の頂上を振《ふ》り仰《あお》いだ。まだ何も見えない。霧が動いて、念歌はその奥から聞こえてくる。

ああ、朋輩たちだ。

目を凝《こ》らすと、やがて彼らが掲《かか》げる松明《たいまつ》の明かりが、霧のなかを飛びかう精霊《すだま》のようにたよりなく、左右に上下に、ふわりふわりと漂《ただよ》いながら近づいてくるのが見えてきた。

無名僧の集団が降りてくる。若者そのものであり、若者の一部であり、若者がその一部である、黒衣の僧ども。

同じ坊主頭。同じ裸足。同じ声。同じ顔。数えきれぬほど大勢でありながら、一人しかいない。

若者はようやく拳をほどくと、唱和しながら歩き出し、そのなかに混じった。

彼らであり、我である朋輩たち。若者はしかし、朋輩たちの念歌の旋律《せんりつ》のなかにはないものを、その胸のうちに隠《かく》し持っている。

丘を下るほどに、一の鐘の響きは朗々と猛々《たけだけ》しくなる。念歌は霧に呑《の》まれ、万書殿の頂が、霧のヴェールを透《す》かして姿を現す。若者は集団の最後尾《さいこうび》にまで下がり、再び足を止め、呼吸《いき》も止めた。

霧を仰ぎ、彼は呟《つぶや》く。

——あれが、獄《ごく》を破った。

戦いが始まる。

第一章　壊《こわ》れてしまった大切なもの

誰《だれ》でも眠気《ねむけ》を誘《さそ》われる、暖かな春の昼下がりのことだった。五時限目の授業。鉛筆《えんぴつ》を握《にぎ》って、目をちゃんと開いて、でも頭は眠っている。なにしろ給食を食べてお腹《なか》はいっぱいだし、もともと苦手な理科の時間だ。

「ユリ、ユ〜リ」

隣《となり》の席の佳奈《かな》ちゃんが、小さな声で呼びかけてくる。消しゴムの欠片《かけら》も飛んできて、机の上でぽんと跳《は》ねた。

「頭が揺《ゆ》れちゃってるよ！　バレちゃうよ」

森崎友理子《もりさきゆりこ》は、びくっとして目を覚ました。幸い、片山《かたやま》先生は板書の最中で、こちらには背中を向けている。友理子はあわてて目をこすった。

佳奈ちゃんが手で口を押《お》さえて笑っている。友理子も照れ笑いを返した。二人の席はちょうど教室の真ん中あたり。くるりと見回すと、どうやら二十五人のクラスメイトの半分くらいは居眠りしているか、しかかっているようだ。

友理子は黒板の上の時計を見た。授業が終わるまで、あと二十分だ。何とか起きていなければ。手元のノートに目を落とすと、上から三行目ぐらいで字がぐちゃぐちゃになっていた。そのへんで眠りの国に入ってしまったのだろう。

「佳奈ちゃん、あとでノート見せて」

囁《ささや》き声を出したとき、ちょうど片山先生が振《ふ》り返った。眼鏡の縁《ふち》を指で押し上げ、友理子の上で視線を止める。

「森崎さん」

呼ばれてしまった。佳奈ちゃんはすかさず下を向いて鉛筆を動かし始める。

「おしゃべりは禁止だよ」

「はい、先生」

友理子は首をすくめる。だけど先生、まわりの寝《ね》てる子たちはどうなんですか？あたしは起きてるだけマシだと思うんだけどな。

そんな言い訳と反抗心《はんこうしん》が顔に出ていたのだろう。片山先生はチョークを置くと、白くなった指先をぱんぱんと叩《たた》いて、片手を腰《こし》にあてた。

「このクラスは、先週の理科テストの平均点が、区内の五年生で最低だったんだぞ。科目に好き嫌《きら》いがあるのはある程度仕方ないし、みんなに百点をとれとは先生も言わないけど、しかしね——」

お説教に、居眠りから覚めるクラスメイトたちがちらほら。友理子は、乱れたノートの字を、暗号を解読するようになぞり始めた。

そのとき、教室の前のドアが軽くノックされた。片山先生が、半端《はんぱ》な怒《おこ》り顔で教壇《きようだん》を降りる。

友理子はずっと暗号解読に励《はげ》んでいたから、どんなやりとりがあったかわからない。ぴしゃん！ とドアを閉める音が大きく響《ひび》いて、顔を上げてみたら、片山先生がこっちを見ていた。

こっち、じゃない。友理子を見ていた。眼鏡のレンズにちょうど光が映ってしまって、先生の瞳《ひとみ》が見えない。

「——森崎さん」

教壇に戻《もど》らず、ドアのそばに突《つ》っ立ったまま、ちょっと音程が狂《くる》ったみたいな声を出す。

「すぐ、帰る支度《したく》をしなさい」

教室のみんな（起きている生徒はみんな）が、一斉《いっせい》に友理子に注目した。視線がバラバラと顔にあたるのがわかるくらいだった。友理子にはそういう経験がめったにない。目立たなくてつまらない生徒だからではなく、いい感じに目立たない生徒だからである。

「あの、えっと」

言われたことの意味がわからなくて、友理子はぐるりを見回した。誰かが教えてくれないかと思ったのだ。先生、今なんて言ったの？

と、片山先生は急にネジを巻かれたみたいに動き出した。机のあいだを通り抜《ぬ》けて友理子に近づいてくる。動きがぎくしゃくしていて変だ。

友理子の机の脇《わき》で足を止めると、片手を机に、片手を友理子の肩《かた》の上に置いた。

「ご自宅で急な出来事があって、お母さんから電話があった。すぐ帰りなさい」

ただこちらを注目していただけのクラスメイトたちが、さざめき始めた。キビキだ、キビキという声が友理子の耳に入った。キビキって何？　誰か死んだんだよ。

佳奈ちゃんだけが、不安そうに友理子を見つめている。でも、先生がまた動き出し、教室の後ろに並んでいるロッカーに近づいてゆくと、友理子より先に声を出した。

「先生、あたしが手伝います！」

片山先生は今にも友理子のロッカーを開けようとしているところだったけれど、佳奈ちゃんの声に振り返った。前の席の佐藤さんも椅子《いす》から降りて、友理子のそばに来た。ほかにも立とうとする生徒たちがいて、先生が教壇へ引き返しながら、

「みんなは座《すわ》って！　座って！」と、大きな声で呼びかける。やっぱり音程がまだおかしい。

佳奈ちゃんが持ってきてくれた通学鞄《かばん》に教科書やノートを詰《つ》め込《こ》みながら、友理子は顔が赤くなるのを感じた。なのに胸は冷たくざわめいている。

鞄を抱《かか》えて廊下《ろうか》に出ると、片山先生が一緒《いっしょ》についてきた。さらに驚《おどろ》いたことに、そこには学年主任の木内先生がいた。友理子に会って、急にほどけたみたいな顔をした。

「支度できたのね。じゃあ行きましょう」

先生の手が友理子の背中に触《ふ》れる。木内先生は友理子のお祖母《ばあ》ちゃんぐらいの歳《とし》で、背が低くてたっぷり太っていて、汗《あせ》っかきだ。今も、背中に触れた手から高めの体温が伝わってきた。

「よろしくお願いします」

片山先生が頭を下げて見送っている。友理子が廊下を曲がるまで、そこに立ったままだった。

「木内先生、うちで何かあったんですか？」

歩きながら問いかけた。木内先生は足元を見て歩いている。早足なので、友理子も小走りでついていかなくてはならない。先生は片手でずっと友理子の背に触れているのに、目は逸《そ》らしている。

「ご両親が待っておられるからね」

さっきの片山先生の歩き方と同じくらい、ぎくしゃくした口調だった。

「とにかく、早く帰りましょう」

キビキ。誰か死んだんだ。さっき耳に飛び込んできた言葉が、友理子の頭のなかでふるふると震《ふる》える。死んだって、誰が？　お父さん？　お母さん？　でも今、木内先生は、うちで両親が待ってるって言った——

今までの驚きが全日本選手権級だとすると、その先にはオリンピック級の驚きが待ち受けていた。校門のすぐ外にタクシーが一台停《と》まっていて、ドアの脇に校長先生と教頭先生が立っていたのだ。

「ああ、森崎さん」

校長先生に名前を呼ばれた。校長先生って、友理子みたいな目立たない生徒の名前までいちいち覚えてるものなの？

「何も心配しなくていいからね。おうちまで、木内先生がついて行ってくれるから」

教頭先生が「おうち」って言った。

友理子は木内先生と二人でタクシーに乗り込んだ。家までは、友理子の足でも歩いて十分くらいの距離《きょり》だ。それをタクシーで走るなんて。

友理子の家は、十階建てのマンションの五階にある。築十年の「エンゼルキャッスル石島」。天使なんか住んでいそうにない、灰色の外壁《がいへき》にスチールの外階段の素っ気ない建物だ。

タクシーを降りると、木内先生は友理子の手を取った。先生と手をつなぐ？　一緒にタクシーに乗ること以上に、あり得ない話だ。

「木内先生」と、友理子はもう一度、隣を歩く先生の顔を仰《あお》いだ。「さっきタクシーに乗るとき、校長先生が何かお話ししてたでしょう？　あれ、何のことですか」

校長先生は木内先生に、「あとのことはよろしく」とか言っていた。木内先生は、切羽詰まったみたいな目をしてうなずいていた。

「学校のなかのことだから」

木内先生の笑顔《えがお》は、ちゃんとした額に納めずそこらに立てかけたパズルの絵のように、今にもバラバラと壊れて落ちそうなほど脆《もろ》く見えた。

「森崎さんは心配しなくていいんですよ」

小学校五年生となれば、もう幼児じゃない。まだ子供ではあるけれど、立派にシシュンキの入口に立っている。校長先生が朝礼でそう言っていたことがあるんだから、これは友理子の勝手な思いこみではないはずだ。

なのに、そんな友理子に向かって、口を揃《そろ》えて「心配しなくていい」なんて、赤ん坊《ぼう》をあやすようなことを言う。どうして？

エレベーターを降りると、友理子は先生の手を振り払《はら》うようにして駆《か》け出した。

玄関《げんかん》のドアには、鍵《かぎ》がかかっていなかった。

「ただいま！　お母さん！」

靴《くつ》を脱《ぬ》ぎ捨てて廊下を駆ける。奥《おく》のリビングから、お母さんが出てきた。

「あ、友理子」

お母さんは無事だ。ちゃんと生きてる。死んだのはお母さんじゃない。

お母さんは友理子に飛びついてきた。ぎゅっと抱《だ》きしめられて、友理子は本日三度目の驚愕《きょうがく》を味わった。オリンピック級のさらに上、サッカーのワールドカップだ。

「お母さん、どうしたの？」

お母さんの身体《からだ》が震えている。顔から血の気が引いている。涙《なみだ》ぐんで、目が真っ赤だ。

「学年主任の木内です」

木内先生の挨拶《あいさつ》に、お母さんはやっと友理子から離《はな》れて挨拶を返した。どうもありがとうございます、本当に申し訳ございません――

御礼《おれい》を言って、謝《あやま》ってる。ねぇ、ホントにホントに何があったのよ？

「その後、学校から連絡《れんらく》はありましたか」と、木内先生が尋《たず》ねる。

「いえ、まだ……」

お母さんの目から涙の粒《つぶ》がこぼれ落ちる。

「まだ見つからないようなんです」

見つからない。誰が？

学校？　友理子の？　おかしい。木内先生の学校のことじゃないか。何を言ってるんだ。

「ねぇ、どうしたの？」と、友理子はお母さんに訊《き》いた。お母さんはぼろぼろ泣いている。

「お母さん、友理子さんに事情を話してあげてください。電話にはわたしが出るようにしますので、少しのあいだお二人でどうぞ」

木内先生は、いよいよ盛大《せいだい》にパズルの破片《はへん》をこぼしながら友理子に笑いかけた。

「友理子さんのお部屋で話すといいね」

お母さんの肩に優《やさ》しく手をかけて促《うなが》した。お母さんは友理子の手を強く握《にぎ》って立ち上がる。

リビングから廊下に出て、すぐ左手の部屋。ドアノブに小さなぬいぐるみをぶらさげてあるのが目印だ。友理子の部屋。

その隣は――

友理子のお兄ちゃんの部屋だ。毎朝、登校するときにはいつもきちんとドアを閉めて出る。中学二年生になって、一段と「プライバシー」とやらにうるさくなった。

そのドアが、今は開いている。お兄ちゃんの机と椅子が見える。椅子の背にはジャンパーが掛《か》けっぱなしになっている。

友理子の兄。森崎大樹《ひろき》。十四歳《さい》。

友理子は、心のなかであっと声をあげた。学校というのなら、それが友理子の学校のことじゃないのなら、お兄ちゃんのことじゃないか。

友理子の部屋に入ると、お母さんはドアを静かに閉めた。友理子を学習机の椅子に座らせ、自分はフローリングの床《ゆか》の上に座り込んだ。へたへたと崩《くず》れたような感じだった。

すかさず、友理子も椅子から降りてお母さんにぴったりとくっついた。

「お母さん、お兄ちゃんがどうかしたの？」

家で何かあった。そう聞かされたとき、友理子の頭にも心にも、大樹のことはまったく浮《う》かばなかった。なぜならお兄ちゃんは、絶対安全確実のヒトだからだ。成績優《ゆう》秀《しゅう》でスポーツ万能《ばんのう》。小学校一年生のときから少年野球チームに入っていて、四年生でピッチャーとしてレギュラー入り。中学では水泳部に所属して（泳ぐと肩が強くなるんだと言ってた）、そちらでも活躍《かつやく》している。

もしもお兄ちゃんに何かが起こったのだとしたら、それは事故だ。交通事故とか、プールで溺《おぼ》れたとか。ううん、今の季節じゃプールには入らないか。じゃ、やっぱり交通事故だ。

「お母さん、お兄ちゃんが車にはねられたの？」

お母さんは両手で友理子の手を握りしめる。顔は涙に濡《ぬ》れ、瞼《まぶた》を開いていることさえできない。しゃくりあげている。友理子も泣き出しそうになった。お母さんがこんなふうに泣くなんて。大人がこんなふうに泣くなんて。

「お兄ちゃん、死んだの？」

お母さんは目を閉じたまま首を横に振った。友理子の心に刺《さ》さっていた「死」への恐怖《きょうふ》が、するりと抜けた。キビキという音の響きも消え失《う》せた。ああ、よかった。お兄ちゃんが死んだわけじゃないんだ。

それなのに、どうしてお母さんは泣くの？

「お兄ちゃんがね」

「うん」

「学校で、お昼休みに」

「うん」

「友達と喧嘩《けんか》したんだって」

お母さんの声がかすれる。

「それで、友達に怪我《けが》をさせてしまって」

息をついで、またしゃくりあげる。

「きっとびっくりしたんでしょうね。学校から逃《に》げ出しちゃったの。今、どこにいるかわからないから、中学の先生方と、町の消防団の人たちが捜《さが》してくれてるのよ」

友理子の心から、また何かが抜けた。今度抜けたものの正体は、友理子自身にもわからなかった。抜けてはまずいものなのか、抜けた方がいいものなのかもわからない。

「心配しないで」

泣きながら、お母さんは友理子の髪《かみ》を撫《な》でた。

「きっとすぐ見つかるから。お兄ちゃんが見つかれば、怪我をさせちゃったお友達のところに、お父さんとお母さんと一緒に謝りに行って、それですぐ丸くおさまるからね」

優しい声だったけれど、その声はお母さんの表情を裏切っていた。お母さん自身は、すぐ丸くおさまるなんて思っていないのだと、友理子には感じ取れた。

「お父さんは？」

お兄ちゃんとお父さんは仲がいい。最近、お兄ちゃんの方はちょっと突《つ》っ張ってみせるときもあるけれど、でもお父さんには自慢《じまん》の息子《むすこ》なのだ。

「すごく心配してるよね？ 中学の先生たちと一緒に、お兄ちゃんを捜してるの？」

うん、とうなずいて、お母さんは胸の奥から何かを吐《は》き戻《もど》すように泣き始めた。

お母さんは嘘《うそ》をついてはいなかった。でも、真実を打ち明けてくれてもいなかった。

友理子がそれを知るには、日暮れまで時がかかった。

友理子のお兄ちゃん——森崎大樹は、その日、学校にナイフを持って行ったのだ。家から持ち出したのではなく、どこかで買って持っていたものらしい。それを見た人の話によると、刃渡《はわた》りが十五センチぐらいのナイフだったそうだ。

大樹はそれで、同じクラスの男子生徒を二人、傷つけた。

一人はお腹《なか》を刺し、一人は首を刺した。

首を刺されたクラスメイトは、救急車が到着《とうちゃく》したときにはもう息がなかった。

昼休みのことだったし、そういう出来事が起こったのは教室ではなく、大樹たち三人のほかには誰《だれ》もいない体育館の裏側《うらがわ》だったから、誰も事件に気づかなかった。お腹を刺された生徒が這《は》うようにして助けを求めに行くまで、誰も何も知らなかった。先生たち、生徒たちが事態を知って大騒《おおさわ》ぎを始めたとき、森崎大樹は姿を消していた。

同級生を刺したナイフを持ったまま。

誰も、彼《かれ》が学校を出てゆくところを見ていない。走っていったのか。歩いていったのか。泣いていたのか笑っていたのか。それとも怒《おこ》っていたのか。

あるいは、怯《おび》えていたのか。

森崎家にはいろいろな人びとが集まってきた。大樹の中学の先生たちや、ＰＴＡの人たち。警察の人たち。消防団の人たち。近所の人たち。

森崎家の親戚《しんせき》は、みんな遠くに住んでいるので、その日のうちには来ることができなかった。そのかわり、うるさいくらいに電話がかかってきた。

家で、友理子はお母さんと二人、ただ待つことしかできなかった。お父さんからは、お母さんの携帯《けいたい》電話に連絡があった。一度は友理子も代わってもらったけれど、お父さんの声を聞いたら、黙《だま》ってうなずくだけで何も言うことができなかった。

日が暮れて、夜が来た。森崎大樹は見つからない。

夜のニュースで、事件のことが報道された。友理子のお兄ちゃんは、「A少年」と呼ばれていた。地元の警察署が、一刻も早く少年を発見・保護するために、情報の提供を求めていると、ニュースキャスターが深刻な顔で言った。

友理子のまわりで時間が過ぎてゆく。

友理子は大樹の部屋にいたいと思った。そこで待っていれば、お兄ちゃんが帰るような気がした。

でも、それは許されなかった。大人たちが入れ替《か》わり立ち替わりして、お兄ちゃんの部屋のなかを調べていたから。

お母さんは何度も、何度も、何度もお兄ちゃんの携帯電話にかけていた。電源が切られていると言っていた。それでも何度もかけ直していた。

小学生の友理子は、自分の携帯電話をまだ持っていない。友理子の友達——佳奈ちゃんは痩《や》せるほど心配してくれていることだろう。でも、家の電話はひっきりなしに誰かからの連絡が入っているので、つながらない。お兄ちゃんの部屋に入れないのなら、せめて佳奈ちゃんと話がしたいと思いながら、友理子はぽつんと椅子《いす》に腰《こし》かけていた。

誰もがみんな、友理子の存在を忘れていた。

その「みんな」には、友理子自身も含《ふく》まれていた。ここにいるのに、いないような気がした。森崎大樹と一緒《いっしょ》に、森崎友理子も行方《ゆくえ》不明になっているような気がした。

本当にそうなのかもしれない。友理子の魂《たましい》は、今、お兄ちゃんのそばにいるのかもしれない。

人間は誰でも、そういう能力を秘《ひ》めているのだと、以前、テレビ番組である人が話しているのを聞いたことがある。身体を置き去りに心だけを自由自在に移動させて、見たり聞いたり感じたり、話し合ったりすることができる。

お兄ちゃん――友理子は心のなかで呼びかけてみた。お兄ちゃん、聞こえる？　友理子だよ。

帰ってきて。みんな心配してるよ。

うんと強く呼びかければ、友理子の身体を離れて大樹のそばにいる友理子の魂が、この声を伝えてくれる。充分《じゅうぶん》に強く願えば。

一晩中、友理子は呼びかけ続けていた。

返事はなかった。

食事をしたのだろうし、トイレにも行ったのだろう。少しは眠《ねむ》ったような気もする。でも、実感がなかった。

お母さんは泣き疲《つか》れていた。

まぶしい朝日が、レースのカーテンごしに友理子の部屋にさしかかる。友理子は朝寝坊《ねぼう》だけど、お兄ちゃんは早起きだ。小さいときから朝練の習慣がついているからだと言っていた。今も、どこかできっともう起き出している。

その「どこか」が何処《どこ》かわかりさえしたら。

友理子の心に、ようやく〝現実〟が形作られてきた。それは岩のように硬《かた》く、重たい。その岩が友理子を押《お》し潰《つぶ》している。友理子が、押し潰されていることすら感じないほど、完璧《かんぺき》に。

二日後のことである。

今では、森崎大樹の起こした事件は、どのニュース番組でもトップ扱《あつか》いになっていた。依然《いぜん》として行方不明のA少年。

お腹を刺されて、一時は意識不明の重体だった同級生が、回復の兆《きざ》しを見せたという報道があった。森崎家ではテレビを点《つ》けっぱなしにしているのだ。が、A少年には自殺の危険があるというコメントが流れたときには、居合わせた誰かがあわててテレビを消した。誰かはわからない。ようやく到着した九州のお祖父《じい》ちゃんお祖母《ばあ》ちゃんか。それとも、来るなり口喧嘩を始めた水戸《みと》のお祖父ちゃんとお祖母ちゃんか。

森崎家のまわりには、取材記者やカメラマンがいつでもうろうろしていた。

友理子はお母さんと二人で、ホテルに移ることになった。夏のキャンプのときに持って行ったリュックに衣服を詰《つ》めた。お母さんは、九州と水戸のお祖父ちゃんお祖母ちゃんにも、ホテルに移るように頼《たの》んでいた。げっそりと窶《やつ》れて帰ってきて、着替えてはまたどこかへ出かけてゆくというパターンを繰《く》り返していたお父さんが、みんなもここにいても仕方がないから帰ってくれと言って、それでまたしばし険悪な雰囲気《ふんいき》になった。

マスコミの人たちに後を尾《つ》けられないようにと、警察の人がホテルまで車で連れて行ってくれた。都内のどこかで、以前に友理子が家族旅行で連れて行ってもらったようなリゾートホテルとは違《ちが》っていた。ビジネスホテルというのだと教えてもらった。

従業員が少なくて、自動販売機《はんばいき》ばかりが目についた。

学校は、早引けして以来、ずっと休んでいる。

ほんの少し薬臭《くさ》い匂《にお》いのするベッドに腰かけ、白い壁《かべ》に掛けられた安っぽいプリントの抽象《ちゆうしよう》画を、友理子はぼんやりと仰《あお》いだ。額が傾《かたむ》いている。

家を離《はな》れて、ホテルに避難《ひなん》して。

当たり前だと思っていたものが、みんな消えた。

お兄ちゃんが持って行ってしまった。

お母さんはバスルームの戸を閉めて、携帯電話をかけている。やがてフラつきながら出てくると、壁につかまって友理子の方を見た。

「友理ちゃん、これから警察の人がここに来るんだって。いいかな」

友理子は黙ってお母さんの顔を見た。

「お兄ちゃんを捜す手がかりになるかもしれないから、友理ちゃんからも少しお話を聞きたいんだって。お母さんもそばにいるから、いいかな？」

嫌《いや》だなんて言わない。嫌だと言うなら、今の状況《じようきよう》全部が嫌なのだ。

警察の人は、それから三十分もしないうちにやって来た。背広姿の男の人が一人と、制服を着た婦人警官が一人。狭苦《せまくる》しくて、椅子が二つしかないこの部屋でどうやって話すのかと思ったら、また車に乗せられて、警察署まで連れて行かれた。

なんか、手回しが悪い。

ドラマによく出てくる「取調室《とりしらべ》」という部屋に入れられたわけではなかった。きれいな会議室だった。そこでは、児童相談所の先生だという、お母さんと同じくらいの歳《とし》の女の人が待っていた。

友理子は急にカチンときた。どうして児童相談所の先生なんかがいるんだろう。お母さんが、そう頼んだのだろうか。お兄ちゃんが問題を起こしたから、妹の友理子も自動的に問題児になった？　児童相談所の先生にそばにいてもらわなくては、話もできないような。

「よろしくお願いいたします」

お母さんはみんなにぺこぺこ頭を下げている。

児童相談所の先生が猫《ねこ》なで声で話しかけてきたけれど、友理子は返事もせず窓の外に目をやった。

警察署の窓から外を眺《なが》めると、景色はこんなふうに見えるんだ。

タクシーのなかから見た町並みと、何も変わらない。変わらないところが、友理子にはうっすらと怖《こわ》く感じられた。変わって見えた方が、理屈《りくつ》が通るように思われた。

警察署は特別な場所なのだから。そこに、今の友理子みたいな用件で連れてこられた人間は、特別な人間なのだから。

「それじゃ友理子ちゃん、少しお話ししようか」

背広姿の男の人が切り出した。親しそうに笑いかけてくるのに、妙《みょう》に悲しげに見える。お兄ちゃんのことで悲しんでいるはずはない。だってお兄ちゃんを捕《つか》まえる側の人なのだ。この表情は、この人のおかしな八の字の眉毛《まゆげ》のせいだろう。

質問はいろいろな言葉で、さまざまな言い回しで投げかけられてきたけれど、要するに警察の人たちが聞きたいことはひとつだけだと、友理子はすぐに悟《さと》った。

このごろ、大樹君に変わった様子はなかったか。

変わったところなんかなかった。友理子にとって、この人がお兄ちゃんだと意識してからずっと、森崎大樹は変わることがなかった。

悩《なや》んでなんかいなかった。不機嫌《ふきげん》でもなかった。いつものお兄ちゃんだった。

完璧なお兄ちゃん。

友理子はそれを、少ない言葉で、小さく答えた。自分でも、もっと大きな声を出そうと思うのだけれど、お腹に力が入らない。

「そうか……」

八の字眉毛の男の人が、手にしたボールペンのお尻《しり》で自分の顎《あご》の先をつつく。

「大樹君の担任の先生のお話だと、大樹君は、二年生になってから、クラスの仲間と上手《うま》くいかなくて悩んでいるようだったというんだよね。何かそんなようなことを、大樹君から聞いたことはないかな。ちょっとしたおしゃべりでもいいんだ」

友理子は、お母さんと児童相談所の先生に挟《はさ》まれて座《すわ》っている。男の人の質問に友理子が黙ったままでいると、児童相談所の先生が顔を覗《のぞ》き込《こ》んできた。

「友理子ちゃんは、お兄ちゃんと仲良しだったのよね？」

友理子は返事をしなかった。口を結んで、膝《ひざ》の上に載《の》せた自分の両手を見つめていた。ちょっと指を組み合わせてみる。

「友理子ちゃんの学校のこと、お兄ちゃんにおしゃべりすることはあったでしょう。お兄ちゃんも、そんなときには自分の学校のことを話してくれたりしなかったかしら」

友理子が何も言わないので、児童相談所の先生はお母さんの顔に視線を移した。

「いかがでしょうか、お母さん」

お母さんもうつむいていた。隣《となり》から手を伸《の》ばして、友理子の手をそっと握《にぎ》りしめる。冷たい。お母さんの手がこんなに冷えているなんて。

「男の子と女の子ですし、歳も三歳違《さい》いますから……中学生と小学生ですし……」

友理子の声よりも、さらに力が無かった。

「そうですか。そうですよねぇ」

児童相談所の先生が、自分で言って自分で答える。そして警察の男の人の顔を見る。

みんなして誰《だれ》かが口を開いてくれるのを待っているので、静まりかえってしまった。

仲良しという言葉を、友理子は心のなかで繰り返していた。お兄ちゃんと仲良し。

友理子はお兄ちゃんと仲良し。

少し、違うと思った。

仲は良かった。友理子はお兄ちゃんが好きだ。お兄ちゃんも友理子のことを嫌《きら》いじゃなかったはずだ。宿題を手伝ってくれたし、友理子とふざけてよく笑ったし、友理子のことを「チビ友理」とか「チビちゃん」とか呼んでいた。

テストの点が良かったとき、頭を撫《な》でてくれたこともある。テレビで怖い映画を観《み》てしまって、友理子が一人でトイレに行かれない夜には、わざわざ起きてついてきて、廊下《ろうか》で待っていてくれたこともあった。

仲良しというのは、もう少し違うことを指して言う表現なのではないか。友理子とお兄ちゃんの間柄《あいだがら》は、いつもお兄ちゃんが大きくて、友理子は小さくて、お兄ちゃんが上で、友理子はその足元で心地《ここち》よく過ごしていた。

「大樹はこの子を可愛《かわい》がっていました」

友理子の手をいっそう強く握り直しながら、お母さんが呟《つぶや》いた。

「ですから、この子に心配をかけるようなことは言わないと思います」

そう、その言葉だ。「可愛がっていた」。それが友理子とお兄ちゃんの関係だった。

ずっとずっと、大人になってもそのままのはずだったのに。

「親のわたしたちにも、何も相談してくれなかったくらいですから……」

お母さんの呟きが涙声《なみだごえ》に変わり、身体《からだ》がぐらりと傾いた。

児童相談所の先生が、びっくりするほど素早《すばや》く席を立ち、お母さんのそばに寄って抱《だ》きかかえるようにして支えてくれた。それはとても優《やさ》しい仕草だったし、先生に抱き留められたお母さんがひどく弱々しく見えたから、お母さんのために、友理子は初めて、この先生がいてくれてよかったと思った。ありがとうと思った。

すみません大丈夫《だいじょうぶ》ですと、お母さんが言う。

「そうですか。いや、我々も、是《ぜ》が非でも友理子ちゃんから何か聞き出そうというわけではないのです。ただ、大樹君を捜《さが》し出すための手がかりになりそうなことなら、どんな小さなことでもほしいものですから、念のために――」

ご無理を言って申し訳ありませんでしたと、男の人と婦警さんが一緒に頭を下げた。

「もう帰っていいんですか」と、友理子は訊《き》いた。

「お母さん、顔色が真っ白だから――」

「そうだね。どうもありがとう、友理子ちゃん。またホテルまでお送りしますからね、森崎さん」

帰りの車のなかでは、お母さんは目を閉じていた。眠っているのではなく、気を失っているように見えた。それでも友理子の手は握りしめて離さない。友理子もお母さんの冷たい指を温めてあげたくて、力を込めて握り返していた。


ホテル暮らしの日々は、単調に過ぎていった。

一週間経《た》ち、十日経っても、森崎大樹は見つからなかった。

テレビのニュースは、大樹について取り上げなくなった。マンションのまわりを記者の人たちがうろつくこともなくなったと、お祖母ちゃんが報《しら》せてくれたので、友理子とお母さんは家に帰ることになった。

久しぶりにきちんと顔を合わせたお父さんは、げっそりと痩《や》せて白髪《しらが》が増えていた。

「友理子、いろいろごめんな。辛《つら》かっただろう。これからは、大樹が帰ってくるのを待ちながら、三人で暮らしていこう。大樹はきっと帰ってくるから、友理子も元気でいような」

お父さんは、一生懸命《けんめい》友理子を励《はげ》まそうとしているのだ。お母さんもお父さんの言葉にうなずいている。みんなで元気を出して頑張《がんば》ろう。

そんなの無理だよという言葉を、友理子は呑《の》み込んだ。無理だということを、両親だって知っているのだ。知っていて、友理子のために、無理の上に無理を重ねている。

ひとつだけほっとしたのは、お祖父ちゃんお祖母ちゃんたちが、それぞれの家に帰ってくれたことだ。そばにいれば、きっと泣いたり怒《おこ》ったり、お母さんと喧嘩《けんか》したり、お父さんを怒らせたりするに決まっている。今まで、何事もないときだってそうだったんだから。

――うちの親戚《しんせき》はみんなうるさいからなぁ。

お兄ちゃんがそう言ってたことがある。

――お父さんの実家とお母さんの実家は仲が悪いしね。

友理子にはまだわからないだろうけど、とも言っていた。

お兄ちゃんにはわかっていたのだ。だったらなぜ、お祖父ちゃんお祖母ちゃんたちが押しかけてきて、ぶうぶうぎゃあぎゃあ騒《さわ》ぐに決まってるとわかってることをやったんだよ？

〝今までどおりに元気に暮らす〟というやり方のなかには、友理子がまた登校するということも含《ふく》まれていた。当たり前のことだけど、お母さんに、友理ちゃんも来週から学校へ行こうねと言われて、友理子はちょっと頭のなかが空白になってしまうほど驚《おどろ》いた。いや、驚きという感情ではないかもしれない。ピンとこないのだ。月へ行くと言われたのと同じくらい、現実感がない。学校の教室で机に向かい、授業を受けている自分自身を想像することができないのだった。

友達はどんな顔をするだろう？

友理子はどんな顔をしたらいいのだろう？

それでも現実はどんどん動き、その週の金曜日の午後には、片山先生が家にやって来た。友理子の顔を見ると大げさなくらいに喜んで、

「みんな心配していたよ。授業のノートも、クラスの子たちが交代でとっておいたからね。勉強の方は、遅《おく》れたりしないよ」

そしてお母さんといろいろ相談を始めた。途中《とちゆう》から、友理子は自分の部屋にいるように言われた。

「先生とお母さんだけで、少しのあいだお話をさせてね」

リビングのドアも閉められてしまった。

友理子は自分の部屋に行きかけて、ふと気が変わった。

お兄ちゃんの部屋に行こう。

家に帰ってきてからも、お兄ちゃんの部屋に入る機会がなかった。いつもお母さんと一緒《いっしょ》だったし、友理子が一人でテレビを観たり本を読んだりしているときには、お母さんがこっそりお兄ちゃんの部屋に入って、声を殺して泣いていたから、近寄らないようにしていた。そんなお母さんを見たくなかったし、お母さんだって、自分で泣くだけでも辛いのに、友理子に泣き顔を見られるのは、もっともっと辛いだろう。

森崎大樹の部屋は、あの日、友理子がちらっと覗いたときのままになっていた。あのときは椅子《いす》の背に掛《か》けられていたジャンパーが、袖《そで》だたみにされてベッドの上に載せられていることだけが、唯一《ゆいいつ》の違《ちが》いだ。

間違い探しをしてるみたいだ、と思った。いちばん大きな、でもいちばん見落とし易《やす》い間違いは、お兄ちゃんがいないこと。

友理子は、きちんとたたまれたジャンパーの隣に、そっと腰《こし》かけた。友理子の軽い身体を、ベッドが柔《やわ》らかく受け止めた。

窓の外を、にぎやかな音楽をかけた車が通りすぎてゆく。今日もいい天気だ。お兄ちゃんがいなくなってしまったあの日と同じくらいに。

友理子は一人で座り、一人でそれを聞いている。

そして出し抜《ぬ》けに、忘れ物に気づいたように、あたしは今まで泣かなかったなぁ——と思った。涙がにじんできたことは何度もあったけれど、お母さんが泣くようには泣かなかった。お父さんが泣いているのを見たときも泣かなかった。

どうしてだろう。こんなに悲しいのに、なぜ声をあげて泣くことができないのだろう。

これが「呆然《ぼうぜん》とする」ということなのだろうか。人は呆然とすると、こんなふうに虚《うつ》ろになってしまうものなのだろうか。

友理子は、ぱたんと仰向《あおむ》けに倒《たお》れた。お母さんの手作りの、キルトのベッドカバーの上に。ベッドのスプリングがかすかに軋《きし》んだ。

カバーから、お兄ちゃんの匂《にお》いがする。

一人の人間が、匂いだけを残して、昨日まで着ていたジャンパーを椅子の背もたれに掛けっぱなしにして、姿を消してしまう。捜しても捜しても見つからない。そんなことが、この世の中で起こっていいはずがない。

天井《てんじょう》を仰いで、友理子はゆっくりと瞬《まばた》きをした。

今でも信じられない。ホントだと思えない。

うちがこんなふうになってしまったこと。当たり前のように感じていた毎日の暮らしが、粉々に壊《こわ》されてしまったこと。それがとても大切なものだったってことを、壊されてしまってから、やっと気がついた。

何かがこみ上げてきた。今度こそ自分は声を張り上げて泣き出すのだと、友理子は心のなかで身構えた。一方で、それを待っていた。泣けば救われる。嗚咽《おえつ》と一緒に、胸のなかの真っ暗な塊《かたまり》を吐《は》き出してしまうことができれば。

だが、喉元《のどもと》まで上がってきたものは、涙ではなかった。友理子は奥歯《おくば》を嚙《か》みしめた。

どうして？

そう、こみ上げてきたのは問いかけだ。疑問だ。どうして？　どうして？　どうして？　どうしてお兄ちゃん、ナイフで友達を刺《さ》すようなことをしたの？　そんなことをやるほど悩んでいたのなら、どうして話してくれなかったの？　どこかへ逃《に》げるなら、どうして家族にだけは、行き先を教えてくれなかったの？　どうして連絡《れんらく》してきてくれないの？

友理子は怒ってるんだよ、お兄ちゃん。

両足を持ち上げ、寝返《ねがえ》りを打って、友理子はベッドの上で丸くなった。急に眠気《ねむけ》がさしてきた。このまま寝てしまおう。眠って起きれば、悪い夢から覚めることができるかもしれない。これは長くてしつこくて悪い夢なんだから。

目を閉じると、ベッドカバーに染《し》みこんだお兄ちゃんの匂いが、友理子の頭と心のなかに広がってゆく。深く呼吸をする。心地いい。友理子は自分で思っている以上に疲《つか》れていて、身体は休息を必要としている。眠ろう、眠ろう――

瞼《まぶた》の裏に、薄《うす》ぼんやりとした光景が広がる。

それもまた夢、夢の断片《だんぺん》だった。寝具《しんぐ》の感触《かんしょく》と温かみ、そして眠気。それが引き金になって、友理子が以前に見た夢が、風で本のページが勝手にめくられるのと同じように、ひらりとひるがえり、ちらりと見えて、すぐ元に戻《もど》った。

いつだったろう。夢のなかでこの光景を目にしたのは。事件の一週間前？　十日前？　もっと前だったかもしれない。その夢のなかにはお兄ちゃんが出てきた。お兄ちゃんの部屋のドアの隙間《すきま》から、友理子が偶然《ぐうぜん》に見かけたお兄ちゃん。友理子は冷たい廊下に立ち、お兄ちゃんの部屋のドアが十センチくらい開いていて――

スタンドの明かりが点《つ》いていた。お兄ちゃんは窓際《まどぎわ》で、膝《ひざ》をついていた。お兄ちゃんに向き合って、大きな黒い人影《ひとかげ》が見えた。お兄ちゃんは、その人影の足元にうずくまっているのだ。

あれは真夜中のこと。真夜中の夢。友理子はトイレに行きたくて、だからトイレに行く夢を見て、たまただけど、わざとじゃないけど、まるで盗《ぬす》み見るみたいに、お兄ちゃんの部屋のなかを、ひょいと窺《うかが》ってしまった。夢のなかで。

それにしても大きな人影だった。普《ふ》通《つう》の大人よりもさらに大柄で、風船みたいに膨《ふく》らんで見えた。頭の上に何か載《の》せている。てっぺんがぎざぎざに尖《とが》った——冠《かんむり》みたいな形のもの。そう、夢のなかの友理子の目にはそう映ったのだ。おかしな夢だなと思った。いいや、おかしな光景だったから、これは夢だと思ったのだ。なにしろ友理子は寝ぼけていた。

寝ぼけていたなら、寝てはいなかった？

あれは、夢じゃなかった？

床《ゆか》の硬《かた》くひんやりした感触を覚えている。足の指を縮めて歩いていた。トイレがとっても遠かった。くしゃみが飛び出しそうだった。

お兄ちゃんは、冠みたいなものをかぶった大きな人影に、深く頭を下げていた。

あ、お兄ちゃんはまだ起きてる。今にもこっちを見るかもしれない。友理子、トイレに行くんだよって言おう。寝る前に牛乳を飲んじゃったから。

お兄ちゃんは、頭を前後に振《ふ》り、額を床に擦《こす》りつけるようにしながら、何か呟き歌っていた。お兄ちゃんの前にぬうっと立ちはだかった黒い人影に、囁《ささや》きかけるように。捧《ささ》げるように。

その歌が今、ベッドの上で丸くなった友理子のくちびるから、ふっと漏《も》れ出た。友理子の知らない歌、知らないメロディ、知らない言葉だ。なのに、ひと続きの調べをすっかり歌うことができた。

くちびるの動きが止まり、歌が止《や》んで、友理子は横になったまま目を瞠《みは》った。

今の、何？

あたし、どうしてこんなヘンテコな歌を知ってるんだ？　口先だけが勝手に動いて、歌っちゃったりして。

これ、夢のなかでお兄ちゃんが歌っていた歌だ。

「――ちゃん」

小さくひそやかな、夏の終わりの羽虫の羽音が聞こえてきた。今は春だから、生まれたての頼《たよ》りない羽虫の羽音と言うべきか。

「嬢《じょう》ちゃん」

その羽音は、こう聞こえた。じょうちゃん。

「嬢ちゃん、嬢ちゃん。起きておくれよ」

友理子は目を剝《む》いたままがばりと起き上がった。そのまま静止する。部屋のなかに動くものはない。窓を閉めてあるので、カーテンをそよがせる風さえない。

友理子は天井の蛍光灯《けいこうとう》を仰《あお》いだ。蛍光灯からは、ときどきじーんという音がする。それが音声のように聞こえることだってあるかもしれない。

「嬢ちゃん、オレはそんなところにはいないよ」

羽音が少し大きくなり、ますますはっきりと、言葉のように聞こえてきた。

「嬢ちゃん、こっちをご覧。本棚《ほんだな》だよ、本棚」

友理子は身体《からだ》の向きをそのままに、首だけをゆっくりと、慎重《しんちょう》によじって、お兄ちゃんの机の方を見た。書棚は、机の隣《となり》の壁際《かべぎわ》に据《す》えてある。

「そう、こっちだ。こっちに来ておくれよ」

虫の羽音じゃない。明らかに〝声〟だ。友理子に話しかけている。

画家のモデルをしているみたいな格好で固まったまま、友理子は口だけを動かした。

「だぁれ？」

すぐには、返事がこなかった。友理子は身を固くして耳を澄《す》ませていた。窓の外を車が通りすぎてゆく音がする。

「誰《だれ》なの？」

もう一度問いかける。また車が通る。

返事なし。友理子は気を緩《ゆる》めかける。あたし、また寝ぼけてた。

「ちょっと、答えるのが難しいんだ」

羽音が戻ってきてそう言った。

今度こそ、友理子はベッドから飛びあがった。逃げだそうとドアに突進《とっしん》して、靴下《くつした》を履《は》いた足が滑《すべ》った。バランスを崩《くず》してドアに激突！　目から火が出た。

「じょ、嬢ちゃん。そんなに怖《こわ》がらないでおくれよ。俺《おれ》は怖いものじゃないんだからさ」

わんわんする頭のなかに、羽音が聞こえてくる。笑っているような、あわてているような口調で、そう、確かに怖い感じはしないのだけれど、

「ゆ、ユーレイ」

床に尻餅《しりもち》をついたまま、ドアにぶつけた頭を手でさすりさすり、友理子はあわあわと声を出した。

すかさず、虫の羽音が言う。「俺は幽霊《ゆうれい》じゃない。俺には幽霊のことは書かれていないし」

かかれていない？　意味がわからない。どんな字をあてるの？　かかれて――

「俺は本なんだよ、嬢ちゃん。だからそんなところで腰を抜かしてないで、本棚へ来ておくれ」

書かれて——書く、書かれたもの。だから本。

友理子はまだ立ち上がることができず、這《は》ってお兄ちゃんの本棚に近づいた。ハイハイしながらの及《およ》び腰という、器用な格好になっていた。

お兄ちゃんの本棚には、いろいろな本が置かれている。参考書や事典、図鑑《ずかん》もあれば、マンガ本もある。お兄ちゃんはスポ根《こん》ものが好きだった。何冊かミステリーがあって、友理子はミステリーが好きだから、ねだって貸してもらったことがあるけれど、字の小さな文庫本で、読むのに苦労した。内容もよくわからなかった。お兄ちゃんにそう言うと、チビ友理にはまだ早いと笑っていた。

「上から二番目の棚だよ」と、羽音あらため正体不明の〝声〟が言う。「手前にある本をすっかり出しておくれ。俺はその後ろに隠《かく》されてるから」

二番目の棚に並んでいるのは、『ハッブル望遠鏡がとらえた宇宙』とか、『星の観察』などの本だった。友理子は思い出した。去年の今頃《いまごろ》だったろうか、お兄ちゃんは天体観測に興味を持って、天体望遠鏡をほしがっていた。かなり高価なものだし、お兄ちゃんは野球に忙《いそが》しくて、それでなくても時間がないのだから、このうえ天体観測なんか始めたら寝る時間がなくなってしまうと、いつもはお兄ちゃんのおねだりならたいていのことは聞いてしまうお父さんが、買うのを渋《しぶ》った。で、それきりになってしまったのだ。

友理子は、きれいなカラー写真の表紙のついた、それらの本を一冊、また一冊と抜き出して、隣の机の上に置いていった。その後ろには、天体観測の前にお兄ちゃんが興味を持っていた（森崎大樹には、野球以外のことについては、ちょっと移り気なところがあったのだ）、海の生物について書かれた本が並んでいる。

五冊抜き出したところで、『イルカ　この素晴《すば》らしき海の聖者』という本と、『水族館へ行こう』という薄べったい写真集のあいだに、古ぼけた赤い革《かわ》表紙の本が一冊、ひどく場違いな感じで挟《はさ》まれているのが見えた。厚さが二センチぐらいの本だ。

「そうだよ嬢ちゃん。この赤い本が俺だ」

正体不明の声が、半分ほっとしたように、半分は友理子を励《はげ》ますように、明るくなった。

友理子は右手の人差し指を伸《の》ばし、赤い革表紙の本に触《ふ》れようとして、その寸前で止めた。何というタイトルかな。背表紙には、見たこともない記号みたいな文字が並んでいる。金色の文字だ。すり切れて薄くなり、ところどころは完全に消えてしまっている。

「何ていう本？」

返事を期待して、尋《たず》ねてみた。指先も声も震《ふる》えている。

「俺の名前を訊《き》いているのだとしたら、嬢ちゃんには読めない。俺の内容を訊いているのなら、そうだな、嬢ちゃんに判《わか》るように説明するなら、俺は辞書だよ。特別な用《よう》途《と》のある辞書だ」

「い、ようと？」

「使い道ってことさ」

友理子の人差し指は、まだ宙に浮《う》いている。

「さっきも言ったろ。俺は怖いものじゃない。嬢ちゃんがビックリするのは無理もないし、俺だってそれは重々承知してるけどさ」

見てられなかったから、という。

「とにかく、俺を手に取っておくれ。そしたら、もっと話をし易《やす》くなる」

友理子はいったん指を引っ込《こ》めた。両手を握《にぎ》り合わせる。震えが止まらない。

ごくり、と喉が鳴る。

一瞬《いっしゅん》だけ目をつぶった。そして目を開くのと同時に、ずいと手を出して赤い革表紙の本を本棚から引き抜いた。

次の瞬間、本を投げ出しそうになった。手のなかのその本は、羽根のように軽く、ほのかに温かかったのだ。人肌《ひとはだ》、という感じだった。友理子がとっさに、本を振り払《はら》うように手を動かすと、本の方は振り落とされまいと、友理子の指にからみついてきた。表紙がしなった感触が、確かにあった。気味悪い！

「わ、わ、わ」

「乱暴に扱《あつか》わないでおくれよ。俺はもう古いからね。綴《と》じ目が緩んでいるからさ」

自分の意思とは裏腹に、気がつけば友理子は、両手で大事に赤い革表紙の本を捧げ持っていた。

「嬢ちゃん、そこの椅子《いす》に座《すわ》りな。俺のことは、その机の上に置けばいい。ページを開いて、嬢ちゃんの掌《てのひら》を載せておくれ」

「どこを開くの？」

「どこでもいいよ」

言われたとおりに、お兄ちゃんの椅子にお尻を落とすと、友理子は赤い本を机の上に載せた。本が自己申告《しんこく》したとおり、よく見ると、それはかなり傷《いた》んでいた。

友理子は本の真ん中を開いた。背表紙の薄れて消えた文字と同じ、記号みたいな文字列がびっしりと並んでいる。紙は焼けて黄色くなり、ところどころに穴が開いている。

「ホントに古い本だね……」

友理子は呟《つぶや》き、右の掌を着ているトレーナーのお腹《なか》のあたりでごしごしこすってから、そっとページの上に載せた。

やんわりと、掌を下から撫《な》でられるような感触が伝わってきた。やっぱり、ほの温かい。

「ああ、嬢ちゃんは、見た目よりももっと幼いんだね」

赤い本がそう言った。これまでの羽虫の羽音から、ちゃんとした人の声へと変わっている。

「わ、わかるの？」

「わかるよ」

「あたし、十一歳《さい》なんだけど」

「嬢ちゃんたちの世界で数えると、その歳《とし》になるってことだね。嬢ちゃんの兄ちゃんはいくつなのかな？」

森崎大樹は十四歳だ。

「そうか。やっぱり幼いね」

歎《なげ》くように言う。友理子はむっとした。

「お兄ちゃんはもう幼くなんかないよ。子供じゃないもの。お父さんもお母さんもそう言ってる。まだ大人になりきってはいないけど、子供でもないって」

だから難しい年頃なのだと、いつか両親が話していたことがある。友理子はちらりと聞きかじってしまった。でもお父さんもお母さんも、大樹なら何があっても心配ないと、嬉《うれ》しそうに、自慢気《じまんげ》に語っていた。

「いやいや、幼いんだよ。充分《じゅうぶん》に幼いんだ」

掌を通して、赤い本の声が伝わってくる。耳で聴《き》いているというより、心に直《じか》に響《ひび》いてくるような感じがした。

「ねぇ……あなたってもしかして、本の精？」

「嬢ちゃんはそういう言葉を知ってるんだね。どこで覚えたの？」

本の精霊《せいれい》。本のスピリット。

「映画とかに出てくるから――」

「ああ、物語だね」

俺も物語だよ、という。

「だけどあなたは辞書なんでしょ？」

「辞書だけど、物語なんだ。書かれたものには、すべてに物語が宿るから。というより、物語の方が先にあるんだよ」

掌から伝わってくる本の波動に、言い聞かせるような優《やさ》しさが含《ふく》まれている。古くて汚《よご》れていて壊《こわ》れかけた本なのに、それに触れていることが、友理子にはちっとも不《ふ》愉《ゆ》快《かい》ではなかった。

「嬢ちゃん、ごめんよ。本当は嬢ちゃんに話しかけないでおこうと思っていたんだ。そんなことをしたって何にもならないからね。けど、嬢ちゃんがさっき、歌を歌ったものだから」

「あたしが？」

勝手にくちびるからこぼれ出た、わけのわからないあの歌だ。

「あれ、嬢ちゃんは何の歌だか知らないだろ」

友理子はうなずき、夢のなかでお兄ちゃんが歌っていた歌だと説明した。そのときの夢の光景についても話した。

と、赤い本がふるふると震えるのがわかった。

「そうか、嬢ちゃんは見ちまったんだね。だったら、やっぱり話しかけてよかったのかな。うん、よかったんだな」

一人で納得《なっとく》している。一冊で納得していると表現した方がいいか。相手は本だ。

「ヘンテコな夢だったの。夢のなかで覚えた歌を歌っちゃったの」

「歌の意味はわからないよね？」

「わかるわけないよ」

「それでいいんだ、うん」

赤い本が、また友理子の掌を撫でてくれる。おかしな感覚だけど、確かにそうだ。

「嬢ちゃん、その歌は二度と歌っちゃいけないよ。忘れることだ」

何々をしてはいけないという禁止命令は、いつどんな時代でも、子供の好奇心《こうきしん》をくすぐる最高の呪文《じゅもん》だ。友理子はちょっと乗り出した。掌を強く本のページに押《お》しつける。

「どうして？　何で歌っちゃいけないの？」

「そんなに強く押さないでおくれよ、嬢ちゃん」

友理子はあわてて手をゆるめた。赤い本は、ちょうど人間がぎゅうぎゅう押されて苦しかったときみたいに、呼吸を整えるような震え方をした。

「あれは良くない歌だからだよ」

友理子は少しのあいだ黙《だま》っていた。再び、頭のなかに、お兄ちゃんがあの歌を歌っていたときの、おそろしく普通《ふつう》ではない姿勢や状況《じょうきょう》が浮かんでくる。今度は意識して思い出したので、細かいところまではっきりするように思えた。

と、赤い本がまた身震いをした。友理子の掌に、人間の肌がよじれるような感覚が伝わってきた。

「ああ、そうだよそうだよ。それがあれさ」

「あれって？」

あれさ——とだけ呟いて、赤い本は黙る。

「あたしの見たものが、今、あなたにも見えたのね。あたしの心を覗《のぞ》いたの？　それ、超能力《ちょうのうりょく》？」

尋ねてから、自分で噴《ふ》き出してしまった。超能力なら、今の友理子こそ発揮しているではないか。なにしろ本と会話しているのだ。

「まあ、そんなようなもんだね……」

この赤い本、怖がってるみたい。

「あれって、恐《おそ》ろしいものなの？」

「嬢《じょう》ちゃんは怖くなかったのかい？」

何度も何度も床《ゆか》に頭を擦《こす》りつけていたお兄ちゃん。お兄ちゃんを見おろしていた大きな人影《ひとかげ》。威張《いば》って、そっくり返ってるみたいだった。

ふと、ある言葉を思いついた。

「お城の王様、オレ一人」

赤い本が「え？」と問い返す。「今なんて言った？」

「お城の王様よ」

友理子は本を見つめてうなずきかけた。

「あたしが見た大きな人影は、絵本やファンタジー映画に出てくる昔の王様みたいな格好をしてたの。冠《かんむり》もかぶってた」

「マントは見たかい？　ぼろぼろだったろ」

そうか！　あれの身体《からだ》全体がふくらんでいるように見えたのは、背中を覆《おお》って足首まで届くマントをまとっていたからだったのか。

「薄暗《うすぐら》くて、そこまではわからなかった」

「じゃ、あれの顔は見てないね？」

赤い本は、それが本当に肝心《かんじん》なことだというふうに、友理子が思わず表紙から掌を離《はな》してしまうほど、強い力を込めて問いかけてきた。

「——暗かったから」

「見てないね？」

「うん、見なかった」

それならいいんだと、赤い本は言った。本の全体に漲《みなぎ》っていた力が、すうっと抜《ぬ》けたように友理子は感じた。

「あれって、そんなに怖《こわ》いものなの？　どこの国の王様？」

赤い本は押し黙っている。突然《とつぜん》、普通の本に戻《もど》る気になったらしい。でも友理子の掌は、本の呼吸を感じ取っていた。何か大きな心配事があるときに、大人たちはよくそうする。深く吐《は》いて、吐ききって、少し止まって、思い出したように吸って、また吐く。

二年ほど前のことだけれど、友理子のお父さんが会社の健康診断《しんだん》で引っかかって、再検査でまた引っかかって、さらに詳《くわ》しい検査を受けるために大きな病院へ行ったことがある。その当時、お母さんが家で、台所のテーブルに向かって一人でぽつんと腰《こし》かけているときなど、そういう呼吸の仕方をしていた。届く限りの悪い想像をしながら息を吐いて、それを振《ふ》り切って大急ぎで息を吸う。お父さんの場合は、幸い、ほどなくして深刻な病気ではないことが判明し、お母さんの心配呼吸法はしまいこまれた。

でもあのリズムを、友理子は今も忘れていない。

そんなにも恐ろしい存在。

それに頭を下げていたお兄ちゃん。

友理子の小さな頭のなかに、暗い光が灯《とも》った。

「もしかして――お兄ちゃんがあんな怖いことをやったのは、あの王様みたいなものと何か関係があるのかな」

赤い本がビクリとした。

友理子は目を丸くする。「そうなの？　そうなのね？　あたしの言ってること、あたってるんだね？」

本が返事をしないので、友理子は両手でつかんで揺《ゆ》さぶってやった。「教えてよ！ね、教えてってば！」

「じ、じょ、嬢ちゃん、落ち着いて」

「落ち着いてなんかいらンないわよ！」

わかったわかったと、赤い本は音《ね》をあげた。

「そうだよ。あれは悪いものだ」

人間に取り憑《つ》いて、悪い事をさせる――

途端《とたん》に、友理子の膝《ひざ》から力が抜けた。本を抱《だ》きしめてへたへたと座り込む。兄が姿を消してから今日まで、両親や先生たちはともかく、友理子自身には、何ひとつ筋の通った説明が与《あた》えられてこなかった。それを求めようとすると、友理子がそんな心配をしなくてもいいとか、友理子は知らなくていいとか、両手で通せんぼされる。たった今、赤い本が酔《よ》っぱらったみたいに震《ふる》えながら(友理子がこっぴどく揺さぶったせいだ)ぽろりとこぼしてくれた言葉は、友理子が初めて得た回答なのだった。

ああ、泣いてしまいそうだ。

「お兄ちゃんらしくないって思ってたんだ」

ホントに涙《なみだ》がこぼれてきた。赤い本の表紙に、一滴《てき》、二滴と落ちる。

「あんなこと、お兄ちゃんがするはずないんだ」

そうだよねと、赤い本がとても優しい声を伝えてきた。「嬢ちゃんの兄ちゃんは良い子だもの。友達を傷つけたり、命を奪《うば》ったりなんかできる子じゃない」

「――知ってるの?」

「知ってるよ。短いあいだだけど、近くにいたからね」

友理子は手で顔をこすり、涙を拭《ふ》いた。そうだ、この本はお兄ちゃんの本棚《ほんだな》に隠《かく》されていたのだ。

「だからね、嬢ちゃん。俺《おれ》も一生懸命《けんめい》とめたんだよ。気をつけろって忠告したんだ。けど、嬢ちゃんの兄ちゃんには届かなかった。あんまりにも早く、あれに魅入《みい》られてしまったから」

あれに比べたら、俺はとても弱い。赤い本は、恥《は》ずかしそうに身を縮めて（実際、そういう感触《かんしょく》がしたのだ）呟《つぶや》いた。

「あれには、とてもかなわない。あれは〝英雄《えいゆう》〟というものだから」

「英雄？」

その言葉なら、友理子も知っている。ヒーローだ。とても偉《えら》くて強い人のことだ。歴史上の人物ならば、立派なことをした人だ。スポーツ選手ならば、記録に残る活躍《かつやく》をした人だ。そして、だいたいは物語の主人公だ。それがどうして悪いものなのだ？

「あんた、嘘《うそ》つきね。英雄が悪いものであるわけないじゃないの」

「嬢ちゃんはそういうふうに教わってるんだね」

「そんなの常識だもん」

ジョーシキかぁと、赤い本はため息をつくように言った。「ならそう思っておいで」

友理子の掌《てのひら》の下で、本の感触が変わった。温かみが消え、呼吸も感じられなくなった。今度こそ、話しかけてくる不思議な赤い本は、古ぼけたただの本に戻ってしまったらしい。

「ちょっと、待ちなさいよ！」

友理子は本を揺さぶり、上下逆さまにし、背表紙をつかんでページをゆさゆさしてやり、思いつく限りの乱暴なことをやった。それでも本は黙《だんま》りを決め込《こ》んでいる。

「そんなぁ」友理子は泣き声を出した。「ひどいじゃない。何でそんな意地悪するの？」

本が相手では、女の子の涙の抗議《こうぎ》も通用しない。友理子はカッとなって、渾身《こんしん》の力を込めて赤い本を壁に叩《たた》きつけた。本は開いた格好で壁にぶつかり、べしゃりと床に落ちた。下になったページが折れてしまっている。

痛いとも言わないし、怒《おこ》りもしない。睨《にら》みつけても、もう何も起こらない。

友理子は本をそのままに、気持ちの半分は喧嘩《けんか》に勝ち、半分は負けてすごすごと、大樹の部屋から退却《たいきゃく》した。

赤い本のことは、両親には話さなかった。説明のしようがない。自分でも、おかしな夢でも見ていたような気分だった。その晩の夕食の場では、来週から友理子が登校すること、最初だからお母さんが付き添《そ》って行ってくれること、友理子はこれまでと同じようにお友達と仲良くすること——そんな話ばかりをしていた。

赤い本は、壁際《かべぎわ》にべしゃりと伏《ふ》したまま、ほったらかしにされた。

翌週、友理子は予定通りに登校した。学校では、校長先生、教頭先生、木内先生、担任の片山先生が勢揃《せいぞろ》いして校長室で迎《むか》えてくれて、お母さんが何度も頭を下げた。先生方も頭を下げた。それから友理子は、片山先生に連れられて教室へ行った。

一時限目の授業が終わって、最初の休み時間、佳奈ちゃんが泣きそうになって抱きついてきた。心配してたよ。また会えてよかったよ。まわりの同級生たちも、ニコニコしたり、半べそ顔だったり、わざと知らん顔をしている子たちも、けっして冷たい感じではなかった。

良かった——元通りなんだ。お兄ちゃんがいなくなったことだけを除けば、何も変わってなんかいない。友理子の心は弛《ゆる》みかけた。

でも、そんなのは見せかけに過ぎなかった。

三時限目の授業が終わって、友理子は佳奈ちゃんとトイレに行った。事件はまずそこで起きた。

顔は知ってるけど名前は知らない、隣《となり》のクラスの女の子たちが、友理子と佳奈ちゃんと入れ違《ちが》いに、どやどやとトイレに入ってきた。友理子の顔を見ると、あっというような表情を浮《う》かべた。目が輝《かがや》く。ぎろぎろと底光りするように。面白《おもしろ》いものを見つけた。変わったものを見つけた。いじってみよう。目から手を伸《の》ばしてくる。そんな感じが生々しく伝わってくる。

ヤダな。早く出よう。

すれ違うとき、友理子の手が軽く、その子たちの一人の手にあたった。本当に軽くあたっただけだ。よくあることだ。なのにその子は、火傷《やけど》でもしたみたいにぱっと飛び退《の》いて、大げさにあわて始めた。

「わぁ！　ごめんなさい！」

一緒《いっしょ》に来た女の子たちも悲鳴のような声をあげて騒《さわ》ぎ出す。

「森崎さんでしょ？　ごめんね！　ホントごめんね！　わざとやったわけじゃないの！」

だからあたしのこと刺さないでねぇ～！

い、い、い、い、い、い、い、い、い、い！

トイレの冷たい壁に、天井《てんじょう》に、がんがん反響《はんきょう》する声だった。女の子たちは襲《おそ》われたみたいに悲鳴をあげ、競《きそ》い合ってトイレから逃《に》げ出した。スイングドアが大きく翻《ひるがえ》る。廊下《ろうか》に飛び出すと、彼女《かのじょ》たちの悲鳴はゲラゲラという笑い声に変わった。

友理子は立ちすくんでいた。

ふと見ると、佳奈ちゃんが真っ青になっていた。

四時限目の授業は、友理子の頭の上を通過していった。隣の席の佳奈ちゃんは、友理子が佳奈ちゃんを見ていないときは友理子を見ていて、友理子が佳奈ちゃんに目をやると、急いで目をそらした。友理子を見ていないのに、友理子に謝《あやま》っているみたいな顔をして。

給食の時間に、次の事件が起きた。生徒たちと一緒に配膳《はいぜん》をしていた片山先生のところに、友理子のお母さんくらいの歳《とし》の女の人が、ひどくあわててやって来たのだ。先生ではないし、学校の事務員さんでもない。誰《だれ》か同級生のお母さんだということがわかるまで、ちょっとかかった。

そのお母さんは、あわてているだけでなく怒っていた。片山先生をつかまえてけんけんと何か言い、一方で自分の子供を呼んで――深山《みやま》さんという女の子で、友理子はあまり親しくない――しっかりと引き寄せた。ときどき友理子の方に鋭《するど》い視線を飛ばしてくる。片山先生は顔色を変えて、何とかそのお母さんを廊下へと連れ出したけれど、それまでに言葉のいくつかが耳に飛び込んできた。

犯罪者。人殺し。うちの子が。説明がなかった。とても我慢《がまん》できない。学校は何を考えて。親もどうかと思う。

断片的《だんぺん》でも、意味はわかった。

そのときになって、初めて気づいた。何人か、欠席している同級生がいることに。

友理子は犯罪者ではないけれど。

友理子は人殺しではないけれど。

お兄ちゃんは同級生を殺した犯罪者だ。友理子はその妹だ。そんな友理子がいるクラスに、自分の子供を置いておくなんて我慢できない。深山さんのお母さんはそう言っているのだ。友理子が今日から登校してくるなんて聞いていない。聞いていたら放《ほう》ってはおかなかった、学校は何をしているのだと怒っているのだ。

深山さんのお母さんは、怒りながら怯《おび》えていた。その隣で、お母さんの手を握《にぎ》りしめ、深山さんも怯えていた。ほかの誰でもない、友理子に怯えていた。そしてその目は、ちょっぴり、ほんのちょっぴりだけど、友理子を嘲笑《あざわら》ってもいた。バカみたい。のこのこ学校に来るなんて。何考えてるんだよ。

ふと見ると、教室にいる同級生たちが、みんな友理子を見つめていた。そのなかには佳奈ちゃんもいた。

一人、また一人と背を向ける。こそこそと脇《わき》を向く。給食のお皿に目を落とす。食器の鳴る音がする。にぎやかなのに、生徒の声だけが存在しない教室。

友理子というブラックホールが、みんなの声を吸い込んでいるのだ。

友理子は持ち物を鞄《かばん》に放り込み、片山先生が戻ってくる前に、学校から逃げ出した。

うちへ帰る、うちへ帰る、うちへ帰る。友理子の心のなかで暗黒のオルゴールが回って音楽を奏《かな》でる。うちへ帰る、うちへ帰る。もう二度と学校へはこない。

学校にはもう、友理子の居場所はない。

膝が笑い、顎《あご》ががくがくした。一歩走る度《たび》に世界が揺れて、友理子が踏《ふ》んだ場所が砂のように崩《くず》れてゆく。

家に着くと、リビングに飛び込んでお母さんに抱きついた。深山さんのお母さんに負けないほどの声で、友理子も喚《わめ》き、叫《さけ》んでいた。

それから二人で、長いこと抱き合って泣いた。

友理子はもう学校へは行かない。あの学校へは行かない。

その夜、遅《おそ》くなってから、友理子はまたお兄ちゃんの部屋に入った。両親に知られたくないので、明かりは点《つ》けない。窓からの街灯の光で充分《じゅうぶん》だ。

赤い本は書棚に戻っていた。手前の列の端《はし》っこに、きちんと立てられていた。お母さんがお兄ちゃんの部屋に入って、拾い上げてくれたんだろう。折れたページも直してある。

友理子は近づいて、そっと指で本に触《ふ》れた。赤い本の背表紙は、ほの温かい。魔法《まほう》が蘇《よみがえ》っていることがわかった。友理子は黙《だま》ってうなずき、声を呑《の》んで泣き始めた。泣いても泣いても、まだ涙が出る。

嬢《じょう》ちゃんかと、本は訊《き》いた。

思わず、赤い本を胸にかき抱《いだ》いた。

「——痛かったんだからな」

本が口を尖《とが》らせている感じがする。ごめんねと、友理子はボロボロ泣いた。

「嬢ちゃんも痛かったみたいだね」

優《やさ》しい震えが伝わってきた。うん。友理子は頭《こうべ》を垂れて、本を抱いたまま壁際に座《すわ》り込んだ。

昼間、学校であったことを打ち明けた。行きつ戻《もど》りつ、泣きじゃっくりをあいだに挟《はさ》んでの打ち明け話はひどく混乱していて、でも、赤い本には通じているらしかった。

そして赤い本は、友理子がうわごとのようにしゃべっているあいだじゅう、ひとつのことしか言わなかった。よしよし、もう泣くんじゃないよ。友理子が何を言っても。

どれだけ泣いても。よしよし、もう泣くんじゃないよ。

「みんなそうなんだよ」

やがて友理子の話が尽《つ》き、この場で流す涙が涸《か》れたころ、本はそう言った。

「みんな、嬢ちゃんと同じような思いをするのさ。誰かが〝英雄〟に憑《つ》かれてしまうとね」

本は歌うようにメロディを付けて、友理子にそう伝えてきた。途方《とほう》もない永い時間のなかで、数え切れないほどの回数、人びとは涙の河を渡《わた》ってきた。

「誰にも、どうすることもできないんだ。可哀相《かわいそう》だけど、起こってしまったことは元に戻せない」

時間を巻き戻すことはできないのだから。

「嬢ちゃんはこれから、ずっとおうちにいるんだろう？　ゆっくりするといい。時間は、今は嬢ちゃんの敵だけど、しばらくすると味方になってくれるものだから」

「それ、忘れられるっていう意味？」

「……たぶんね」

そんなの無理だ。できっこない。

「だってお兄ちゃんがいないんだもの」

兄の不在は、友理子の時を停《と》めてしまう。森崎家の時を凍《こお》りつかせてしまう。

「昨日の話、ね」友理子は本を顔の前に持ってきた。「あなたはもっといろんなことを知ってるんでしょう？　お兄ちゃんが何であんなことをやったのか知ってるのなら、お兄ちゃんが今どこにいるのかも知ってるんじゃない？」

赤い本が返事をためらっている。ということは、図星なんだ。

「お兄ちゃんは、今どこにいるの？　〝英雄〟に憑かれてしまった人はどうなるの？　どこかに連れていかれるの？　閉じこめられたりとかしているの？」

問いは、先に口から出たものに引きずられるようにして、次から次へと湧《わ》き出てきた。

「お兄ちゃんは、自分がそうしたくて友達を刺《さ》したわけじゃないんだよね？　〝英雄〟に憑かれて、酷《ひど》いことをやらされたんだよね？」

ひと呼吸だけ間を置いてから、本は答えた。

「そうだよ」

それがあれの本性《ほんしょう》だから。人を操《あやつ》り、戦争《いくさ》を起こし、世の中を乱すことが。本の言葉は難しく、友理子は顔をしかめて考えねばならなかった。

「〝英雄〟が戦争を起こすの？　あたしの知ってる英雄は、戦争を終わらせた人たちだよ」

いろいろな物語に書いてある。教科書にだって、そう書いてあるのだ。

「始まりと終わりは同じものなのさ、嬢ちゃん。頭と尾《お》っぽがつながってる」

ますますわからない。あたしは、そんな謎《なぞ》みたいな話をしたいわけじゃないんだ。

「それなら、お兄ちゃんは悪くないよ。お兄ちゃんが悪いわけじゃない。悪いものに捕《つか》まって、恐《おそ》ろしいことを嫌々《いやいや》やらされたんだから」

お兄ちゃんは被《ひ》害《がい》者だ。犠《ぎ》牲《せい》者だ。

「助けなきゃ」

声に出して言ってみると、目の前でその言葉が形になり、暗い部屋の宙に浮き上がって見えるような気がしてきた。光り輝いている。

「助けに行かなきゃ。ねえ、お兄ちゃんがどこにいるのか教えて」

パッと閃《ひらめ》いた。「もしかして、あなたのなかにそのことが書かれてるの？　だからあなたは〝英雄〟のことをよく知ってるんじゃないの？」

言うが早いか、友理子は赤い本を開こうとした。が、驚《おどろ》いたことに、本は頑強《がんきょう》に抵《てい》抗《こう》する。

「何よ！　おかしいじゃない」

本が身体《からだ》を突《つ》っ張り、脚《あし》をふんばり、友理子の力に抗《あらが》うのがはっきりわかる。友理子はムキになって赤い表紙を引っ張った。それでも本はページを開こうとしないのだ。

「あんた、本の、くせに」

昨日はペラペラしてたくせに！

「助けることはできない」と、赤い本は言った。もう歌うような口調ではない。優しい震《ふる》えも伝わってはこない。

「〝英雄《えいゆう》〟に囚《とら》われた者を、救い出すことなんかできないんだ。人の力では無理なことだ」

「できるわよ！　どこにいるかわかれば、すぐにだってできる！　警察とか消防署の人とか、うちのお父さんお母さんだって――」

「とんでもない！　大人になんか、何もできるもんか。〝英雄〟に近づくどころか、この世界から出ることさえできないんだから」

また、わけのわからないことを言う。

「いいから、あんたの中身を読ませなさいよ。書いてあるんでしょ、手がかりが。大切なことが」

友理子は、窓越《ご》しに差し込《こ》む街灯の白い光のなか、きちんと片付けられた兄の部屋で、赤い本と取っ組み合いを始めた。あとで思い出してみると、いったい全体どうやったのか、自分でも見当がつかなかった。なにしろ相手は本なのだ。でもその場では、人間の男の子——ちょうど森崎大樹と同じぐらいの年頃《としごろ》の男の子と格闘《かくとう》しているような気分であったのだ。

もちろん、分《ぶ》は悪い。実際にお兄ちゃんと取っ組み合いの喧嘩《けんか》なんてしたことはない友理子だが、力でも手足の長さでも素早《すばや》さでも負けている。が、女の子には最終兵器というものがある。

友理子は歯を剝《む》き、本の表紙に嚙《か》みついた。赤い本がぎゃっと叫んだ。友理子の手のなかで半回転して宙に飛び、表紙を下にして床《ゆか》の上に落ちた。

息を切らしながら、友理子は本を拾い上げた。気のせいだろうけれど、ショックでぐったりしているように見える。表紙の角に、友理子の歯形がうっすらとついている。歯並びがいいのは自慢だ。

「ひどいことするなぁ」と、本が呻《うめ》いた。

「あんたが意地悪だからよ」

「俺《おれ》の中身なんか、嬢ちゃんには読めやしないよ。表紙に書いてある文字だって読めないだろ」

冷静に考えてみればそうなのだ。

「嬢ちゃんがこんな癇癪《かんしやく》持ちだとは思わなかった。見かけによらないね」

赤い本は、驚くよりも傷ついているようだった。すごく人間っぽい。

「だけどね、どんなに鋭い歯を持っていたって、所詮《しよせん》、嬢ちゃんは小さい女の子だ。兄ちゃんを助けることなんかできない。いい子だから、涙《なみだ》を拭《ふ》いて洟《はな》をかんで、おとなしくお寝《やす》み。朝になったら元気を出して学校へ行くんだ。そうやって、今までと変わらない暮らしを続けられるように、努力していくしかないんだよ」

お説教だ。友理子の癇癪はおさまっていたものの、腹立ちはそのままだ。そこに輪をかけてムカムカしてきた。

「今までと変わらない暮らしなんてできない」

「やってみることさ」

「学校へ行ったら、あたし、いじめられるもの」

「味方になってくれる友達だって、きっといるだろうよ」

「あんたなんかに何がわかるのよ。ただの本のくせして」

本はしばらく沈黙《ちんもく》した。それから、ちょっと口調を変えた。「なんだ、要するに嬢ちゃんは学校へ行きたくないんだね。兄ちゃんを助けに行きたいなんて、逃《に》げ出すための口実じゃないか」

友理子はもういっぺん、この本を力任せに床に叩《たた》きつけてやろうと思った。が、その手は宙で止まった。本を頭の上まで振《ふ》りあげたところで。とても悲しくて、自分で自分が恥《は》ずかしくて、目の奥《おく》が熱くなる。

友理子は腕《うで》を降ろすと、赤い本を大樹の書棚《しょだな》にそっと戻した。

「よしよし、それで結構」本は満足げに言った。

「お寝み、嬢ちゃん」

本から手を離《はな》し、部屋を出よう。今にもそうしよう。話は終わりだ。

ううん、終わりじゃない。

「ホントに、お兄ちゃんを助けることはできないの？ さっき、大人にはできないって言ったよね？ お父さんにもお母さんにも、警察の人たちにもできない」

「ああ、そうだ」

「あたしにもできない。あたしは小さい女の子だから。ね、だったら、ほかに誰《だれ》かいるの？ 誰かお兄ちゃんを助けることができる人はいる？」

「——そんなことを訊いてどうするんだい？」

「その人のところに、お兄ちゃんを助けてくださいって、お願いしに行く」

何が何でも頼《たの》んで頼んで、きいてもらうのだ。

「だから、知ってるなら教えて。お兄ちゃんを助けられる人が、どこかにいる？」

友理子は時計を見ていなかったから、返事があるまで、どれくらいかかったかわからない。赤い本は、永いこと迷っていた。

「この世界には、いない」

そう答える本の〝声〟には、これまでにない厳《おごそ》かさがあった。

「嬢ちゃんのいるこの世界から他所《よそ》へ行かないと、嬢ちゃんの兄ちゃんを捜《さが》すための手がかりは得られないよ」

では、まったく術《すべ》がないわけではないのだ！

「大人はこの世界から出ることさえできないって言ったのも、そういうこと？」

「うん、そうだ」

「あたしは子供だから、できる？」

だったら、そこへ行こう。

「どこ？　外国？　飛行機に乗らないと着かないような場所？」

「そういう意味の〝他所〟じゃないよ。嬢ちゃんのいるこの〝輪《サークル》〟の外だ」

〝輪〟とは世界の意味だ。この場合の世界というのは、「世界史」とか「世界地図」

とか、友理子が知っているような意味の言葉ではない。もっとずうっと広いと、本は説明した。

「嬢ちゃんが一生のうちに行くことがないこの星の端《はし》っこであろうと、宇宙の彼方《かなた》だろうと、俺たちから見ればそこも嬢ちゃんたちの〝輪〟の内側《うちがわ》だ。嬢ちゃんたちの世界——狭《せま》い意味での世界の物語が宿っている〝輪〟のなかでしかない」

相変わらず、よくわからない。でも、肝心《かんじん》なことはひとつだけだ。

「でも、あたしが本当に行きたいと願うなら、そこに行かれる？　あなたが連れてってくれる？」

子供だからね……と、赤い本は呟《つぶや》いた。

「子供だから、こんな大きなことでも、簡単に決めてしまえる。一生と引き替《か》えになるかもしれない決断なのに」

呆《あき》れているような、感心しているような。

「仕方がないね。嬢ちゃんに話しかけて、興味を持たせてしまったのは俺だからな。責任がある」

友理子の胸の奥が、きゅうっと苦しくなってきた。悲しみや怒《いか》りのせいではなく、こんなふうになるのは、何と久しぶりのことだろう。

「ありがとう！」

「お礼を言うのはまだ早い。嬢《じょう》ちゃん、これは大仕事なんだ」

自分一人では何もできないと、赤い本は言った。

「だから、嬢ちゃんはまず、俺を仲間たちのところへ戻《もど》してくれなくちゃならない」

どっちにしろ、入口もそこだし――と、謎のようなことを小さく言い足す。

「わかった。どこ？　本屋さんかな。図書館？　あなた古い本だから、古本屋さんか」

赤い本はくすぐったそうに笑った。「嬢ちゃんは面白《おもしろ》いね。そうか、忘れちまっているのかな」

忘れている。友理子が、何を？

「嬢ちゃんは本気で、兄ちゃんが、俺みたいな何が書いてあるかわからないような本を、そんな普通《ふつう》の場所から持ってきたと思うのかい？　考えてごらんよ。思い出してごらん。どれくらい前かなぁ、まだ寒いころだったよ。嬢ちゃんも兄ちゃんも、温かそうなコートを着込んでた。そのころ、俺みたいな本が数え切れないほどたくさん集まってる場所に、みんなで出かけて行った覚えはないかい？」

しっかり考えてみるために、友理子はまた本を手に取ると、座り込んだ。まだ寒いころ。コートを着て。みんなで一緒《いっしょ》に。

「みんな――家族で？」

「そうだ」

白い息を吐《は》きながら。数え切れないほどの本が集まっている場所へ。

友理子は目を瞠《みは》り、ついでに口まで開いてしまった。「それ、叔父《おじ》さんの別荘《べっそう》じゃない？」

「正確に言うと、嬢ちゃんの父ちゃんの叔父さんだけどね。大叔父さんだ」

去年の十二月、最初の日曜日のことだった。家族みんなで、お父さんが車を運転して出かけていったのだ。

「うん、あの別荘にはすっごい図書室があって、まるで図書館みたいだってビックリしたの」

「俺はあそこにいたんだ」赤い本は言って、声を潜《ひそ》めた。「〝英雄〟も、そこにいた」

友理子は思い出したり考えたりするのに忙《いそが》しくて、本の呟きを聞いていなかった。

大叔父さんの別荘、場所はどこだっけ？　日帰りだったから、そんなに遠いはずはないけど、けっこうな山のなかだった。途中《とちゅう》で舗装《ほそう》されていない道に乗り入れなくちゃならなくなって、お母さんが不安がった。

「あたし一人じゃ、あんなとこまで行かれないわ。住所だって知らないし、道がわからない」

「じゃ、どうする？」赤い本は面白そうに問いかける。「嬢ちゃん、これが最初の試練だな」

第二章　世捨て人の図書館

子供はけっこう、嘘《うそ》がうまい。ただ嘘に慣れていないので、すぐばれてしまうのだ。嘘をつくなら、まず自分でその嘘を信じ込《こ》むことだ。

赤い本がくれた助言を心に秘《ひ》めて、それから友理子《ゆりこ》は、三十分ばかり下準備をした。嘘を——作り話をこしらえるのは簡単だったけれど、それを滑《なめ》らかに、迫真《はくしん》の演技で伝えるのは難しい。

両親を起こすのに、まったく手間はかからなかった。お兄ちゃんが姿を消して以来、お父さんもお母さんも熟睡《じゅくすい》したことがない。ちゃんと布団《ふとん》に入って寝《ね》るようになったのだって、ごく最近のことだ。それまでは二人してリビングにごろ寝していた。玄関《げんかん》には鍵《かぎ》をかけず、どんな小さな物音にも飛び起きて、お兄ちゃんが帰ってきたんじゃないかと、走って様子を見に行く。こんなことをしていたら二人とも倒《たお》れてしまうと、警察の人に説得されて、やっと寝室《しんしつ》で横になるようになったのだった。

友理子が作り話を始めると、まずお母さんが顔色を変えた。驚《おどろ》いたり怒《おこ》ったりしているのではなく、ああそういえばそうだ大事なことを見落としていたという喜びと後《こう》悔《かい》がまぜこぜになって、窶《やつ》れた頬《ほお》の上をよぎってゆく。

「ね？　友理子もすっかり忘れてたの。でも、あの別荘《べっそう》にならお兄ちゃん、誰《だれ》にも知られずに一人で隠《かく》れていられるんじゃないかな」

そうよそうよお父さん、友理子の言うとおりですよ。右手で友理子を抱《だ》きしめながら、左手でお父さんをつかんで揺《ゆ》さぶって、お母さんはうわずった声を出す。

「大樹《ひろき》はきっと、あの別荘にいるんだわ！」

「中学生が、一人であんなところまで行けるかな。車もないのに……」

お父さんは半信半疑だ。いや半希半疑か。そうであってほしいという願いを、現実的な判断で抑《おさ》えている。

「大樹には、思い切ったことを、えいやっとやってしまうところがあるもの。頭がいい子だから、工夫《くふう》もするし。ヒッチハイクだって何だって、方法はいくらでもあるじゃないの」

行きましょう、すぐ行きましょう。お母さんは布団を踏《ふ》んで立ち上がる。

「ちょ、ちょっと待ちなさい。こんな時間に」

「グズグズなんかしてられないわよ！」

「誰かに報《しら》せた方がいいんじゃないか」

「誰に？　誰に報せろっていうんですよ。警察ですか？」お母さんの目の色まで変わってきた。

「冗談《じょうだん》じゃないわ」と、唾《つば》を飛ばして叫《さけ》んだ。

「あたしたちで大樹を見つけるんです。警察なんか後回しよ！」

その勢いに、お父さんも引きずられる。大事な決め事の場合、森崎《もりさき》家では、たいていこのパターンになるのだ。

「わ、わかった。行ってみよう。友理子は――」

「あたしも一緒《いっしょ》に行く！」

「もちろんよ。友理子も連れていくんですよ、お父さん」

もう離《はな》れればなれになんかならないんだからと、そのときだけ急に喉《のど》を詰《つ》まらせて、お母さんは宣言した。

四十五分後には、森崎家の残された三人は自家用車に乗り込み、真っ暗に寝静まった町の底から出発した。着替《きが》えと支度《したく》は十五分もかからずに済んだのだけど（お母さんはお兄ちゃんの着替えや、食べ物や、風邪《かぜ》を引いてるかもしれないから風邪薬、お腹《なか》をこわしてるかもしれないからお腹の薬と、際限なくバッグに詰め込んで、途中《とちゅう》でお父さんにとめられた）、あとの三十分は、目的地である別荘の住所を確かめるために、時間を費《つい》やしてしまったのだった。

大叔父《おじ》さんの別荘は、一度訪ねたきりである。二度と行く用事はないと思っていた。すべて弁護士さんにお任せすると、話し合いで決まっていたからだ。だからお父さんは、去年の十二月にいっぺんだけ訊《き》いて教えてもらった別荘の住所を書きとめたメモを、どこにしまったか忘れてしまったのだった。

親父《おやじ》に電話して訊いてみようか。駄目《だめ》よ、それじゃ理由を言わなきゃならなくなるでしょ。お義父《とう》さんは警察に報せちゃうわよ。うちの実家と違《ちが》って、あちらはみんな大樹に冷たいんだから。そんなことはないようちの親父だって――というような不毛の喧嘩《けんか》が始まりかけたときには、友理子が割って入ってとめた。何でも「とりあえずとっておく」癖《くせ》のお母さんが、その「とりあえずグッズ」を仕舞《しま》い込むいくつかの引き出しや空箱を覚えていて、問題のメモを見つけ出したのも友理子であった。

運転席と助手席にお父さんとお母さん。今まで、家族で車で出かけるときは、運転席の後ろにお兄ちゃん、助手席の後ろに友理子が座《すわ》るのが、森崎家の決まりになっていた。今、後部座席には友理子一人だけだ。でも、膝《ひざ》の上の小さなピンク色のリュックのなかには、あの赤い本が入っている。

——嬢《じょう》ちゃん、うまくやったね。

友理子はリュックのなかに右手を突《つ》っ込んで、掌《てのひら》で本の表紙に触《ふ》れていた。本の声がちゃんと聞こえてくる。

——しゃべってるうちに、自分でも、ホントにお兄ちゃんがあの別荘に一人で隠れてるのかもしれないって思うようになったの。

友理子の言葉も、胸のなかで思うだけで、掌を通して本に伝わる。

——それはあり得ない。

本はぴしゃりと言い返してきた。

——中途半端《はんぱ》な希望を抱《いだ》いちゃいけないよ、嬢ちゃん。それより問題は、俺《おれ》の仲間たちが、今でもあそこにいるかどうかってことだ。

——何それ。話が違うじゃない。

——お父さんに訊いてみておくれ。あの後、お父さんの身内の誰かが、別荘のなかにあった本を処分してしまってるかどうか。

友理子はいったん、リュックから手を引っ込めた。そして運転席に身を乗り出した。

「お父さん。あの別荘、あたしたちが見学に行った後、誰かがお掃除《そうじ》したとか片付けたとか、そういうことはない？」

お父さんは前を向いたまま、目だけ動かして、ルームミラーに映る友理子の顔をちょっと見た。

「そんな話は聞いてないけどなぁ」

「じゃ、あのまんまになってるんだよね。たくさん本があったでしょ？　まるで図書館みたいに。あの本もそっくり残ってるんだよね」

「たぶんそうだと思うよ。何か処分したなら、親父か隆司《たかし》兄さんが報せてくれるはずだから」

隆司というのは、お父さんの二人いるお兄さんのうちの一人で、森崎家本家の長男だ。

「あんな別荘、買い手なんかつかないって話だったじゃないの」と、お母さんが言った。少しでも早く進むために、車を押《お》して手伝おうとでもいうように、片手をダッシュボードに突っ張っている。「辺鄙《へんぴ》なところだもの。道だってなかったし。建物もかなり傷《いた》んでるって」

友理子も覚えている。もうちょっと場所と状態が良ければ、リフォームに金を出してもいい、みんなで使える別荘にできるのにと、隆司伯父《おじ》さんが言っていた。あれじゃどうしようもないよ。廃屋《はいおく》も同然だから。

「でも、あの本だけは一応、専門の業者に見てもらおうかって言ってたかな、兄貴」

なにしろ、途方もない数があったから。

「なかには、値打ち物が混じってるかもしれないって——」

「友理子、お兄ちゃんがあの別荘の本のことで何か言ってたことがあるの？」

お母さんは鋭《するど》い。問われて、友理子は首を振《ふ》った。

「ううん。でも、いっぱいあるなぁ、大叔父さんはこれ全部一人で集めて、全部読んでたのかなぁって、すごく感心してたから」

これは嘘じゃない。本当のことだ。家族で別荘を見に行ったとき、お兄ちゃんはあの図書館みたいな「本の部屋」で、飽《あ》きずにいろいろな本を取り出しては眺《なが》めていた。ここには、世界中の本が集められてるんじゃないかとも言っていた。見てみろよ、チビ友理。こっちは英語の本、こっちはたぶんフランス語、こっちは何語だろう、見たことないような字が並んでる。これなんか、何百年も昔の本みたいだぞ。

そう、とお母さんは小さな声で言った。「大樹は本が好きだからね」

「うちが見学に行ってから、もう五ヵ月近く経《た》ってるよな。鍵とか、どうなってるんだろう」

思い出したように不安げに、お父さんが呟《つぶや》く。

「鍵がかかってたって、窓でも何でも壊《こわ》して入れるじゃない。大樹はそうしてるわ」

もっとスピードを上げてと、お母さんは急《せ》き立てる。お父さんがハンドルを握《にぎ》り直した。

友理子はリュックに手を差し入れた。

――お母さん、すっかり思い込んじゃってる。

――仕方ないよ。それが母親の気持ちというものだ。

――あたしのせいだね。

――そんなことでもう萎《しお》れてしまうなら、この先、何にもできないぞ。

それより嬢ちゃん、と赤い本は言った。

――今のうちに少し寝ておいた方がいいよ。

――寝てなんかいられないよ。眠《ねむ》くないし。

――じゃ、あの別荘の持ち主の大叔父さんのこと、嬢ちゃんがどのくらい知ってるのか教えておくれよ。

――あなたは知らないの？　あなたは、大叔父さんの買った本だったんでしょ。

——だからさ、俺と嬢ちゃんの知ってることを突き合わせてみようと思って。ただ思い出すだけでいい、説明しようとしないでいいからさ。

友理子はシートに頭をつけると、言われたとおりに、大叔父さんにまつわる事柄《ことがら》を思い起こしてみた。

初めてその話を聞いたのは、去年のまだ暑いころだったと思う。夕食のテーブルでお父さんが、どうやらお父さんには叔父さんがいるらしいんだよ、と言い出したのだ。

お父さんのお父さん、友理子の父方のお祖父《じい》ちゃんは一人息子《むすこ》だ。兄弟姉妹《しまい》はいない。なのに、今頃《いまごろ》になって「いるらしい」とはおかしな話だ。

「なかなか複雑な事情があってね。だから親父も、今まで俺たちには黙《だま》ってたんだな」と、お父さんはお母さんにそう説明した。

お祖父ちゃんには、小学校の四年生から高校二年生になるまでのあいだ、一時的に、血のつながらない「弟」がいた時期があるというのである。お祖父ちゃんの両親が、養子をもらったのだ。

「親父の親父が仕事で世話になった人の息子さんなんだけど、本妻さんの子供じゃなくてね」

あのとき、お父さんは、みんなで揃《そろ》って食卓《しょくたく》についているのに、話の特定の部分になると、もっぱらお母さん一人に向かってしゃべりかけていた。そういう部分については、友理子が聞いても理解できないところが多かった。お兄ちゃんは、理解も不可解も表情に出さず、そもそもそんな話に興味はないという感じでガバガバご飯を食べていたけれど、実はちゃんと聞いていることが、友理子にはわかった。だって友理子が、(今のどういう意味?)という顔でお兄ちゃんを盗《ぬす》み見ると、(わかんなくていいよ)というサインを寄越《よこ》したから。(どうしてもわかりたかったら、あとで教えてやるからさ)

「いろいろゴタゴタして、赤ん坊《ぼう》のうちから親戚《しんせき》をたらい回しにされてさ。それでもどこにも落ち着けなくて、結局、うちの爺《じい》さんが頼《たの》まれて養子にとることになったんだそうだ」

お祖父ちゃんのお父さんは、そういう点では「太っ腹な人」だったのだそうだ。ニンチはしてたのとか、してないとか、母親は? 一人じゃ育てられないって逃《に》げちゃったそうだとか、お父さんとお母さんが早口でやりとりをして、

「歳《とし》はいくつぐらいだったの」

「親父よりひとつ年下」

「じゃあ、本当に兄弟ね」

「そのままうまくいってればなぁ」

残念ながら、その養子さんは、森崎家に来てもうまくいかなかったのだそうだ。

「まあ、何年かは保《も》ったんだから、ほかの家よりはマシだったんだろうけどな」

「気の毒にねぇ」

お祖父ちゃんは、その養子さんと喧嘩ばかりしていたそうである。

「一応、うちの爺さんが高校まで進学させてやったんだけど、すぐやめちゃってね。そのまま森崎の家からも出ちまったそうだ」

正式な手続きをした養子ではなかったので、戸籍《こせき》などの問題はまったくなかった。ただ、その人が姿を消してしまってそれっきり。

「恩知らずだって、爺さんは一時おかんむりだったらしい。婆《ばあ》さんは気に病《や》んでたみたいだけど、どうしようもないしな」

お祖父ちゃんは、その養子さんのことなどすっかり忘れて大人になり、自分がお父さんになり、お祖父ちゃんになって現在に至る。お祖父ちゃんのお父さんとお母さんは、もうとっくにお墓の下の人になっている。

養子さんの名前は、水内《みのち》一郎という。

「珍《めずら》しい名字ね！」

「産みの母親の姓《せい》だそうだよ」

その水内一郎さんが、亡《な》くなった。

「つい先月だって。で、遺産の管理人として指定されていた弁護士が、親父に連絡《れんらく》してきたんだ」

水内一郎さんは、遺言《ゆいごん》状を残していた。そこに、遺産の一部を、子供のころお世話になった森崎家に差し上げたいと書いてあるという。

「遺産って……そんなにお金持ちだったの？」

お母さんは、箸《はし》を口に突っ込んだまま目を丸くする。

「株であてたらしいんだよ。けっこうな資産家になってたんだ。人生、わからないもんだよなぁ。高校もろくに出ずに、親もいなくて、だけどそんなふうに成功することもあるわけだ」

水内一郎さんは独身で、身寄りはまったくいない。遺産の大部分は、慈善《じぜん》団体に寄付されることになっている。

「親父はけっこう感動してね。あの一郎がなぁ、親父とおふくろが生きてたら喜んだろうって」

「それ、本当にもらえるお金なの？　税金はどうなるの？　下手なものを相続して、かえって高くついたりしないのかしら」

「大丈夫《だいじょうぶ》だよ。そっちの方は全部弁護士が処理してくれるんだ。うちはホント、くれるって分をもらえばいいらしいよ」

「うちでもらうんじゃないわよ。もらうのはお義父さんでしょう」

お父さんはだらしない感じで笑った。「けどさ、いずれは俺たち兄弟のものになるわけだから」

それが第一報である。続報が来るまで、一ヵ月くらいかかったろうか。ある晩、会社帰りに隆司伯父さんがうちに寄って（やあ、ちょっと会わないうちに、二人ともまた背が伸《の》びたね。大樹は野球、頑張《がんば》ってるか？）、詳《くわ》しく話してくれたのだけれど、お父さんはずいぶんとがっかりした様子だった。

「なぁんだ。やっぱり棚《たな》からぼた餅《もち》は夢幻《ゆめまぼろし》だな」

「親父もそう言ってるよ。世の中、そうそううまい話は転がってない」

弁護士さんの説明によると、もろもろの手続きを済ませ税金を納めると、森崎家に残される水内一郎さんの遺産は、北関東の山のなかにある古い別荘《べっそう》が一軒《けん》だけ――ということになるのだという。

「別荘といっても、本人がそこに住んでたんだ」

「じゃ、そこで死んだの？」

「いや、死んだのは旅先。パリだとさ」

セーヌ川沿いに店を出している古書店のなかで、水内一郎さんは死んだ。古書の山の狭間《はざま》でばったり倒《たお》れ、店主が駆《か》けつけたときにはもう息が絶えていたそうだ。心筋《しんきん》梗塞《こうそく》だった。

「先《せん》から悪かったそうだよ。本人も覚悟《かくご》を決めていて、だから遺言状を作ったんだ」

パリにはしょっちゅう出かけていたらしい。ほかにも、世界中あちこちへ旅していた。

「有り余るほど金を持ってて、一人暮らしだろ。旅行に行く以外は、その別荘に籠《こ》もりっきりだったそうだ。人嫌《ひとぎら》いでね。友人知人、誰《だれ》もいない。付き合いがあったのは、その弁護士だけだ。それだって、必要があったから仕方なしに、さ。一緒《いっしょ》に一杯《ぱい》やったことさえないって笑ってた」

大金持ちで、人間嫌いの世捨て人。弁護士さんはそう評した。水内さん本人が、自分で自分のことをそう言っていたそうだ。

「で、海外旅行だけが唯一《ゆいいつ》の趣味《しゅみ》か」

「いやいや、旅行は単なる手段。目的は本だよ、本。それも古本ばっかり」

世界中を回って、古本屋を訪ねる。見つけた本は片っ端《ぱし》から買う。値段など問題じゃない（隆司伯父さんはこのとき、金にイトメをつけないという言い方をした）。買って買って買い集めて、

「本を保管するためだけに、住んでいた別荘のほかに、家を三軒持ってたそうだ。そっちは親父《おやじ》に遺《のこ》しちゃくれなかったんだな」

別荘にも、山ほど本があるらしい。「本人がことのほか気に入ってた本を、そこに集めてたんだってさ」

とにかく、一度様子を見に行ってくると、隆司伯父さんは言った。

「親父はすっかり興味を失《な》くして、面倒《めんどう》くさがっちゃっててなぁ。全部俺《おれ》に任せるって言ってるから、仕方がない」

「悪いなぁ、兄さん」

「もし、古くても手を入れれば使えそうな別荘だったら、みんなで共有しようよ。夏休みに集まってバーベキューやるとかさ」

お母さんがちょっとだけ口を出した。「お金持ちだったなら、家具はいいものを持ってたかもしれない。見てきてくださいね、お義兄《にい》さん」

「はいはい、引き受けました」

という次第《しだい》で、その後も何度か隆司伯父さんから連絡があった。聞くたびに雰囲気《ふんいき》が盛り下がる報告ばかりだった。別荘は古いなんてもんじゃない。何とか建ってるのが不思議なほどだ。家具もロクなもんがないし、家のなかはゴミだらけ。ホームヘルパーの一人も雇《やと》っていなかったらしい。食事はどうしていたんだか、台所の蛇口《じゃぐち》をひねると、赤錆《あかさび》の混じった水がちょろちょろ出るだけ。

本はどうか。確かにある。山ほどある。一階の奥《おく》のいちばん大きな部屋が図書室になっていて、壁《かべ》一面の作り付けの書架《しょか》に本がぎっしり。それでも収まりきらずに床《ゆか》に積み上げてある。

「ちらっと見てみたけど、外国語の本ばっかりみたいだ。どの程度の価値があるもんなのか、素人《しろうと》には見当もつかないよ」

値打ち物があるかもしれないというのは、確かこのときの話だったと思う。

「業者に来てもらって、見てもらった方がいいな。けど、とにかくめちゃめちゃ不便な場所なんだ。ありゃ別荘地じゃないね。ただの山林に、ぽかっと一軒だけ建ってるんだ。まわりには何にもない。道も途中《とちゅう》からは私道なんで、手入れがされてなくてさ、俺たち、いっぺん引き返してホームセンターを探して、草刈《くさか》り鎌《がま》とか鉈《なた》とか買い込《こ》んでから出直したんだぞ。えらいホネを折ったよ」

そんなんじゃ、下手に業者を頼んで見に行ってもらったりしたら、手数料の方がバカ高くなってしまうかもしれない。お父さんは苦笑いしながらそう言った。

そんな場所で、そんな家で、無数の古い本に囲まれ、水内一郎さんはどうやって暮らしていたのだろう。何を思っていたのだろう。寂《さび》しくはなかったのか。最初に、それを言い出したのはお兄ちゃんだった。

「うちも、いっぺん行ってみようよ」

しきりと、お父さんにせがむようになった。お母さんがそれに乗った。

「お義兄さんもお義姉《ねえ》さんも淡泊《たんぱく》な人たちだから、欲がないでしょう。いいものがあっても見落としてるのかもしれない。あたしも見に行きたいわ。この目で確かめてみたいじゃないの」

「だけど、勇兄《いさむ》さんたちも行ってみて、呆《あき》れ返って帰ってきたんだぞ」

勇というのはお父さんの二番目の兄さんだ。最初の奥さんと離婚《りこん》して、今の奥さんは二人目で、子供はいない。共働きをしていて、兄弟のなかではいちばん裕福《ゆうふく》だと、お父さんもお母さんも認めている。ちょっと金遣《かねづか》いが荒《あら》いけど、と。

「勇さんたちは、いいものを見る目はあるけど、とことん今風じゃない。バブリィだから、骨董《こっとう》品や骨董家具なんか目に入らないわよ」

大事な決め事では、お母さんの意見が優先される。この鉄則に従い、十二月初めになって、友理子たちは一家で問題の別荘を見学——探検しに行くことになったのだった。

あの日も、さすがに鉈ということはなくても、草刈り鎌は必要だった。それを思い出して、友理子ははっと我に返った。

「あの道、通れるかな？」と、前の座席の両親に問いかけた。「また草が茂《しげ》っちゃってたら」

「前に行ったときに、伯父《おじ》さんから借りた鎌がトランクに入れてあるよ」と、お父さんが答える。

「よく気がついたなぁ、友理子」

「大樹が草を刈ってるわよ、きっと」

お母さんの素早《すばや》い呟《つぶや》きに、なぜかお父さんは返事をしなかった。

車は高速道路を走っていた。道はガラガラで、ときどき大型トラックを追い越《こ》したり、追い越されたりする。側面のパネルにさまざまな種類の魚の絵が描《か》いてあるトラックが、しばらく友理子たちと並んで走り、その先のランプで降りて行った。

赤い本が話しかけてくる。

――どうやら、俺の仲間たちはあのまま別荘に残っているらしいね。

――うん。よかった！

――タカシという人のことなら、俺も覚えてるよ。あの部屋に入ってきたからね。奥さんが一緒だったけど、子供たちはいなかった。

友理子の父方の従兄姉《いとこ》たちのことだ。

――お兄ちゃんやあたしより、年上だから。もう、お父さんお母さんと出かけたりしないんだよ。

実はお兄ちゃんだってそうだったのだ。中学にあがってからは、「家族でお出かけ」なんていうと、あまりいい顔をしなかった。何かと口実を作って一緒に行かないときもあったし、適当に付き合っているという感じだった。野球チームの仲間たちや、学校友達とはいそいそ出かけて行くのに。

「ねえお父さん」お母さんが、急き込んだ口調のままで問いかける。「結局、あの別荘はどうなってるの？　お義父《とう》さんがもらったの？」

「もらったんだろうなぁ」

「正式な手続きは済んでるの？」

「と思うよ」

「だったら、大樹はあそこにいても、不法侵入《しんにゅう》とかそういうことにはならないのよね。お祖父《じい》ちゃんの別荘なんだもの」

早口で言い切って、満足そうに黙《だま》った。お父さんも、一瞬《いっしゅん》何か言い足しそうな顔をしたけど、結局は黙って運転に専念した。

不思議だねと、赤い本が言った。

——嬢《じょう》ちゃんたちの家族は、あの別荘を遺した人のことをよく知らないし、親しみを持ってるような感じもしない。

——だって、ホントに知らない人なんだもの。

——けど、叔父《おじ》さんとか大叔父さんとか呼んでるじゃないか。俺にはそれが不思議に思える。

友理子も少し、考えた。

——それってたぶん、ミノチさんとか、イチロウさんとか呼びにくいからだよ。かえって親しげな雰囲気が漂《ただよ》うではないか。

——そんなもんか。

——うん。お祖父ちゃんはイチロウ、イチロウって呼び捨てにしてるし、いっときは兄弟だったんだって話してるし。だからあたしたちも、何となくね。

そういえばお祖父ちゃんは、もう死んでしまった人のことなんだし、身内扱《あつか》いしてあげることがせめてもの供養《くよう》だと言っていたことがある。そしたら年回忌《ねんかいき》はどうなるの、うちでやるんですかと、お祖母《ばあ》ちゃんは気にしてた。ネンカイキって何のことだろう。

——あの人はね、確かに孤独《こどく》な人だった。

——大叔父さんのこと？

——うん。俺はあの人の別荘に行ってから、三年ぐらいしか経《た》っていないけど、あの人が独りぼっちだってことはすぐわかった。

でも、寂しそうではなかったという。

——孤独なのに寂しくないの？

その問いに返事が来ないうちに、友理子は大事なことを思い出した。

——あなたは、〝英雄《えいゆう》〟もあなたと一緒に別荘にいたって言ってたよね。つまり、〝英雄〟もあなたと同じ「本」だってこと？

強く掌《てのひら》を押《お》しつけないと聞こえないくらいのかすかな声で、本は答えた。そうだよ、と。

——大叔父さんが買った「本」なんだね。

——うん。どこから来たのかは、俺は知らない。仲間が誰《だれ》か、知ってるだろうな。

——どうして大叔父さんは無事だったの？　どうして〝英雄〟に取り憑《つ》かれずに済んだの？

車は高速道路を降りて、街灯と看板の照明が灯《とも》る街路に踏《ふ》み込んだ。今は夜空と見分けがつかないけれど、まわりにはぽつりぽつりと山や丘《おか》が見えているはずだ。お父さんのカーナビの画面でも、大きな建物の表示がまばらになった。

——説明が難しいんだけど。

それはもう、重々承知だ。

——〝英雄〟の本体は、この〝輪《サークル》〟にはいない。別の場所でしっかり封印《ふういん》されている。

横道からパトカーが出てきてこちらへ曲がり、友理子たちとすれ違《ちが》った。助手席のお巡《まわ》りさんが、首を反《そ》らすようにしてこちらの車内を窺《うかが》った。お父さんの滑《なめ》らかな運転ぶりは変わらず、お母さんはパトカーの存在そのものに気づいていないみたいだ。前方を見据《みす》えている眼差《まなざ》しは、ルームミラー越しに見ても、怖《こわ》いほど真《ま》っ直《す》ぐだ。その瞳《ひとみ》にはきっと、まだかなり先の山のなかにあるあの別荘が映っているのだろう。暗い部屋のどこかで、懐中電灯《かいちゅう》か蠟燭《ろうそく》の明かりをひとつだけ点《つ》け、古毛布かジャケットにでもくるまって震《ふる》えているお兄ちゃんの姿も見えているのかもしれない。

――だけど〝英雄〟には、ほかの本にはない力が備わっているんだ。そして、嬢ちゃんがいるこの〝輪〟のなかには、その力を伝えることのできる一種の写本がいくつかある。〝英雄〟そのものではないけど、〝英雄〟の一部っていうか、影響力《えいきょうりょく》を持っている「本」。

森崎大樹が水内一郎の別荘で遭遇《そうぐう》したのは、そういう写本のひとつだというのである。

妙《みょう》な話であり、聞き捨てならない話でもある。

――いくら〝英雄〟の本体を封印してたって、写本が出回ってたら意味ないじゃない？

まっとう至極《しごく》な小学五年生のツッコミに、しかし赤い本は動じない。

――そんなことはないさ。放《ほう》っておいたらありとあらゆる〝輪〟に出回って、増えるだけ増えてしまうはずの写本が、今くらいの数で済んでいるのは、〝無名の地〟が〝英雄〟の本体を封じているからなんだよ。

ムメイノチ。初耳の名称《めいしょう》が出てきた。何のことかと、友理子が掌に力を込めて問い直そうとしたとき、車体が大きくバウンドして、膝《ひざ》の上からリュックが滑《すべ》り落ちてしまった。

車があの未舗装《みほそう》の道に入ったのだ。お父さんが運転席で踏ん張り、お母さんがますます強くダッシュボードに手を突《つ》っ張る。

「もうすぐよね。この道を登るのよね？」

「一本道だったよな」

友理子はシートから転がり落ちないようにバランスをとりながら、何とかリュックを拾い上げた。

窓の外には闇《やみ》が溢《あふ》れている。ふた筋のヘッドライトが、そのなかで跳《は》ねるように上下する。そのせいで、光に浮《う》かび上がる夜の木立も、枝を揺《ゆ》らし根をうごめかせて踊《おど》っているみたいだ。こんな時刻に、山に明かりを持ち込むのは何者だ。こんな時刻に、森に踏み込んで来ながら、明かりを必要とするのは何者だ。わらわら。ざわざわ。木立が騒《さわ》ぐ。友理子は自分でも気づかないうちに身を縮め、首筋を硬《かた》くしていた。

出し抜《ぬ》けに、別荘《べっそう》のシルエットが現れた。さっきまでは全然目に入らなかったのに、たった今、突然に。眠《ねむ》っていた生き物が車のエンジン音に起き上がり、視界に入ってきたかのようだった。

夜空は暗く、山も暗く、森はもっと暗いと感じていたのに、別荘はさらに暗かった。

そこでは闇が閉じこめられているからだと、友理子は思った。空と山と森の闇は自由だけど、別荘の内にいる闇どもは囚《とら》われている。外に出ることができないから、折り重なって凝縮《ぎょうしゅく》してしまうのだ。

闇の重さで、大叔父さんの残した別荘は、初めて訪《おとず》れたあのときよりも、さらに傾《かし》いでいるように見えた。

車が停《と》まった。お父さんがエンジンを切る。

「友理子、降りるよ」

友理子は、なぜか防弾《ぼうだん》チョッキを身につけるような気分で、きつくリュックを抱《だ》きしめた。

別荘の玄関《げんかん》へとたどり着くために、お父さんは鎌《かま》を使わねばならなかった。草は茂り放題に茂っていた。誰かが刈った様子はなかった。

これまでの道よりも、距離《きょり》は短いけれど、さらに急な斜面《しゃめん》である。だから車では登れないのだ。前に家族で来たときに、登り始めてすぐに友理子が転び、その拍子《ひょうし》に、かつてなされたのであろう舗装の跡《あと》を見つけたことがあった。光沢《こうたく》のあるきれいな敷《しき》石《いし》の破片《はへん》が、草むらのなかに点々と残っていたのだ。

転んだ友理子を助け起こそうとして、お兄ちゃんが見つけたのだった。そのときは

何も言わず、別荘の外も内も荒れ放題であることがはっきりしたあとになって、

「水内さんて、昔はお金持ちでも、今はお金に困ってたんじゃないの」

と言い出し、自分の見つけたものを両親に説明した。お父さんとお母さんも敷石の破片を確認《かくにん》すると、顔を見合わせていた。

「ここを維持《いじ》するのも難しかったのかな」

「だったら、あの本を売ればよかったのに」

パリにまで古本を漁《あさ》りに行くことはできても、別荘の手入れをすることはできなかったなんて、ちょっと変だ。

大樹、大樹！　お父さんの後先になり、片手で草をかき分け、片手で大型の懐中電灯を振《ふ》り回しながら、お母さんは大声で呼んでいる。おい、危ないよ。お母さんの手を切ってしまうから、ちょっと下がっててくれよ。お父さんがあわてて諌《いさ》めるのも耳に入らない。

別荘の窓に、明かりは見えない。お母さんが何度呼んでも、どこかに明かりが灯ることもない。お母さんの瞳が、存在しない明かりを求めて底光りするのを友理子は見た。窓に反射するのではないかと思うほどの強い光だ。

呼んでも呼んでも、別荘は応《こた》えない。

玄関のドアには鍵《かぎ》がかかっていた。ただ施錠《せじよう》されているのではない。ドアノブのすぐ上に、ドアとドア枠《わく》にまたがって、薄緑色《うすみどりいろ》の金属プレートが打ち付けてあり、そこに鞄型《かばん》の錠前がひとつぶら下がっていた。どちらも真新しいものだ。たった今、魔法《まほう》でぽんと取り出されたみたいにピカピカだった。

誰がこんなことをやったのか。弁護士さんか、隆司伯父さんか。お母さんが甲高《かんだか》い声で問い詰《つ》めて、お父さんが「俺《おれ》だって知らないよ！」と言い返す。

「美子《よしこ》、しっかりしてくれ」

お父さんがお母さんを名前で呼び、肩《かた》をつかんで何度か強く揺さぶった。お母さんの目が泳ぎ、瞳の底の光が消えた。懐中電灯をつかんだ腕《うで》が下がってしまった。

結局、ドアの脇《わき》にある一階の窓ガラスを割って、窓を開け、そこから室内に入ることになった。ガラスの割れ目から手を突っ込《こ》んでクレセント錠を開けるとき、お父さんは手首のところをちょっと切ってしまった。

窓枠を乗り越えるのは、小柄《こがら》な友理子がいちばん上手だった。屋内に入り込むと、埃《ほこり》の匂《にお》いがした。闇の重さがのしかかってきた。友理子はくしゃみが止まらなくなって、しまいにはリュックで強く顔を押《お》さえなければならなかった。

「大樹、大樹」

お父さんとお母さんが、懐中電灯で室内を照らしながら呼びかける。探し回る。リュックの薄い布地を通して、友理子の鼻のてっぺんから、赤い本の囁《ささや》きが伝わってきた。

——嬢《じょう》ちゃん、図書室へ行くんだ。

友理子が手にしているのは、何かのオマケについてきたペンシル型の小さなライトひとつだ。転ばないように気をつけて、一歩進むごとに爪先《つまさき》で床板《ゆかいた》を探《さぐ》らなければならない。土足のままでよかった。床の上にはいろいろなものが散らばっている。闇に紛《まぎ》れてそれらを踏んづけながら進む。途中《とちゅう》で赤い本を取り出すと片手でぴったりと胸に抱きしめ、リュックは足元に捨てた。

——この廊下《ろうか》を、右だ。

曖昧《あいまい》な記憶《きおく》がかきたてられて、友理子にも部屋の位置関係がわかってきた。図抜《ずぬ》けて広い部屋が図書室だ。そう、このドアを開ければいい。

ドアノブがするりと回った。ドアは外側《そとがわ》に開いた。ふわりと風が起きて、友理子の髪《かみ》を撫《な》でた。

真っ暗なはずなのに、ペンシルライトがあたっていない場所にも、ずらりと本の背表紙が並んでいるのが目に見えた。

光ってる。ここに置かれた本たちが、星のような淡《あわ》い光を放ち、またたいているのだ。それぞれ微妙《びみょう》に色が違う。白、黄色、蒼《あお》、金色、紫色《むらさきいろ》。

胸に抱いた赤い本からも、ほのかな光がたちのぼっている。それが友理子の頬《ほお》のあたりまでを照らしてくれている。

「アジュ」

「おお、アジュか」

「帰ってきたか、アジュよ」

声が降ってくる。そこからもここからも。天井《てんじょう》からも壁《かべ》からも。はっとして退くと、その足元からも呼びかけがある。

「アジュ、よくぞ帰ってきた」

友理子は前後を忘れて逃《に》げ出しかけた。と、抱きしめた赤い本がひときわ明るく、温かく輝《かがや》いた。

「大丈夫《だいじょうぶ》だよ、嬢ちゃん。怖がらなくていい。オレの仲間たちだ」

ここにある本たちが、みんなしゃべっているというのか。

真っ暗な図書室で、ぐるりを囲む、数え切れないほどの本たちが代わる代わる放つほのかな光に照らされて、友理子はまるで、プラネタリウムのたった一人の観客のようだった。

「アジュ、この子は誰だ」

「どうして子供を連れて戻《もど》った？」

手を触《ふ》れていないのに。ほかの本たちに触《さわ》ってはいないのに、なぜ友理子の耳には
これらの囁きが聞こえるのだろう。

「ここはオレたち書物のつくる結界の内側だからだよ、嬢ちゃん」

赤い本が優《やさ》しい声で教えてくれた。

「だからもう、オレのこともそんなふうに一生懸命《けんめい》抱きしめていなくても、話ができる。嬢ちゃん、くたびれただろう。そこらに座《すわ》りな。よく頑張《がんば》ってたどり着いたね」

友理子はすっかり魂《たま》消《げ》てしまい、すぐには動き出すことができなかった。本たちは囁き声を出すのをやめて、友理子を待つように、ただ静かにまたたいている。その光で、右足のちょっと先に小さな脚立《きゃたつ》があるのが見えた。書架《しょか》の高いところに置いた本を取るときに使うものだ。

三段の脚立で、いちばん上と二段目には本が載《の》せてあった。友理子は一段目に腰《こし》をおろし、背中で本に触らないようにしゃんとした。

赤い本は、やっぱり膝の上に載せた。

「この子の親が一緒に来ている。誰か呪文《じゅもん》を唱えちゃくれないか」

赤い本が仲間たちに呼びかけた。と、ドアのすぐ脇の書架のところで、歌うようなきれいな声が聞こえた。ほんの一小節。口ずさんだだけ。

別荘のなかを、お兄ちゃんを捜《さが》して歩き回る両親の気配が消えた。大樹と呼ぶ声が絶えた。

友理子は飛び上がった。「何をしたの？　お父さんとお母さんに何かしたでしょ？」

赤い本を放り出し、図書室を飛び出そうとすると、目と鼻の先でドアがばたんと閉じた。

「大丈夫だよ、嬢ちゃん」

どこかに落ちて、赤い本は少し笑っている。

「ちょっと休んでもらっただけだ。眠っているだけだよ。お父さんとお母さんに心配かけない方がいいだろう？」

友理子はドアノブをひっつかんだ。回らない。がちゃがちゃ音がするだけだ。ドアは頑として動こうとしない。

「本当に？　本当に寝《ね》てるだけ？」

「ああ、そうだとも」

「なんであんたたちにそんなことができるのよ」

「書物には、人間を眠りに導く力が備わってるんだ。嬢ちゃんだって、よくページを開いたまま寝てるんじゃないか？」

勉強机に向かって教科書や参考書を広げ、居眠りすることなら、確かにある。

「――面白《おもしろ》い本なら、寝ないもん」

口を尖《とが》らせてみたけれど、適切な抗弁《こうべん》になってはいなかったようだ。

「アジュよ、この子は誰《だれ》だ」

友理子の背後、天井に近いところから、声が聞こえてきた。

「〝エルムの書〟を持ち出した子供の妹だ」

赤い本が答えた。聞き分けることができる。本たちの声は、ひとつひとつ異なっているらしい。人間と同じだ。

友理子はさっきの脚立へと、慎重《しんちょう》に引き返した。赤い本はどこに紛れてしまったのか、無数のまたたきに混じってしまって見つからない。

「嬢ちゃん、手に持ってるライトを消してくれ。そういう光は眩《まぶ》しいから」

ここまで来て逆らっても、もう仕方がない。友理子は素直《すなお》に言うとおりにした。ついでに大きく呼吸すると、埃が鼻に入って、またくしゃみが飛び出した。

その拍子に、床の上に落ちていた何かを踏《ふ》みつけてしまった。見れば、風呂敷《ふろしき》みたいな布切れだ。深い灰色で、また踏みつけないように拾ってどかそうとしたら、ビロードのような手触りで、どっしりと重かった。

「アジュよ、おまえはもう何事が起こったか知っているのだな」

友理子の周囲で、本たちが会話を始めた。

「知っている。この子の兄さんが〝エルムの書〟に触れた。ヒロキという男の子だ。ヒロキは器《うつわ》だった。だから取り憑《つ》かれてしまった」

残念そうに、赤い本の声音《こわね》が沈《しず》む。

「何とか食い止めようと努めたが、オレの力では無理だった」

すまない——赤い本が謝《あやま》ったとき、ようやく友理子は赤い色のまたたきを見つけた。

脚立の向こう側に落っこちている。

「あなたの名前は、アジュっていうの？」

友理子の耳にはそう聞こえる。

「うん。本当の名を縮めた呼び名だけどね」

アジュは、自分は紀元前三千年ごろにまとめられた辞書なのだと説明してくれた。

「もちろん、そのころからこんな形をしていたんじゃないよ。そんな時代には、この

〝輪《サークル》〟には革装《かわそう》の書籍《しょせき》はないからね」

記されている内容が、それくらい古いのだという意味だろう。

「どこの国の辞書？」

「バビロニアという国だ」

初心者向けの、呪術用語の辞書なのだという。呪術と初心者という言葉の組み合わせが可笑《おか》しくて、友理子はふき出してしまった。

「ヘンなの。作り話みたい」

赤い本――アジュは一緒《いっしょ》に笑ってはくれなかった。友理子の笑いは、本たちの静かなまたたきのなかに吸い込まれてしまった。

「アジュよ、そのヒロキという子供は、ひとつの器ではない。〝最後の器〟だった」

「何だって！」

アジュが、友理子が今まで耳にしたことのない、悲鳴のような声を張り上げた。

本たちが次々と話し出す。

「ヒロキという子供は、ただ取り憑かれたのではない」

「召喚者《しょうかん》となった」

「破獄《はごく》だ」

「破獄が起きたのだ」

「〝無名の地〟では、一《いち》の鐘《かね》が鳴っている」

「〝英雄《えいゆう》〟は解き放たれた」

「封印《ふういん》は破られた」

　四方八方から本たちの声が降り注ぐ。鳥の群のなかに投げ込まれたみたいだ。囁き声で啼《な》く鳥だ。星のようにまたたきながら、一斉《いっせい》に囁きをかわす。友理子は目眩《めまい》に襲《おそ》われた。気持ちが悪い。胃袋《いぶくろ》がぐうっと持ち上がる。きつく目をつぶり、耳を塞《ふさ》ごうとしたとき、

「――この世の終わりが訪《おとず》れる」

　そのひと声を残して、本たちは沈黙《ちんもく》した。

　耳を塞いだ指のあいだをすり抜《ぬ》けて、冷たく忍《しの》び込んできた言葉。

　この世の終わり。

　顔を上げると、広い図書室いっぱいに詰め込まれた本たちが、水底《みなそこ》の宝石のように光っていた。友理子は一人、それらの光を身に浴びていた。

「何ということだ」

　聞き慣れた声の響《ひび》きだ。友理子は飛びつくように手を伸《の》ばして、脚立の向こうから

アジュを拾い上げた。

「ねえ、今の話はいったい何？　こいつら何を言ってるの？　説明してよ。あたしにもわかるように話してよ。教えてよ」

アジュをつかんで振《ふ》り回し、ページをびらびらさせ、真ん中あたりを開いて顔を押《お》しつける。記号みたいな文字が並んでいる。

「嬢ちゃん、嬢ちゃん」

アジュも目が回ったんだろうか。声が震《ふる》えているみたいだ。

「落ち着いてくれ。オレを痛めつけたって何の解決にもならない。それより、みんなに話してやってくれないか。嬢ちゃんの兄ちゃんがどんなことをやったのか」

「あんたがあたしに説明するのが先よ！」

〝エルムの書〟って何？　〝ムメイノチ〟ってどこのこと？　どこの国？

「『エルムの書』とは、〝英雄〟について書かれた写本のひとつで、嬢ちゃんの兄ちゃんが、オレと一緒にここから持ち出した本の名前だ。兄ちゃんはそれを読むために、オレが必要だと勘違《かんちが》いをしたらしい」

〝エルムの書〟に使われている文字と、アジュに使われている文字は、ぱっと見た感じではよく似ているのだという。似ているだけで、成り立ちも歴史もそれを作って使った民族も国家も、まったく異なっているのだけれど。

「それでも、オレが辞書だと見当をつけられたんだから、嬢ちゃんの兄ちゃんは賢《かしこ》いよ」

持ち出したときには、もちろん一人で読み解くつもりではなかったのだろう、という。

「学校の先生に見せようとでも思ってたんじゃないのかな。珍《めずら》しい本を見つけたって、さ」

「いや、アジュよ。それは違う」

重々しい声が友理子の背中側から異を唱えた。

「〝エルムの書〟に触れた時点で、その子供は穢《けが》されておったのだ」

「だったらオレは最初から不要のはずだ。あの子はあのとき、本当に、手にした本に興味を持っていただけだ。オレを選び取る前に、ほかにも何冊かページをめくって、文字を比べていたんだから。みんなだって覚えているだろう」

「器は所詮《しょせん》、器に過ぎん」

別の声が、冷たく言い捨てた。

「──そんな言い方をしないでくれ。ヒロキはこの嬢ちゃんの兄ちゃんなんだ」

アジュは悲しそうだった。やりとりの内容にはついていかれなくても、友理子は、アジュが自分をかばってくれているような気がした。

「あたしのお兄ちゃんは」

顔を上げ、部屋中の本たちに向かって、声を出してみた。本たちがこっちを視《み》ているのがわかった。感じ取れた。

「学校で、友達を」

友理子は語った。森崎大樹のことを。話は前後し、大樹がどんな兄だったのか、家ではどんなふうだったのかを語ったかと思えば、彼《かれ》が学校で事件を起こしたとき、友理子自身はどこにいて何をしていたかとか、先生に送られて家についたらお母さんが泣き出したとか、今夜ここへ来るまでの道筋に両親がどんな話をしていたのかとか、脈絡《みゃくらく》を失って混乱した。

それでも、本たちは聞き入っていた。

「お兄ちゃんは、たとえ友達と喧嘩《けんか》したって、ナイフで刺《さ》したりするような人じゃない」

今度は友理子が、兄をかばう番だ。

「アジュはあたしに教えてくれた。お兄ちゃんは悪い本に取り憑かれたんだって。お兄ちゃんがここから持ち出した本――〝エルムの書〟？　それがその悪い本なんでしょ？　人に取り憑いて悪いことをさせる本なんでしょ？　あんたたちの〝英雄〟なんだよね？　お兄ちゃんはそいつのせいで、本当は友達のこと傷つけたり殺したりなんかしたくないのに、させられちゃったんだよ」

あたしは〝英雄〟を見た。顔形はわからなかったけれど、姿を見た。へんてこな尖った王冠《おうかん》と、ぼろぼろのマントを見た。お兄ちゃんはその前で、床《ゆか》に頭を擦《こす》りつけていた。

「お兄ちゃんの前に立ちはだかって、〝英雄〟はそっくり返ってた。お兄ちゃんは騙《だま》されてるんだ。そうに決まってる。そうでなかったら、絶対ゼッタイ絶対に、あんなひどいことしないもん！」

息が切れて、友理子の語りも途切《とぎ》れた。言いたいこと、訴《うった》えたいことはまだ山ほどあるのに。

「この子は、姿を消した兄ちゃんを捜《さが》したい、助けに行くと言ってるんだ」

アジュが、助け船を出すように言い足した。

本たちのまたたきが、さわさわとそよいで速くなった。光の色が濃《こ》くなったり薄《うす》くなったりする。

「オレは無理だと言った。無謀《むぼう》だと言った。あのときはまだ知らなかったから」

破獄が起こったということを。

森崎大樹が〝召喚者〟になったということを。

「だけど、こうなってしまったからには、誰かが〝英雄〟を捕《と》らえに行かなくちゃならない。そしてこの嬢《じょう》ちゃんには、その資格があるんじゃないのか？」

アジュの問いかけに、本たちは沈黙で答えた。ほのかな発光と、まてたたきだけを繰《く》り返して。

ずいぶん永いこと、誰も（どの本も）何も言わず、友理子の呼吸がすっかり平らかに戻《もど》ったころに、ようやく、向かいの壁面《へきめん》の書架《しょか》のいちばん高いところから、重々しい声が響いてきた。

「資格を云々《うんぬん》するだけならば、おまえの言うとおりだろう。しかし、このような幼子《おさなご》をさらに辛《つら》い目に遭《あ》わせることを、アジュよ、おまえは正しい行いだと思うのか」

しゃべっているのは、深い緑色のまたたきを放つ本だった。それが口を切ると、他の本たちが息を潜《ひそ》めるようにしてまたたきを薄くしたので、友理子にも容易に見分けがついた。

「正しいか正しくないかなんて、問題じゃない」

ひどく突《つ》っ張った感じで、アジュが言い返した。

「この子は兄ちゃんを捜《さが》しに行きたいと願っているんだ」

「その道のりの険しさを知らぬからだろう」

「嬢ちゃんなら平気だよ。な？」アジュは友理子に応援《おうえん》を求めてきた。「どんな辛い目に遭うとしても、今のまんまで元の暮らしに戻るよりはマシなんだよな？」

嬢ちゃんは兄ちゃんのことで、学校へ行くといじめられるんだってさと、アジュは続けた。

「だから、兄ちゃんを捜しに行くって決めたんだ。そうなんだってば！」

確かに、アジュにはそう言った。でも、この不可解な状況《じょうきょう》で、「どんなに辛い目に遭うとしても」とまで言われると、友理子の決心も少し鈍《にぶ》るというか、揺《ゆ》れる感じがする。「どんなに」の度合いにもよる——というか。

「お兄ちゃんを捜すの、そんなに大変なこと？」

「おいおい何だよ、腰《こし》が引けちまったのか」

アジュは、友理子の弱気を敏感《びんかん》に察知した。

「決心したんじゃなかったのかい？」

「したよ。したけど……」

何より気になるのは、さっき聞いた言葉だ。この世の終わりが訪れる。それって、一人の中学生の失踪《しっそう》よりも、何十倍何百倍も重い事柄《ことがら》なんじゃないのか。それを友理子が背負うのか？

「アジュよ、少し黙《だま》っておれ」

深緑の光がまたたいて、そう命じた。それから友理子に話しかけてきた。

「幼子よ。おまえの名は何という？」

「友理子です」友理子も書架の高いところを仰《あお》ぎ、深緑の光を見つめて答えた。

「ユリコか。私《わたし》のことは、そうだな、〝賢者《けんじゃ》〟とお呼び」

お爺《じい》さんのような、嗄《しわが》れた声の響きだ。

「私は、この館《やかた》の主人と親しくしておった」

「大叔父《おじ》さん――水内さんと？」

「そうだよ。この館に来てからの年月は、私よりも永いものたちが多くいるが、親しさの度合いでは、私がいちばんだった」

ミノチはどうしているのかと、賢者は尋《たず》ねた。

「知らないの？」

「ここから姿を消して、もうずいぶん経《た》つ。旅にしては永すぎる期間だ。教えておくれ。ミノチは命が絶えたのだね」

そうですと、友理子は答えた。パリの古本屋さんの店のなかで倒《たお》れて、そのまま亡《な》くなった。

「やはり、そうであったか」

「あたしも前に一度ここへ来たことがあるし、ほかにも伯父《おじ》さん伯母《おば》さんたちが来てたし、そういうとき、ミノチさんが死んだって、話してなかった?」

「確かに、人はよく入り込《こ》んできたな。我々を見つけて驚《おどろ》いていた。しかし、彼らの話は断片的《だんぺん》だったし、ミノチはこの世の付き合いを断《た》っていたから、あるいは己《おのれ》が死んだということにして、他所《よそ》へ行ってしまったということもあるかもしれぬと考えておったのだが」

本当に死んでしまったのかと、賢者は呟《つぶや》いた。少し、寂《さび》しそうな声音《こわね》に聞こえた。

「私はミノチと仲違《なかたが》いをしてしまった。ミノチがパリに出向いたのも、そのせいだろうと思う」

人間と本が喧嘩をしたわけだ。ここの本たちなら、そういうことがあっても不思議ではない。ここはそういう場所なのだと、友理子はあらためて思った。

「私には、ミノチの願いをかなえることはできない。もともと不可能なことだった。

ここに来て以来、永い時をかけてミノチにそのことを理解させようと努めてきたが、ミノチは私の考えを受け入れようとせず、私の説得を拒絶《きょぜつ》し続け、とうとう腹を立ててしまった。そして、私に代わる賢者を買い求めようと、また旅に出たのだよ」

大金持ちで孤独《こどく》な世捨て人の、古本コレクター。何を願っていたのだろう？

「ミノチは、死者を生き返らせる術《すべ》を求めていたのだ」

今の状況全体が驚きに満ちているのに、そのうえに重ねて、やっぱり友理子は驚いた。

「——誰《だれ》を？」

「遠い昔に亡くなってしまった、ミノチのたった一人の大切な女性だ」

水内一郎は孤独な身の上だった。でも、たった一人だけ大事な女の人がいた。その人のことを愛していたんだろう。

その人が死んでしまったから、生き返らせようとしていたのだという。

「そのためだけに、こんなたくさんの本を買い集めて調べていたの？」

「そうだ。この世に在るすべての知識を集めれば、いつかは死者を蘇《よみがえ》らせる方法が判《わか》ると、ミノチは固く信じていた」

友理子は、闇《やみ》のなかでまたたく無数の光を見回した。そう、これは膨大《ぼうだい》な知識の集成なのだ。

「そんな努力は空《むな》しいと、私はミノチに告げた。死者を呼び戻す方法など、どこにも存在しない。少なくとも、ミノチが求めている方法は。だから、他の〝物語〟を選ぶよう、私はミノチに説きつけた。彼は聞き入れてくれなかった」

唐突《とうとつ》に〝物語〟という言葉が出てきた。幼子と呼びかけられるにふさわしいほど幼い友理子にも、言葉の使い方がおかしいことはわかる。ここは「方法」とか「道」とか「術」とか言うべきところではないのか。

「――物語？」

確認《かくにん》するつもりで復唱してみたけれど、賢者は説明を足さずに、ふわりと揺れるようにまたたいて、言った。「ユリコよ。私から見れば、アジュもまたおまえと同じくらいに幼い。アジュがおまえに肩入《かたい》れする気持ちはわかるが、アジュは若気のいたりで、おまえにきちんとした知識を渡《わた》さず、ここまでうかうかと連れてきてしまった」

「そんなことないよ」久々に、アジュが声を出した。「オレを若造扱《あつか》いしないでくれ」

「それでも、おまえがユリコを混乱させていることに間違いはない」

決めつけられて、アジュは不満そうに呻《うめ》いた。

「賢者さん、アジュのこと怒《おこ》らないで。アジュのおかげで、あたしは心強かったから。

独りぼっちじゃないって気がしたから」

学校でいじめられたのも、本当のことだ。アジュがいてくれなかったら、友理子はとても持ちこたえられなかったろう。

「ならば、アジュを叱《しか》るのはやめよう」

優《やさ》しい言い方だった。友理子も優しく、ありがとうと応じた。ちょっと考えてから、ありがとうございますと丁寧《ていねい》に言い直した。

「ユリコ。まずひとつ、おまえに決めてもらわねばならぬことがある」

このまま、両親を起こして家に帰るか。それとも、この先の話を聞くか。

「もちろん、話を聞いてから立ち去ってもよい。だが、長い話になるからの。おまえも両親の身が案じられるだろう。この館は冷える」

確かに、友理子だって寒い。何もわからず眠《ねむ》ってしまっている両親は、放《ほう》っておいたら凍《こご》えてしまうだろう。

「呪文《じゅもん》で、温かくすることはできる？」

「――できなくもないが」

賢者の声が笑いを含《ふく》んだ。

「それはつまり、おまえには、踵《きびす》を返してこの場を立ち去るつもりはないという意味か」

友理子は、はいとうなずいた。

「勝ち気な子だ」

褒《ほ》めてくれたんだろうか。

「そんなおまえでも、学校でいじめられるのは恐《おそ》ろしいか。それほど恐ろしいことなのか」

「うん……でも、もうそれだけじゃないかな」

好奇心《こうきしん》がありますと、友理子は言った。「本とおしゃべりできるだけでも凄《すご》いことだけど、もっともっと凄い話の、今は端《はし》っこしか聞かせてもらってないって感じだから」

賢者はため息をついたようだった。「好奇心か。知識欲か。おまえは、おまえの兄とそっくりな瞳《ひとみ》を持っている」

友理子の胸が痛み、そしてときめいた。お兄ちゃんとあたしは似てるのか。

賢者は誰か別の本の名を呼んだ。心得ましたと、その本が応じた。部屋を温かくする呪文は、眠りを呼ぶ呪文よりも少し長くて、音の響《ひび》きも違《ちが》っていた。

ほどなく、友理子の足元から温かな空気が立ちのぼってきた。本の魔法《まほう》。本物の魔法だ。

「ありがとう。これなら大丈夫《だいじょうぶ》です」

友理子は脚立《きやたつ》にきちんと座《すわ》り直した。

「まず、〝英雄《えいゆう》〟について語ろう」と、賢者は言った。

〝英雄〟とは、おまえの生きるこの〝輪《サークル》〟に存在するもののなかで、もっとも美しく尊い物語だと、賢者は語り始める。

「それなら、あたしにもわかります。英雄ってそういう人のことだもの」

「人ではないのだよ、ユリコ。物語だ」

「だって――」

「人が生きているだけならば、どれほどの偉業《いぎよう》をなそうと、それはただの事実でしかない。思うこと、語ること、語られることを以《もつ》て、初めて〝英雄〟は生まれる。そして、思うこと、語ること、語られることは、これすべて物語なのだ」

〝英雄〟とは、すべての偉業の源泉の物語であると、賢者は言った。

「おまえが意味するところの、〝輪〟に在る人としての英雄は、源泉の〝英雄〟という物語から生まれ来る、写しのようなものなのだ」

〝英雄〟という物語が先に存在して。

世の中で立派なこと、偉大なことをなした人が「英雄」と呼ばれ、永く語り伝えられるのは、その〝英雄〟という源泉の物語の写しが作られているということなのだ。

「そのようにして作られた写しもまた物語であるが故《ゆえ》に、それらは源泉の〝英雄〟に力を与《あた》える」

物語は循環《じゅんかん》するからだ。人の歴史が永く続き、大勢の、ありとあらゆる種類の英雄が誕生し、その偉大な事績が語り生み出され、語り継《つ》がれてゆくことで、源泉の〝英雄〟は力を増していった。

もっとも美しく、もっとも尊い物語が、大きく、強く成長してゆく。

「それって素晴《すば》らしいことじゃない！　源泉が大きくなれば、ますます立派な写しができる——大勢の、立派な英雄がこの世に誕生するってことだもの」

「それだけならば、確かに素晴らしいのだがな」

もっとも美しく尊い物語が光り輝《かがや》けば、そこには同じくらい濃《こ》い影《かげ》も生まれる。それもまた〝英雄〟だと、賢者は説明した。

「ひとつの盾《たて》の裏と表だ。正と負だ。光と影は、常に対《つい》となって存在する。このふたつを分かつことは、誰にもできぬ。けっしてできぬ」

光が強くなれば、影も濃くなる。

「〝英雄〟という源泉に、影と負のものが蓄積《ちくせき》し、それもまた光と同じように力を増してゆく。あたかも競《きそ》い合うように」

すると、どうなるのか。源泉から生み出される写しにも、同じ現象が起こるのだ。

「おまえの生きるこの〝輪〟の英雄もまた、正と負を併《あわ》せ持つ」

源泉の負が濃くなれば、その写しの負も濃く、強くなってゆく。

「光は善良なるものであり、闇は邪悪《じゃあく》なるものを司《つかさど》る」

賢者はゆっくりとひとつまたたいて、友理子を見おろした。

「闇が強さを増せば、どのようなことが起こるか。おまえの小さな頭でも考えることができるのではないかな？」

おおせのとおりに、友理子は小さな頭で考えた。

「世の中に、邪悪なことがたくさん起こるようになってしまう？」

そのとおりだよと、賢者は答えた。「数多《あまた》の強く光り輝く善なるものと、数多の暗く淀《よど》む邪悪なるものが、この〝輪〟に溢《あふ》れるようになった」

それ故に、あるとき、源泉の〝英雄〟は封印《ふういん》された。

「源を止めれば、新たな循環は停《と》まる。すでにこの〝輪〟に現れてしまった正と負の英雄という物語を涸《か》らすことはできずとも、それがさらに増えゆくのを防ぐことはできる」

大きな循環を止めて、小さな循環だけに留《とど》めた。

「たとえば——蛇口をひねって元を閉めて、それ以上は水を出せないようにしたみたいに？　そして、これまでに出てしまった分だけを――それはバケツとかに溜《た》まってるので、ぐるぐる使い回しするようにしたの？」

意外なことに、賢者が笑った。やっぱりお爺《じい》さんの笑い方だった。

「面白《おもしろ》い喩《たと》えだの。しかし、理解の仕方としてはそれで正しい」

マルをもらえたようである。

「でも、賢者さん。わからないんですけど」

さっきから頻繁《ひんぱん》に出てくる言葉。アジュも言っていた。

「〝輪〟って、何のことですか」

どうやら世界とか、この世の中のことのように思えるのだけれど、なぜ〝輪〟という呼び方をするのだろう。

「世界って言っちゃいけないの？」

「世界は、〝輪〟ではないのだよ」

なぜなら、世界はあるがままのものだから。

「世界は、人の世が生まれる以前から存在する。世界は、人の世だけで成り立っているのではない。天体、自然。森羅万象《しんらばんしょう》のすべてが〝世界〟だ」

〝輪〟は、それとはまったく異なるという。

「〝輪〟は、人が言葉を生み出し、〝世界〟を解釈《かいしゃく》しようとした瞬間《しゅんかん》に誕生したものだ。力であり、意志であり、希望であり願いであり祈《いの》りでもある。それらのすべてを包括《ほうかつ》する。それが〝輪〟だ」

難しくなってきた。友理子は、賢者《けんじゃ》の言葉についていこうと一生懸命頑張《けんめいがんば》った。

「じゃ、〝輪〟は人の世なんですね？」

「人の世は、〝輪〟の内の一部だよ」

「でも祈ったり願ったりするのは人間だよ」

「しかし人は、人の世で目に見えぬものに対しても解釈をほどこすであろう？　それは時として、人の世そのものよりも大きくなる。だからな、ユリコよ。〝輪〟は人の世よりも広大になる。それどころか、今では〝世界〟そのものよりも大きくなってしまった」

あるがままの存在の〝世界〟よりも。

それを解釈しようとする、力であり意志である〝輪〟の方が大きくなった？

「そしてその〝輪〟のなかでこそ、物語は循環するのだ」

駄目《だめ》だ。ギブアップだ。友理子は両手を上げた。

「わかりません。頭がついていかないよ」

賢者は、学校の先生のように友理子を叱ったりしなかった。

「まだ仕方がない。おまえは幼い。今は、ただ聞いておくだけでいい。いつかわかる時がくる。いつかきっとわかってみせようと思えばよろしい」

宿題を出された。それは先生と同じだ。

「世界のなかに生きているのは、人だけではなかろう？　生き物だけでも、ほかにたくさんいるであろうよ」

「動物たちとか？　犬とか猫《ねこ》とか」

友理子は猫が好きだけど、お兄ちゃんは犬が好きだった。場違いな思い出が、ちらっと頭の奥《おく》をよぎった。ペットを飼うなら断然犬だと、そのときだけは一歩も譲《ゆず》ってくれなかったっけ。

「そうだ。犬や猫は、物語を語るか？　世界を解釈しようとするか？　しないであろう。犬や猫は世界に生きてはおるが、〝輪〟を作りはせぬ」

「でも、犬や猫のこと、人間はよく知ってるよ。犬や猫が主役になるお話だってたくさんあるよ」

「それは犬や猫のお話ではない。犬や猫のことを、人が解釈しようとして創《つく》りあげたお話だ。犬や猫の〝輪〟ではない。あくまでも人の〝輪〟だ」

物語を作り、語るのは人間だけなのだから。

「それではユリコ。さらに考えてご覧」

物語はどこから生まれ出《いず》るのか。

そんなのは決まっている。

「人間が考えるんだから、人間のなかから出てくるんでしょ」

「なかから？　人間のどこに、そんな力がある」

「脳みそ」友理子は自分の頭をぽんと叩《たた》いた。

「ここんとこ。アタマ」

「本当にそうかな？」

友理子はちょっと迷い、今度は胸に手を置いた。

「じゃ、ここ。心。ハートです」

うん、その方が正しい感じがする。

「心か。それはおまえの身体《からだ》のどこにある？　指し示すことができるか」

「だから、胸のなか」

「そこに在るのは、心臓というただの臓器ではないのかな?」

今も規則正しく鼓動《こどう》を刻んでいる。友理子の掌《てのひら》は、友理子の心臓の動きを感じ取っている。

「物語にはな、ユリコ。源泉が在るのだ。それは人間が世界を解釈しようとした瞬間に、〝輪〟が生まれたのと時を同じくして誕生した。すべての物語は、そこで生まれ、そこから〝輪〟へと流れ出て、〝輪〟のなかを循環する」

源泉。そこに蛇口がついてる?

「ヘンですよ。物語は人間が考えるんだから、どっかほかの場所に源泉があるわけないよ」

「在るのだよ。人の数だけ在る」

「ホラ、そういうことでしょ?」

賢者に指を突《つ》きつけるようにして、友理子は早口で割り込《こ》んだ。すると、賢者の口調に、友理子をたしなめる響きが混じった。私《わたし》の言うことを注意深く聞きなさい。

「人の数だけ在るが、それはみな同じものなのだ。人の数だけ在るが、ひとつしかない。世界を解釈しようという意思は、ただひとつなのだから。ひとつの〝輪〟には、ひとつの源泉が在るだけだ」

　さらにわからなくなってきた。

「その源泉を、〝無名の地〟という」

　やっと出てきた。ムメイノチ。友理子は顔を上げ、しっかりと目を見開いた。ワケわかんないけど、少しでもいいから理解《わか》りたい。

「すべての物語が生まれ、すべての物語が回収される場所だ」

〝英雄〟というおおもとの物語が封印されていたのも、その〝無名の地〟であると、賢者の言葉は続く。

「封印を守っているのは、〝無名の地〟にいる守人《もりびと》たちだ。〝無名僧《むめいそう》〟と呼ばれている」

「お坊《ぼう》さん？」

　友理子の問いに、賢者は、適切な言葉を探すためにだろう、少し間を置いた。それから答えた。「姿形はそのように見える」

　だが本来は、かの者どもに名前はない、という。

「かつてかの地を訪《おとず》れた〝輪〟の者が、そのように名付けただけだ。おそらくは、かの者どもの外見が僧に似ているからであろうな」

「神様に仕える人たちじゃないんですか」

「〝無名の地〟に、神はおらぬ」

あらゆる「神」の素《もと》となる物語が在るだけだ。

「ともあれ、〝英雄〟のおおもと——本体も、そこで封印されておる」

友理子は〝無名の地〟についてもっと詳《くわ》しく聞きたかったのだけれど、賢者は先回りしてそれを制するように、話題を戻《もど》してしまった。

「しかし、先ほども話したように、〝輪〟にはすでに流れ出ている〝英雄〟の物語がある。それは循環を続ける。重ねて——」

封印されている〝英雄〟本体について綴《つづ》った写本も、〝輪〟のなかに存在するという。

「前者は、人の記《き》憶《おく》じゃ。後者は人の作った記録じゃ。この違《ちが》いはわかるの？」

何となく。友理子はうなずいた。

「記録と記憶は互《たが》いに補い合う。記憶から記録が作られることもあれば、記録の至らぬところを記憶が補うこともある。記憶すべき事柄《ことがら》が無いにもかかわらず、記録から新しい記憶が生まれることもある」

だから、おおもとの蛇口を閉めていても、すでに流れ出ている〝英雄〟の物語が涸れることはないのだ。

「ただ、本体が封印されている限り、危険なほどに影が濃くなることはない。一方で、光の輝きも、〝英雄《えいゆう》〟の本体が自由であったころには遠く及《およ》ばぬものとなる」

それが〝輪《サークル》〟の平和を保つ仕組みだと、賢者は説明した。

「しかし、人という生き物は、どれほど永い時をかけても、この素朴《そぼく》で大切な決まり事を理解することができぬらしい」

歎《なげ》くような口調になった。

「古来、人は〝英雄〟を求めてやまなんだ。それが封じられてしまえばなおさらのこと。求めて、探し、手にしようとあがき続けてきた」

その足がかりとなるのが「写本」である。

アジュが話してくれた。〝英雄〟そのものではないけれど、〝英雄〟の一部というか、影響力《えいきようりよく》を持っている「本」だと。

「〝英雄〟について綴った写本もあれば、〝英雄〟が成した事柄について綴った写本もある。〝英雄〟に遭遇《そうぐう》した者どもの見聞録もある」

すかさず、友理子は口を挟《はさ》んだ。「〝エルムの書〟は？　どういう写本？」

「ごくささやかな見聞録じゃ」

それでも子供には充分《じゅうぶん》だったろうと、賢者は苦々しい口調で言い足した。

「書物としての体《てい》をなして百年ばかりの、まだ若い本だよ。子供にはふさわしかろう」

友理子は思わずアジュを見てしまった。アジュも友理子を視《み》ているのがわかった。顔を見合わせたという感じだ。子供と「若い本」の組み合わせ。

「それらの写本を通して、人は〝英雄〟本体の力を垣間見《かいまみ》る。その力の一端《いったん》を浴びる」

そして取り憑《つ》かれてしまう。

「無論、写本に触《ふ》れた者がすべて取り憑かれるわけではない。取り憑かれる者には、取り憑かれるだけの資格が必要なのだ。そういう者を指して、我らは〝器《うつわ》〟と呼んでいる」

森崎大樹も、〝器〟だった。

「じゃ、〝召喚者《しょうかん》〟は？　ただの〝器〟とどう違うんですか」

さっき、〝最後の器〟という言い方もしていた。

「ユリコよ。おまえはなかなか賢《かしこ》いが、気が短い。勝手に先を急いではならぬ。知識とは、歩んで身につけるものだ。走れば、取りこぼすものの方が多くなってしまう」

叱《しか》られたので、友理子はしおらしく口を閉じた。

「人が〝器〟となるために必要とするもの。正しく言えば、写本に触れて取り憑かれ、〝器〟となってしまう場合に持ち合わせている要素とは、ほかでもない、怒りじゃ」

賢者は淡々《たんたん》と続ける。

「〝英雄〟の影《かげ》の部分は、人間の怒《いか》りの感情を、ことのほか好むのでな」

「それってつまり、お兄ちゃんも誰《だれ》かを怒《おこ》ってたってこと？」

またまた気の短い質問だったらしく、黙殺《もくさつ》されてしまった。そして賢者は、友理子の問いに答える代わりに、こんなことを言い出した。

「おまえに限らず、この〝輪〟に生きる人間たちは、〝英雄〟という言葉を、常に美しく善なるものとしてとらえておるようじゃ」

だから、〝英雄〟の光の部分のみを指して、英雄と呼ぶ。人が普通《ふつう》に「英雄」という言葉を使うときには、それは善いものだ。

「故《ゆえ》に、我らがこのようにして〝英雄〟の真実を語るとき、今ひとつ理解しきれずに戸惑《とまど》うようじゃ。おまえもそうなのだろうな」

たぶん、そうだ。友理子の頭のなかは、依然《いぜん》としてけっこうこんがらがっている。

「はい……」

「ならば、呼び名を変えよう。おまえがこれまで思ってきた、善なる〝英雄〟が英雄じゃ。そして、〝英雄〟の影の部分――邪悪《じゃあく》なる部分のことは、〝黄衣《こうい》の王〟と呼ぶがいい」

コウイの、オウ。友理子が心許《こころもと》なげに復唱すると、アジュが横から、嬢《じょう》ちゃんの使っている言葉で表すと、こういう字になると教えてくれた。

それで友理子もイメージが湧《わ》いてきた。確かに、友理子が目撃《もくげき》したあのヘンテコなものは、王様のような冠《かんむり》をかぶり、マントを身につけていた。マントの色が何色だったのかはわからないけれど。

「おまえが生まれるよりも前に、この〝輪〟に一人の〝紡《つむ》ぐ者〟がおった」

物語を書く人のことだよと、これもアジュが教えてくれる。

「作家ってこと？」

「とは限らないけど、まあそうだね」

アジュの注釈を友理子が理解するのを待って、賢者は続けた。「その〝紡ぐ者〟は、〝英雄〟の真実に、人の身としては可能な限り近づいた。そしてそれをひとつの書物として綴り残した。『黄衣の王』という書物である」

小説ではなく、戯曲《ぎきょく》だという。

「読む者を破滅《はめつ》に導く戯曲であると、その存在を知る者どもに激しく忌《い》み嫌《きら》われ、恐《おそ》れられる一方、それを追い求める者もまた後を絶たぬ」

「つまりその本も、〝英雄〟の写本だってことですね」

「そのとおりだ。最強の写本のひとつだよ」

賢者《けんじゃ》は微笑《ほほえ》んだようだった。叱るときには厳しいけれど、褒《ほ》めるときには、とても優《やさ》しい。

「故に我らも〝英雄〟の影の部分を指して、〝黄衣の王〟と呼ぶことがある」

これから先は、その名を使おう。

「〝英雄〟の本体は、それを視る者によって姿を変える」

視る者が求める姿形をとるのだという。

「だからの、ユリコ。〝英雄〟が必ず王の身なりをしているわけではない。黄色い衣《ころも》に身を包んでいるわけでもない。おまえが視たとき、王冠《おうかん》とマントを身につけていたのは、おまえの兄がそれを望んだからであろう。おまえの兄は、強大な力を持つ存在には王冠とマントがふさわしいと思っていたのではないのかな」

友理子はお兄ちゃんが好きだったマンガや映画、小説を思い出してみようとした。王冠とマントの王様が出てくる内容のものがあったかかな。

「そうかもしれません。イメージとしてはそうだったんじゃないかと思います」

友理子自身、強大な力を持つ存在という言葉から、ほかの姿を想像するのは難しいような気がする。まさか総理大臣じゃないし――それだと背広を着た普通の小父《おじ》さんになっちゃう。あとはそう、軍服を着た将軍？　それよりは、王様の方が頭に思い浮《う》かびやすいよね。テレビゲームとかにも出てくるし。

「わかりました。お兄ちゃんにあんなひどいことをさせたのは、〝黄衣の王〟というものなのね」

邪悪なる、強大な力。

「さてユリコ。ここでまたひとつ考えてご覧」

もしもおまえが、すべての自由を奪《うば》われ、気の遠くなるほどの永い時間、ひとつの場所に閉じこめられていたならば。

「おまえは何を望むだろうか」

深く考えるまでもない。友理子は即答《そくとう》した。

「自由になりたいです」

「黄衣の王も、同じ望みを抱《いだ》いておる」

それには力が必要だ。己《おのれ》を閉じこめている封印《ふういん》を破るための力が。

「黄衣の王は、〝輪〟に存在する写本を通して器に取り憑き、その力を集めておる。それを妨《さまた》げることは、無名僧たちにもできぬ」

「どうして？　写本を全部回収しちゃえばいいじゃないですか」

「〝輪〟に散らばったすべての写本を？」

「そうですよ」

「途《と》方《ほう》もない時がかかる。しかも不毛じゃ」

「なぜ？」

「人は写本を隠《かく》す。あるいは、写本からまた写本をこしらえる。あとから、あとから」

友理子は顔をしかめる。小さな女の子が、大量の本の溢《あふ》れる真っ暗な図書室で、すべすべした白い額に皺《しわ》を刻んでいる。

「それなら、いっそ〝英雄〟という物語そのものを回収しちゃえば？　蛇口《じやぐち》を閉めるだけじゃなくて、バケツに汲《く》み置きされてる水も全部」

ひと呼吸の間を置いて、賢者が穏《おだ》やかに問い返してきた。「それでは、〝輪〟のなかの善なるものも消え失《う》せてしまうではないか」

英雄物語がすべて回収されてしまったならば。

「だって……悪いものだけを回収すればいいじゃない」

「何が善で、何が悪いものか。その境界を、どこに引く？」

友理子はちょっと腹が立ってきた。あたしは小学校五年生なんだ。まだそんな難しいこと、学校では教わっていないんです。

「写本に触れても、器にならぬ者もいる。写本に魅《み》せられても、そこから善を成す者もいる。あるいは、写本が危険な存在であることを察知し、先ほど私《わたし》が言ったのとは逆の意味で、それを世の人びとの目から隠そうと、奔走《ほんそう》する者たちもいる」

友理子は助け船を求めてアジュを見た。アジュはちゃっかり黙《だま》っている。目をそらしているような感じさえ受けた。

「いずれにしろ、〝輪〟のうちを循環《じゅんかん》する物語を涸《か》らしてしまうことはできぬのだ。最初に言ったろう？　〝輪〟と物語は同一のものなのだ。物語が消え失せれば、〝輪〟も消滅する。おまえに判《わか》る言葉を使うならば、それは即《すなわ》ち人の世から文化と文明が消えるということじゃ」

そこには、ありのままの世界と。

動物としての人間が残るのみ。

渋々《しぶしぶ》ながら、友理子は納得《なっとく》した。

「かくて、黄衣の王は写本を通じて力を蓄《たくわ》える」と、賢者は続けた。「これまでずっと蓄え続けてきた。器は次々と現れる。そして、黄衣の王に力を与《あた》えるような所業を成す」

「たとえばどんなことですか」

「どのようなことだと思う?」

正直言って、友理子の頭も心ももういっぱいいっぱいで、新しいことなど何も考えられない状態だった。腹立ちを通り越《こ》し、泣けてきそうになる。くたびれているのだ。友理子のすぐうしろで、柔《やわ》らかな甘《あま》い女の人の声が、小さく何かを言った。友理子は振《ふ》り返った。

「なぁに? もういっぺん言って」

「——さ」と、その声は言った。「いくさ」

戦《いくさ》。戦争のことか。

「黄衣の王に取り憑かれた人たちは、みんな戦争を起こすっていうことですか」

友理子は、賢者の深緑色の光と、柔らかく甘い声が放つ薄紫《うすむらさき》の光とを見比べながら、大きな声で問い返した。

「今も、おまえの暮らす〝輪〟のなかで数多《あまた》の戦が起こっておるよな」

「この国は大丈夫《だいじょうぶ》だよ」

「〝輪〟のなかでは起こっておると言うておる」

新聞に出てる。ニュースでも取り上げてる。

「それに戦は、必ずしも戦争だけを意味しないのですよ」女の人の甘い声が言った。

「人が人の命を奪う。人と人が相争う。それはすべて戦です」

「じゃ、事件とかも？　だからあの、犯罪とか」

「そうよ」女の人の声は、悲しそうに震《ふる》えた。「人が一人殺されても、それも戦」

森崎大樹は同級生を一人殺害し、一人に重傷を負わせてしまった。

賢者が言う。「器たちが戦を起こすたびに、黄衣の王は力を蓄えてきた。何年も、何十年も、あるいは何百年ものあいだ、蓄えてきた」

封印を破るために必要な力はどれだけのものか。

「ひとつの星を滅《ほろ》ぼすほどの力じゃ」

だから、永い永い時がかかった。多くの器が消費されてきた。

「ユリコよ。どれほど高い塔《とう》であろうと、登り続けておればいつかは頂上に出る。どれほど深い洞《ほら》であろうと、雨が降り続ければ、いつかはその縁《ふち》まで水が溜《た》まる」

黄衣の王に、封印を破るための力を与える、最後の一人の〝器〟。

ようやく、友理子は理解した。

「それこそが最後の器。〝召喚者〟じゃ」

封印を破り、破獄《はごく》した黄衣の王は、最後の器《うつわ》の身体《からだ》を借りて、この〝輪《サークル》〟へと降臨する。

「おまえの兄は、今や〝黄衣の王〟そのものへと成り果てた」

友理子は両手で頬《ほお》を押《お》さえた。温かなはずの図書室の闇《やみ》のなかで、どうしようもなく身体が戦《おのの》き始める。

「それなら、お兄ちゃんは……」

本たちが色とりどりにまたたきながら友理子を見守っている。

「今、どこにいるんだろう。〝輪〟にいるってことは、この世にいるんだよね？」

誰も答えてくれなかった。

「――あなたたちにもわからないんですか」

絶望の吐息《といき》と共に、友理子は問いかけた。

「見当もつかないの？　手がかりもないの？」

ごめんなさいと、あの甘い女の人の声が囁《ささや》いた。

「黄衣の王が、おまえの兄の姿を借りたままでおるとは限らぬ」と、賢者が言った。

「おまえの兄は、最後の器として早々に喰《く》い尽《つ》くされてしまったかもしれぬでな」

「賢者、そこまで言わなくてもいいじゃないか」

たまりかねたようにアジュが割って入った。

「嬢ちゃんが可哀相《かわいそう》だよ」

「ならばアジュよ、ユリコをここへ連れてきたのが間違《まちが》いじゃ」

アジュは悔《くや》しそうに黙り込《こ》んだ。

「手がかりがないわけではない」

賢者の声に、友理子はポニーテールが背中にぶつかるほどの勢いで身を起こした。

「本当？」

「おまえが〝無名の地〟を訪《おとず》れるならば、無名僧《むめいそう》たちが何か教えてくれるかもしれぬ。あるいは、おまえの力になってくれるかもしれぬし、おまえの方が、かの者どもの力になることもできるやもしれぬ」

友理子は思い出した。アジュが言ってた。「あたしには、その資格があるとか何とか……」

「最後の器と、血肉を分けた者であるからな」

そして子供であるから。

「大人は駄目《だめ》だっていうのは、なぜですか」

「大人は、既《すで》にして多くの物語に染まりすぎておるからじゃ。〝無名の地〟へ足を踏《ふ》み入れたならば、人としての形を保っておることさえできぬであろう」

わかんないよ。けど、あたしじゃなきゃ駄目だってことなんでしょ？　お父さんやお母さんじゃ駄目。警察でも軍隊でも駄目。

「放《ほう》っておいてもよいのだよ、ユリコ」

意外な言葉に、友理子は目を剝《む》いた。賢者さん、何を言い出すの？

「おまえは幼い。力弱い。進んで重荷を負うこともなかろう」

「だけど、放っておいたらこの世が滅びてしまうんでしょう？」

「この〝輪〟が滅びる」

「そんなの言葉の違いだけじゃない！」

「この〝輪〟は滅びても、また新しい〝輪〟ができる。それにな、ユリコ。この〝輪〟もまたたく間に滅びるわけではない。まだ時はある」

友理子が成長し、大人になり、充分《じゅうぶん》に人生を謳歌《おうか》するに足りるぐらいの時間はあるかもしれない。

「忘れてはいけないよ。破獄したのは〝英雄《えいゆう》〟じゃ。英雄と黄衣の王の、双方《そうほう》を併《あわ》せ持つ物語なのじゃ。ならばこの〝輪〟に顕現《けんげん》するのは、黄衣の王の孕《はら》む巨大《きょだい》な邪悪ばかりではない。英雄の強大な善もまた顕現することになる」

友理子の生きる〝輪〟は、一方的に滅ぼされるわけではないということだ。

「──善と悪との戦いが起きるんだね」

賢者はうなずくように二度またたいた。

「その戦いには、多くの人びとが加わることであろう。おまえ一人が戦うことはない。戦うにしても、もっと大人になってからにすればよい」

アジュが友理子の視線を惹《ひ》きつけようと、強い光を放ってよこした。

「それにね、嬢《じょう》ちゃん。この〝輪〟のなかには、すでに〝英雄〟の破獄を察知している大人たちがいる。その連中は、遠からず動き出すはずだよ」

「どんな人たち？」

「写本を探して世界中を歩き回っている大人たちだ。さっき賢者が言ったろ？　写本を見つけて隠そうとしている連中だ」

「あるいは、写本の中身を研究し、〝英雄〟の真実を知ろうとしている者どもだ」と、賢者が言った。「そうして得た知識を砦《とりで》として、黄衣の王からこの〝輪〟を守ろうとする者どもだ」

〝英雄〟を追跡《ついせき》し、黄衣の王を狩《か》るために営々と捜索《そうさく》と研究を続けている人びと。

「それらの人間を、我々は〝狼《おおかみ》〟と呼んでおる」

鼻がきくから。鋭《するど》い牙《きば》と、疲《つか》れることを知らない脚《あし》を持っているから。

「だからさ、そいつらに任せておいたっていいんだよ。嬢ちゃんが頑張《がんば》らなくたって」

アジュは精一杯明るい声で伝えてくる。

友理子は、二冊の本が代わる代わる投げかけてきた言葉を噛《か》みしめて、よくよく考えた。実は心が空回りして、とてもじゃないがちゃんと思考しているとは言えない状態だったのだけれど、本人としては必死で集中し、熟考しているつもりだった。乱れて垂れ下がってきた髪《かみ》をかきあげ、洟《はな》をすすりながら。

「――〝狼〟の人たちは、お兄ちゃんも助けてくれるかしら」

結局、友理子の想《おも》いはそこに行き着くのだった。

賢者《けんじゃ》もアジュも答えない。あの甘く優《やさ》しい女の人の声も黙《もく》したままである。

「無理なんだね」と、友理子は自分で自分の問いに答えた。「そこまではやってくれないよね」

そもそも、待っていたら間に合わないかもしれないのだ。

「だったら、やっぱりあたしが行かなくちゃ。お兄ちゃんを助けに行かなくちゃ」

きっぱり言い切ると、身震いが出た。

図書室を埋《う》め尽くす数多の本たちが、友理子と一緒《いっしょ》に震えて、ため息をついたようだった。

「やはり、そうなるか」

賢者の声が響《ひび》き、友理子は顔を上げた。

「おまえも既にして、英雄の物語のなかにおる」

あたしが——英雄。

「忘れてはいけないよ。無理にでも思い出しなさい。朝に夕に、その心に言い聞かせるのじゃ。英雄と黄衣の王は、ひとつの盾《たて》の表と裏だということをな」

「賢者！　本気なのか？」アジュが食い下がる。

「嬢ちゃんはこんなに小さいんだぞ」

「ユリコを〝無名の地〟に送る」

「賢者！」

「大丈夫よ、アジュ」友理子はアジュをそっと撫《な》でた。「あたし、頑張るから。それに、独りぼっちじゃないもの。〝無名の地〟で味方が見つかるかもしれないし、今はまだ会えなくても、お兄ちゃんを捜《さが》しているうちに、〝狼〟の人たちとも会えるかもしれないじゃない」

今はたった一人だけれど。

「だったら——そうだ！」アジュの声が弾《はず》んだ。「まずはこっちで〝狼〟を探したらどうだい？　ミノチは〝狼〟を知っていたはずだ。ここを訪ねてきた奴《やつ》だっていたじゃないか」

「本当？」友理子の心にも希望の灯《ひ》がともった。「水内さんの知り合いってことだよね？」

「どこの何という者なのか、我々にはわからぬ」賢者は答えた。「ミノチは〝狼〟を警戒《けいかい》し、この屋敷《やしき》には招き入れることがなかったからの」

確かに何度かそれらしい訪問者があったけれど、大叔父《おじ》さんはいつも門前払《もんぜんばら》いにしていたそうだ。

「どこかに控《ひか》えがあるかもしれないよ」アジュは諦《あきら》めない。「何か書いて残してあるかも」

「アドレス帳みたいなもの？」

「そうだよそうだ。知ってるかい？」

友理子は知らない。それに、大叔父さんがそのようなものを持っていたとしたら、パリで倒《たお》れたときに身につけていた可能性も高い。誰《だれ》がそれを保管しているのかわからない。

「だったら、そいつを探すのが先決だ。嬢ちゃんの親父《おやじ》さんたちを起こして」

友理子は迷った。名案のように聞こえる。でも、それにはまず、このとんでもない話をお父さんとお母さんに信じてもらうところから始めなくてはならない。手間がかかりすぎる。

「アジュ、あたしにしたみたいに、お父さんとお母さんにも説明してくれる？」

もちろんとアジュは答えたが、賢者が割って入った。

「ユリコの両親は、その目で見てその耳で聞いたとしても、信じるまい」

「何でだよ！」

「アジュよ、少しは冷静になるがよい。おまえにもわかっておるはずじゃ」

大人たちは、友理子と同じ立場に置かれたなら、信じるよりも疑う。自分の目と耳と――頭を。

「……そうだね」

賢者の言うとおりだ。友理子は目をつぶった。

「ここまできて、ぐずぐずしてはいられないよ」

その言葉で踏ん切りをつけ、脚立《きゃたつ》から立ち上がった。

「ではユリコ。まずはおまえの分身《ダブル》をつくろう」

「分身？」

「おまえが一人で他所《よそ》に行ってしまったら、両親が案じるとは思わぬか？」

あ、そうか。でも――

「分身って、どんな感じのものなんですか」

「まあ、見ておるがよい」

ヴァジェスタよと、賢者が呼んだ。友理子の左手奥《おく》の、ちょうど頭の高さぐらいのところで返事があった。

「お嬢ちゃん、一歩前に出て、両手を前に伸《の》ばしてくれる？」

軽《かろ》やかな女の人の声だった。

「わたしが飛び降りるから、受け止めて」

言われたとおりにすると、ビロードのような手触《てざわ》りの黒い本が手のなかに落ちてきた。

「さあ、始めましょう。あなたの髪の毛を一本ちょうだいね」

第三章　〝無名の地〟

瞼《まぶた》を開ける前に、友理子《ゆりこ》はほのかな風を感じた。前髪《まえがみ》にはらりと触《ふ》れ、額を撫《な》でて通り過ぎる微風《びふう》。

そして匂《にお》い——土と草と、あとは何の匂いだろう。友理子が暮らす町には存在しない、友理子の鼻が慣れていない匂いだ。

運動靴《ぐつ》の底からは、柔《やわ》らかな感触《かんしょく》が伝わってくる。これは知らない感触じゃない。きっと、そう、芝生《しばふ》だ。あたしはたぶん、芝生の上に立ってる。

ほんの少し前まで、友理子は水内《みのち》一郎の図書室にいた。賢者《けんじゃ》たちに指示されるまま行動していたのだ。手のなかに落ちてきた本を受け止めては、その本のページを繰《く》って必要な箇所《かしょ》を見つけ出す。そこに書かれているという文章を読み上げる——もちろん友理子には読めないので、賢者が読んでくれるあとにくっついて復唱するだけなのだけれど、本を手にして友理子の声で読むことが肝心《かんじん》なのだという。

　それから、別荘《べっそう》のなかを探し回って白いチョークを見つけ出し、それを使って、賢者が指示した本のなかに載《の》っている図版をお手本に、図書室の床《ゆか》の上に、風変わりな魔法陣《まほうじん》みたいなものを描《えが》いたりもした。そのためには、まず床に積み上げられているたくさんの本を片付けなくてはならなくて、重たいのと、埃っぽく《ほこり》てやたらとくしゃみが出るのとで、けっこう辛《つら》い思いをした。

　それでも、肩《かた》や腰《こし》の痛みや、埃で充血《じゅうけつ》した目のイライラするようなむず痒《がゆ》さも、苦労して描いた魔法陣から自分の分身が生まれ出てきたのを目撃《もくげき》した瞬間《しゅんかん》に、どこかへ吹っ飛んでしまった。息が停《と》まってしまうほど驚《おどろ》いた。なにしろ、魔法陣の真ん中に置いた友理子の髪の毛から友理子そっくりの女の子が出現して、ニコニコしながら近寄ってきたのだから。

「逃《に》げることはない。おまえが留守にしているあいだ、おまえの代わりを務める分身だ」と、賢者が説明してくれた。

「さ、触《さわ》っちゃいけないんだよね？」

　以前、お兄ちゃんが借りてきたＤＶＤで、そういうＳＦ映画を観《み》たことを思い出したのだ。主人公がタイムマシンに乗って、過去の自分に会いに行く。タイムマシンを作った科学者は、主人公に、何があってももう一人の自分に触れてはいけないと言う。触れた瞬間に、主人公だけでなく、世界そのものが消えて失《な》くなってしまうから。賢者は穏《おだ》やかに笑った。「そんな心配は無用じゃ。その分身はおまえらしく行動する、おまえの僕《しもべ》なのだからの」

「ホント？」

「何でも命じてごらん」

そこで友理子は、分身を生んだ魔法陣を消す作業を、分身に手伝ってもらった。床に描いたチョークの線をきれいに消すのは思いのほか難しく、分身は、友理子が「どこかにモップがあると思うから、探してみて」と頼《たの》むと、五分もしないうちにモップを持ってきてくれた。

「次の魔法陣は、先ほどのものよりずっと複雑じゃ。間違《まちが》わぬよう、丁寧《ていねい》に描くのじゃよ」

それこそが、友理子を〝無名の地〟へと送り込む門《ゲート》を開くための魔法陣なのだった。

四苦八苦しながらようやく描き終えて、勇んでその真ん中に踏《ふ》み込《こ》んで行きたい気持ちと、怖《こわ》くて尻込《しりご》みする気持ちに引き裂《さ》かれて、友理子は突《つ》っ立ったまま息を荒《あら》げていた。と、賢者の声がした。

「ユリコよ、おまえはいつも、そのようにして前髪を額に垂らしているのかね？」

今はそうなっている。実は友理子は、おでこが広いことをちょっぴり気にしているのだ。前髪を下げていると、すぐお母さんに「目が悪くなるでしょ」と叱《しか》られるから、普段《ふだん》はピンで留めたりムースで固めたりしているけれど、動き回っていると自然に額にかかってしまう。

しかし、この緊迫《きんぱく》したシーンで、拍子抜《ひょうしぬ》けする質問である。

「それが何かモンダイなんですか」

「手で前髪を持ち上げて、額を見せなさい。そして私《わたし》のいる方に向き直り、顔を上げなさい。おお、まだ床の魔法陣を踏んではならぬ」

友理子は背中を書架《しょか》にくっつけるようにして後ろに下がり、言われたとおりにした。

賢者が呪文《じゅもん》を唱え始めた。歌のように節回しがついているけれど歌ではない。お経《きょう》のような抑揚《よくよう》があるけれどお経でもない。初めて耳にする不可思議な言葉と音の流れだ。

賢者の声がひときわ朗々と高鳴り、ぴしゃりと終止符《しゅうしふ》を打つように止《や》んだ。次の瞬間、床にチョークで描いた魔法陣が、青白く燃え立つような光を放った。友理子は飛びあがりそうになった。

額に、冷たい指先で撫でられたような感触が走った。思わず手を上げてそこに触れる。魔法陣の輝《かがや》きは一瞬で失《う》せた。

だけどまだ、何かが光っていた。友理子のすぐそば、顔の近くで。

「廊下《ろうか》のどこかに鏡があったはずじゃ」

持ってきてやっておくれと、賢者が直《じか》に友理子の分身に命令した。分身は軽《かろ》やかな足取りで図書室を出て行くと、小さな四角い鏡を手に戻《もど》ってきた。フレームが錆《さ》びて、鏡面の三分の一ほどが曇《くも》りと黴《かび》に覆《おお》われている。

「顔を映してごらん」と、賢者が友理子に言った。友理子は、鏡を受け取ったときに触れ合った分身の手の温かみに驚いて、ちょっと聞き逃《のが》した。

「ユリコ、鏡で顔を見てみるのじゃよ」

あわてて四角い鏡を持ち上げてみた。

額に、五百円玉くらいの大きさの魔法陣が写っていた。その光が友理子の目に入って、何かが顔のそばで輝いているように感じられたのだ。

小さな魔法陣はペパーミント色の光を湛《たた》えている。蛍光塗料《けいこうとりょう》でイタズラ描《が》きをしたみたいだった。

「これ――？」

床の魔法陣とそっくり同じじゃないか。

「その額の印《いん》を使って、おまえはおまえの居るこの〝輪《サークル》〟と、〝無名の地〟を自由に行き来することができる。その印は、おまえが門を通り、自在に通行することを許された印《しるし》でもあるからの」

〝無名の地〟とこの現実の場所を行き来するときには、額の印に手をあてて、それを願うだけでいいのだという。

「え？　じゃあ〝無名の地〟からこっちへ帰ってくるときは、この別荘だけじゃなくて、どこへでも好きなところへ行けるの？」

「そうじゃよ」

但《ただ》し――と、賢者は声を強めた。

「このミノチの図書室にある魔法陣が消されてしまったり、損《そこ》なわれてしまったりすると、おまえの額の印も効力を失ってしまう。まめにここに戻り、床の魔法陣が無事であることを確かめるようにしておくれ」

伯父《おじ》さんたちや弁護士さんたちが訪ねてきて、何だこの床の落書きは、なんて驚いて消しちゃったりしたら大変だということだ。

「あたしがいないあいだ、賢者さんたちの魔法の力で、この別荘に誰《だれ》も入ってこないようにすることはできませんか？」

「できるよ」

「じゃ、お願いします」

「じゃが、ここへ入ろうと思う者たちが、なぜ何度訪《おとず》れてもなかへ入れないのだろうと訝《いぶか》ることまで止めることはできぬ」

魔法も万能《ばんのう》ではないのである。

「それでヘンな騒《さわ》ぎになっちゃったらマズイってことですよね」

「そのとおり」

友理子はしっかりとうなずいた。

「わかりました。よく気をつけます」

「賢者、大事なことを言い忘れてるよ」久しぶりにアジュの声が聞こえてきた。「嬢《じょう》ちゃん、その印は、やたらに他人《ひと》に見せたらいけないんだ。普段は前髪をおろして隠《かく》しておくんだよ」

ああ、だから髪型のことなんかが問題になったんだ。

「アジュは気が短い。今、わしが説明しようと思っておったのに」

だいいち、それでは言葉が足りぬと、賢者はちょっと気を悪くしたように続けた。

「〝無名の地〟では額の印を隠す必要はない。隠さねばならぬのは、おまえが生きて足を置いているこの〝輪〟のなかにいるとき。そして、〝無名の地〟からこの〝輪〟の内の、違う領域《リージョン》へ渡《わた》ったときだけじゃ」

「違う領域って？」

「行けばわかる」

「それから、それから」アジュがせっかちに割り込んでくる。「行く先々で、ちゃんと隠しておいても、嬢ちゃんが額に印を持ってるってことを見抜く人間に出会うことがある。そういうヤツは、〝狼《おおかみ》〟だよ。彼《かれ》らは知識を持っているから、印の存在を感じ取ることができるんだ。だから心配しなくてもいい。けど〝狼〟には変人が多いから、別の意味では気をつけなよ」

どう気をつければいいんだろう。

「〝狼〟って、ミノチさんと同じように古本を集めてる人たちなのかな」

「たいていはね」

「じゃ、乱暴なヒトはいないよね」

学者さんみたいな人たちなんだろう。でも、アジュはう～んと唸《うな》った。

者は言った。


「とにかく変わり者が多いんだ」

「〝狼〟は追跡者《ついせき》じゃ。狩人《かりうど》じゃ」と、賢者が厳しい口調になった。「そしてアジュよ、おまえはまた言葉が足らぬ」

額にこの印を戴《いただ》いたことで、友理子もまた〝狼〟に等しい存在になったのだと、賢者は言った。

「あたしがですか？」

「〝英雄《えいゆう》〟を、〝黄衣《こうい》の王〟を追跡するために、おまえは旅立つのだからの」

森崎大樹《もりさきひろき》を捜索《そうさく》するということは、彼を最後の器《うつわ》として破獄《はごく》した〝黄衣の王〟を追いかけることに他ならないのだ。

「今、この瞬間に、〝黄衣の王〟は察知しておる。ユリコよ、おまえという印を戴く者《オルキャスト》が誕生したことを」

オルキャスト。友理子は呟《つぶや》いて復唱した。

「〝無名の地〟にて、無名僧《むめいそう》たちが使っておる言葉では、そう呼ばれる。それが、これからのおまえの身分じゃ」

それよりも何よりも、友理子の胸は騒ぐ。

「あたしのこと、敵に知られているんですか」

膝《ひざ》ががくしてきた。何か話が違うという感じがする。あたしはただお兄ちゃんを捜《さが》したいだけなんだけど、どうしてこうなるの？　あたしってやっぱり、理解が足りないまんまに、すごく大きなことを始めちゃったんだ。

「〝黄衣の王〟は、破獄したことで自由に力を蓄《たくわ》えられるようになった。この〝輪〟に手足を伸《の》ばし、成長することにかまけて、おまえのような小さき者には目をくれず、放《ほう》っておいてくれるかもしれぬ。が、どこかで邪魔《じゃま》に感じれば、おまえを消し去ろうと動き出すかもしれぬ」

ますます話が違わない？

「あれがどのようにふるまうか、今はまだわしらにもわからぬ。しかしユリコよ、〝黄衣の王〟の放った使い魔に出遭《であ》うことがあれば、充分に注意することじゃ」

使い魔。友理子の喉《のど》がごくりとした。

「無名僧の人たちって、強いですか？」

賢者《けんじゃ》は答えない。

「アジュ、〝狼〟の人たちは、あたしが頼んだら助けてくれるかしら」

アジュも沈黙《ちんもく》している。友理子はそろそろと足を踏み出して、彼を——赤い本を手にした。

「アジュ、あなたはあたしと一緒《いっしょ》に行ってくれない？」
アジュの赤い光が、電池切れになったみたいにひわひわと弱く瞬《またた》いた。「オレには
まだ、〝無名の地〟に召喚《しょうかん》される時が来ていないんだ」
友理子はため息をつき、アジュを書架の棚《たな》に戻した。ごめんよと、アジュは言い訳
がましく呟いて、友理子の掌《てのひら》に震《ふる》えを伝えてきた。
「それでは、行くかね」
やめます、と言いそうになった。
涙《なみだ》が出てきそうになった。
傍《かたわ》らで、友理子の分身《ダブル》が手を差し伸べてくる。
友理子はとっさにその手をつかんで握《にぎ》りしめた。が、分身はゆるゆるとかぶりを振《ふ》
る。
「その鏡を分身に渡しなさい」と、賢者が言った。
「この〝輪〟から、〝無名の地〟に何かを携《たずさ》えてゆくことはできぬ。身体《からだ》ひとつで渡
らねばならぬのじゃよ」
がっかりして、友理子は分身に鏡を手渡した。未練がましく分身の手を離《はな》さずにい
ると、分身の方がそっと指をほどいてしまった。

「発《た》つ前に、両親の顔を見てくるか？」

さっきチョークを探しに行ったときに、廊下と玄関脇《げんかんわき》のマットの上で、赤ちゃんみたいにスヤスヤ眠《ねむ》っているお父さんとお母さんを見つけた。揺《ゆ》り起こして話しかけたくなる衝動《しょうどう》と闘《たたか》って退けるために、友理子は全身の力で踏《ふ》ん張らなくてはならなかった。

「いいです。このまま行きます」

もう、どうとでもなれだ。学校でいじめられることの辛《つら》さを思ったら——これぐらい——こっちの方が怖いかもしれないけど——

でも、後には引けないって、こういう局面のことを言うんだろう。

「お父さんとお母さんのこと、お願いね」

分身に話しかけると、分身は微笑《ほほえ》んでうなずき返してきた。「任せて。ちゃんとやるから」

しゃべれるんだ！　友理子の声だ！　そりゃそうだよね、分身なんだから。でも驚《おどろ》きだ！

「あたしがこっちへ帰ってきたとき、あたしが二人いたらおかしくない？」

「大丈夫《だいじょうぶ》。おかしくならないようにする方法があるの。そうなったら説明するからね」

本物の友理子より大人びた口調だ。二歳《さい》ぐらいお姉さんのような感じである。

「行ってらっしゃい。気をつけて」

あたしの髪《かみ》の毛があたしより立派な人格を持ってるなんてこと、あり?

「それでは、門《ゲート》を開くとしよう。ユリコよ、魔法陣《まほうじん》の中央に歩み入るがよい!」

少しフラつきながらも、友理子は魔法陣の真ん中に立った。賢者の呪文《じゆもん》の詠唱《えいしよう》が始まる。今度は賢者だけではなかった。図書室に集められているすべての本が唱和を始めた。アジュの声も聞き取れた。

魔法陣が青白く燃え上がる。友理子の身体を包み込む。まぶしさに、友理子は目を閉じた。魔法陣のすぐ外で分身が手を振っている姿を、瞼《まぶた》の奥《おく》に焼きつけて——

そして今、ここにいる。柔《やわ》らかな芝生《しばふ》のような下草を踏みしめて。

移動してきたという感覚はなかった。空を飛んだり、地に潜《もぐ》ったり、何かをくぐったり飛び越《こ》えたりするような感覚もなかった。

ただ、気がついたらここにいる。

ゆっくりと、友理子は瞼を開いた。

小さな頭と心で、できる限りの覚悟《かくご》を固めてきたつもりだった。届く限りの想像をしてきたつもりだった。あらゆる突飛《とっぴ》なもの。頂上からどん底までの極端《きょくたん》なもの。目に入った景色は、そんな友理子の気負いを瞬時《しゅんじ》に吸い込《こ》み、散らしてしまった。

灰色の空と、その色を映して対《つい》になるようにどこまでも広がる枯《か》れた草原。友理子はそのなかに、ぽつりと独りで佇《たたず》んでいた。

目の上が明るい。額の印が輝いているのだ。手を上げてみると、指先をほのかに青白く照らして、すぐに消えた。確かに着いたんだよ——と、報《しら》せてくれたのだ。

空がひどく低いところに見える。雲が垂れ込めているのだ。その下を霧《きり》が流れている。雲よりも少しだけ青みがかって、冷ややかな色合いだ。とても細かな氷の粒《つぶ》が気流に乗って動いている。そんなふうに見える。

地を覆《おお》い尽《つ》くす灰色の草は、触《ふ》れてみると驚くほど柔らかく、しなやかで瑞々《みずみず》しい。もしかすると枯れているのではなく、もともとこういう色なのかもしれない。草に触《さわ》った手を鼻先につけると、ツン、と土が薫《かお》った。指は露《つゆ》で濡《ぬ》れている。

三百六十度、視界いっぱいに、空と草原だけ。地面はうねり、波頭の立たない海原《うなばら》のように、ところどころで緩《ゆる》やかにカーブを描《えが》いて上下している。高くなっているところでも、丘《おか》と呼べるほどの傾斜《けいしゃ》はなく、低くなっているところでも、窪地《くぼち》と呼べるほどの広さはない。

どこかでこれと似た景色を見た覚えがある。少し考えて、友理子は思い出した。砂丘《さきゅう》だ。この草原を砂地に変えれば、これは砂漠《さばく》の眺《なが》めになる。

ここが、〝無名の地〟。

この色彩《しきさい》を欠いた景色が。

何ということもなく、友理子はくちびるをすぼめて口笛を吹いてみた。ピーという頼《たよ》りない音が、風にさらわれて草原の向こうへ消えてゆく。

どっちへ行けばいいんだろう。

そのとき、霧の流れの向こうから、唐突《とうとつ》に湧《わ》き上がるように、鐘《かね》の音が聞こえてきた。

思わず後ずさりして、友理子は身を縮め、周囲を見回した。後ろに下がれば後ろから、前に避《よ》ければ前方から、鐘の音が押《お》し寄せてくるように感じたのだ。どこから聞こえてくるのか判断がつかない。地から湧き、空から降ってくるようだ。

頭上から流れ落ちる霧が、はるか彼方《かなた》で、衣《ころも》の襟《えり》を開くように二つに分かれた。鐘の音を合図に、友理子の視界を開けてやることにしたとでもいうかのように。

緩やかに持ち上がり滑《すべ》るように下降する草原の彼方に、巨大《きょだい》な建造物のシルエットが浮《う》かび上がってきた。友理子は目を瞠《みは》った。風が目に染《し》みて涙がにじむ。それでもまばたきすることさえ忘れてしまった。

寺院だろうか。教会だろうか。それともあれはただの山並みで、友理子は見間違《みまちが》いをしているのだろうか。山肌《やまはだ》が襞《ひだ》をなし、屏風《びょうぶ》を立て広げたように見える景色なら、家族旅行で出かけた日本アルプスで目にしたことがある。あれとそっくりだ。

でも山はあんな色をしてはいない。あの雲よりも濃《こ》く暗く沈《しず》んだ灰色と、深く輝《かがや》く紫水晶《アメジスト》の色と、漆黒《しっこく》と。それらが組み合わされて、確かにあれは、建物だ。

頂点には屋根がある。正三角形の屋根だ。左右の二辺から角《つの》のような柱を生やしている。屋根というより、尖塔《せんとう》と呼ぶべきなのかもしれない。その下に一段、二段、三段——ここからでは裾《すそ》の方まで見てとることができない。建造物は重層的に積み重なっている。襞のように見えるのは、その外壁《がいへき》を走る装飾柱《そうしょくちゅう》の列があるせいだ。漆黒に見えるのは窓なのだ。紫水晶の輝きは、その窓に灯《とも》る明かりの色なのかもしれない。

鐘の音は、その巨大な建造物から聞こえてくるのだった。

そして、今また出し抜《ぬ》けに、止《や》んだ。

風が鳴る。その風のなかに、人の声が混じっていることを、友理子の耳は聞きつけた。

歌だ。誰《だれ》かが歌っている。低く地を這《は》うような音の響《ひび》きが、草原を渡って近づいてくる。

思いがけず近いところで、松明《たいまつ》の炎《ほのお》が燃え上がった。風に乱されて火花の尾《お》を引いている。ひとつ、ふたつ、みっつ。草原のなだらかな山型のカーブから、松明が飛び出した。続いて人の頭の形が見えてきた。一人、二人、三人。

三人が山型のカーブのてっぺんまで登ってくると、真っ黒な衣を身につけていることがわかった。くるぶしの少し上までかかる丈《たけ》の衣を、臑《すね》にまつわりつかせて歩いてくる。裸足《はだし》だった。

近づいてくる。迷いのない足取りで、同じ歩幅《ほはば》で、急ぐでもなく、だが確実に。彼らが高く掲《かか》げている松明の光で、姿がはっきり見えるようになってきた。友理子は二、三歩彼らの方に駆《か》け寄って、そこで停《と》まった。そうしろと命じられたわけではないのに、自然と姿勢を正していた。

間違いない、あの三人は無名僧だ。そう思ったからである。

三人がカーブを降りてくる。降り切ると、友理子との距離《きょり》は十メートルぐらいになった。

三人と一人のあいだの草原を、一陣の風が吹き渡る。松明から火の粉が舞《ま》い上がる。三人が足を止めた。歌うのをやめた。

二人は松明を頭の高さにまで降ろした。まだ頭より高く松明を掲げている一人が、一歩前に出た。その人が何か言う前に、友理子が何か言う前に、友理子の額の印が明るく輝き、すぐ元に戻《もど》った。

「幼子《おさなご》よ」

若々しい男の声が呼びかけてきた。

「新たなる印を戴く者《オルキャスト》よ」

彼《かれ》らの背後には、遠く霞《かす》んで、あの巨大な建造物が立ちはだかっている。だからその呼びかけは、彼方の建物そのものが発した声であるかのように、友理子には思えた。

はい、と友理子は応じた。喉が縮んでしまい、大きな声を出せなかったのに、その返事は軽《かろ》やかに通って、草原に響いた。灰色の空と冷たい霧が、友理子の返事を反響《はんきよう》して木霊《こだま》する。

「我らは万書殿《ばんしよでん》の守人《もりびと》、無名僧にございます」

若々しい男の声がそう名乗ったかと思うと、松明を掲げたまま身を折り、深く一礼した。後ろの二人も同じように頭を下げた。

どうしていいかわからず、友理子はただ気をつけをして立っていた。

三人の無名僧は頭を上げた。先頭の一人が言った。「ここは〝無名の地〟。印を戴く者の訪《おとず》れに、二の鐘を打ち鳴らし、お迎《むか》えにあがりました」

おいでなさい。促《うなが》すようにうなずきかけ、先頭の一人が半身《はんみ》になると、友理子に道を開けた。

一歩踏み出すまで、無限の時間が過ぎたように、友理子は感じた。門の魔法陣の真ん中に踏み込んだときよりも、勇気が要《い》った。今度こそ引き返せない。この無名僧たちについていったら、本当に事が始まってしまう。だけど今の今、スミマセンあたしやっぱり帰りますと謝《あやま》って引き返すなら、まだ許されるような気がする——

でも、友理子は踏み出した。

「恐《おそ》れることはありません」

友理子が近づくと、先頭の無名僧が穏《おだ》やかな口調で言った。

「この地には、あなたを脅《おびや》かすものは何ひとつない。まずは万書殿にご案内申し上げます」

後ろにいた二人が左右に並んで先に立つ形になり、先頭の一人が友理子と並び、友理子の歩調に合わせて歩き始めた。

「バンショデンって、あの建物のことですか」

指さすのは憚《はばか》られる気がして、友理子は視線で前方の巨大な建物をさした。

「左様でございます」

「どういう字を書くんですか」

尋《たず》ねてはみたけれど、その質問の意味が、隣《となり》を歩く無名僧《むめいそう》には伝わらなかったらしい——と、あわてていると、

「ああ」彼の顔がほころんだ。「あなたの〝輪《サークル》〟のなかの、あなたがお使いの文字ならば、千万の万、書物の書、御殿《ごてん》の殿と書きます」

その名のとおり、万巻の書物を収めた殿堂であるという。

「大きな図書館みたいなものですね？」

「そのようにお考えください」

隣を歩く無名僧は、声だけでなく顔立ちも若々しかった。青年だ。背はそれほど高くない。友理子の頭が、彼の肩《かた》に届くほどだ。頭頂部は剃《そ》りあげてあり、つるつるの頭は形がきれいで、眉《まゆ》は濃い。真っ黒な衣のほかは、装飾品らしいものは何ひとつ身につけていなかった。

お寺か教会みたいな建物の、気が遠くなりそうなほど大きな図書館と、そこを守る、お坊《ぼう》さんみたいな格好をした司書さんたち。少しでも気が楽になるように、友理子はわざとそう思ってみた。学校の近くの図書館にいる職員の人たちは、男の人でもカラ

フルなエプロンをかけている。無名僧さんたちにもエプロンが似合うかしら。

その想像はさすがにふざけすぎで、ちっとも面白《おもしろ》くもなければ、気持ちがほぐれることもなかったから、すぐ引っ込めた。

とぼとぼと歩いても、万書殿は一向に近づいてこない。視界を塞《ふさ》ぐ威容《いよう》にいささかビクついている友理子は、黙《だま》っているのが苦しくて、一生懸命《けんめい》に話しかける言葉を考えた。

「さっき、歌をうたっていましたよね」

「はい」

「何の歌ですか」

「念歌でございます」

念じる歌と書くのだと、友理子が尋ねる前に教えてくれた。

「歌詞がわからなかったんですけど、どこの国の言葉で――」

問いかけの途中《とちゆう》で、友理子はぱっと口元に手をあてた。念歌の歌詞どころではない。今こうして友理子が無名僧と普通《ふつう》に会話していることの方こそが、はるかにおかしいのだ。

今度も、隣にいる無名僧は友理子の疑問を先取りしてくれたらしい。

「我ら無名僧は、〝印を戴く者〟の言語を解し、自在に操《あやつ》ることができます。しかし念歌の歌詞だけは別物にございます故《ゆえ》に、あなたには歌詞の意味がおわかりにならなかったのでしょう」

「念歌の歌詞は、何語で書かれてるんですか」

「〝無名の地〟の言葉でございます」

この場所に、固有の言語があるということだ。じゃあ、ここはやっぱり外国なんだろう。

「さっきの念歌がどういう意味なのか、教えてもらっても——いいですか」

質問が途中で淀《よど》んだのは、無名僧の表情がふっと暗くなったように見えたからだ。

「〝黄衣の王〟と、〝紡《つむ》ぐ者〟について歌ったものでございます」

そうですかと応じて、友理子はいったん口をつぐむことにした。まだまだ訊《き》きたいことは山ほどあるのだけれど、おしゃべりな娘《むすめ》だと思われるのは恥《は》ずかしい。

目を上げると、万書殿の威容が迫《せま》りつつあった。さして歩を進めたとは思えないのに——。ほかに比べるものがないせいで、友理子の距離感がおかしくなっているのかもしれない。

再び、鐘が鳴り始めた。さっきの音色とは違うし、拍子《ひょうし》も異なっている。ごぉんごおんとどよもすような響きではなく、軽やかに早い調子で鳴っている。

「あの鐘は、間もなく〝印を戴く者〟が万書殿に到着《とうちゃく》される、大伽藍《だいがらん》へ集まるようにと、無名僧どもに報《しら》せるためのものでございます」

本当に察しのいい人だ。

「皆《みな》さんは大勢いらっしゃるんですか」

「千人とも、万人とも」無名僧は答えた。「しかし、我らは一人しかおりませぬ」

それ、ヘンですよ。我らなら、最低でも二人はいるはずですよ。友理子は心のなかで首をかしげる。道は緩やかな下り坂にかかり、友理子の目にも、万書殿の細部が見えるようになってきた。

お城だ、と思った。西洋のお城。残念ながら実物は知らないけれど、テレビや映画や写真でなら、こういう形の巨大な建物が、山のてっぺんや河岸の断崖《だんがい》や湖畔《こはん》の森のなかに聳《そび》えている様を見たことがある。ドイツとかフランスとか——

だけど何か違うような気もする。何だろう？　お城という呼び方じゃいけないのか。教会？　それとも僧院《そういん》？　お坊さんたちがいるんだから、そう呼ぶべきなのかな。でも、それだけでもない。お城には必ずあるものが、この万書殿には足りないという気がする。

そうだ、わかった！　お城を囲む堀《ほり》や塀《へい》がないのだ。草原のど真ん中に、建物がいきなりぬうっと立っている。塀がないから門もない。角度のきつい三角屋根を頂いた正面玄関《げんかん》が、友理子たちが歩んでゆく先にぽっかりと開いている。鉄製か木製か、真っ黒なので材質の見分けのつかない両開きの扉《とびら》が見える。扉の上にはびっしりと彫刻《ちょうこく》がほどこされているようだ。

扉の前には、半円形に張り出したステップが三段あった。ステップの両脇《りょうわき》に、普通の二階家の屋根ぐらいの高さがある松明立てがあり、盛大《せいだい》に炎と煙《けむり》をあげている。友理子たちが歩み寄ってゆくと、扉が自然に内側《うちがわ》に開いた。音もなく、しかし重々しく。先を歩いていた二人の無名僧が左右に分かれ、友理子と友理子の隣の無名僧に道を開けた。彼らの顔が間近に見えた。

あんまり驚《おどろ》いたので、しゃっくりが出そうになった。おかげで、声をたてずに済んだ。

前の二人は、同じ顔をしていた。後ろの一人とも同じ顔だ。つまり、友理子を迎えに来てくれた無名僧たちは、三人ともそっくりなのだ。そういえば背格好まで同じだった。

三つ子——だったのか。

この人たち、名前は何ていうんだろう？

友理子の隣にいた無名僧が、軽く一礼してから友理子の前に進み出た。友理子は彼のあとに従って、万書殿のなかへと足を踏《ふ》み入れた。

薄暗《うすぐら》い。かすかに、いい匂《にお》いがする。花や香水《こうすい》の香《かお》りとは違《ちが》う。夕立がどっと降ってさっとあがった後の空気の匂い。瑞々《みずみず》しくて清らかで、浄《きよ》められたような匂い。

短時間に大雨が降ると空気の中にマイナスイオンが放出されるんだ。雨の後の空気の匂いがいつもと違うのは、マイナスイオンが溢《あふ》れてるからなんだ。いつか、お兄ちゃんが言っていたことを思い出した。

ホールというのか、広間というのか。吹き抜けになっていて、仰《あお》ぎ見ると遥《はる》か高い場所に六角形の天井《てんじょう》が見えた。角かどに小さく切り抜いたような窓が開いていて、そこから淡《あわ》い光が差し込《こ》んでいる。視線を下げてゆくと、ホールもまた六角形であるとわかった。柱が六本あった。

無名僧がホールを横切って左に折れる。友理子は目を凝《こ》らす。まわりの壁《かべ》に、いっぱい彫刻が並んでいる。床《ゆか》に据《す》えてあるものもあれば、壁に彫《ほ》り込まれているものもあり、柱と一体化しているものもある。

みんな、人の形をしている。ギリシャ神殿みたい？　ローブを着てサンダルを履《は》いた神々。でもこっちの——今、友理子がそばを通ったあの彫刻は、時代劇に出てくる人みたいな装束《しょうぞく》をしていた。向こうの一体は、お父さんが大好きな『三國志《さんごくし》』のゲームに出てくる武将に似ている。

それに、この床。床にも模様がある。小さなタイルみたいなものがびっしりと敷《し》き詰《つ》められていて、それが模様を描いているのだ。

文字だ。文字だ文字だ文字だ。様々な種類の文字が、パズルをぶちまけたみたいに入り組んで、折り重なって模様となっている。友理子に見分けがつきそうな種類のものと、たぶん文字だろうと見当をつけることしかできない種類のものと、ごっちゃ混ぜになって。あ、アルファベット？　あっちはハングル？　ひらがなや漢字はない？

下ばかり見て歩いていると、前を行く無名僧の背中にぶつかってしまった。友理子は大あわてしたけれど、彼は全然、平静だった。

「回廊《かいろう》に入ります」

前方に、長い廊下が延びている。時計回りに緩《ゆる》やかにカーブしている。右側はずうっと壁。左側も壁だけれど、二メートルおきぐらいに、細長い窓がある。そこからもうっすらと光が差し込んでくるので、ホールよりはずっと明るい。

「足元に気をつけてお進みください」

はい、と応じて、友理子は歩き始めた。が、たいして進まないうちに、飛び上がるようにして足を止めてしまった。

漢字だ。漢字があった。回廊の左手の漆黒《しっこく》の壁の上。窓と窓の間。浮き彫り《レリーフ》というのかしら。どかんと大きな漢字がひとつ。自動車のタイヤぐらいのサイズ。

「円《えん》!」

声に出して読んでしまった。やたら大声だった。

「これ、円という漢字ですよね?」

後ろの二人の無名僧は答えない。前の無名僧がやわらかく微笑《ほほえ》んで、ひとつうなずいた。

「ごめんなさい。漢字を見つけてビックリしちゃったんです」

自分に理解できるものを発見して、ほっとした気持ちもある。嬉《うれ》しかった。懐《なつ》かしかった。それに、ちょっぴり可笑《おか》しい。銀行のロビーにだって、こんな装飾品《そうしょくひん》はない。

「これ、わたしたちが使うお金の単位なんですよ。知ってますか?」

無名僧が一礼して、言った。「存じております。輪《わ》という意味もございますでしょう」

輪。輪《サークル》だ。そっちの意味か。一円二円の円のことだとばっかり思っちゃった。

「わたし、うるさいですよね。ごめんなさい」

自分で自分が恥ずかしい。騒《さわ》ぎすぎだ。

無名僧は無言のまま先を急ぐ。さっきまでより足を速めている。友理子もう気が散らないよう、回廊の左右に目をやらないようにして、とっとと歩いた。

が、しかし。つるっとした壁だとばかり思っていた回廊の右手側が、実は書架《しょか》になっていて、書籍《しょせき》の背表紙が延々と並んでいることに気がつくと、また声を出してしまった。

「これ、みんな本?」

返事をもらう前に、手を差し伸《の》べて触《ふ》れてしまった。硬《かた》い感触《かんしょく》が返ってきた。絶対に本の手触《てざわ》りではない。

——石みたい。

これも一種の彫刻、装飾壁ということだろうか。

無名僧がこちらを見ている。すみませんと謝《あやま》って、友理子は手を引っ込めた。叱《しか》られもしないし、笑われもしない。

回廊を巡《めぐ》って、半円を描《えが》くように歩いてゆく。友理子にもだんだんわかってきた。

万書殿にはそれを囲む塀がないというのは、間違いだったんじゃないのか。

今、通り抜《ぬ》けているこの回廊。これが、友理子の見た建物の中身なのではないか。つまり外から見える部分は、万書殿そのものではなくて、それを囲む塀みたいなものなのだ。あまりにも大きいので真《ま》っ直《す》ぐに見えたけれど、本当は、あれはさらに巨大《きょだい》な円形の建物の一部だったのではないか。

そのなかに、この通路がある。城というか教会というか僧院の本体は、その内側に包み込まれているのである。友理子はそこへ向かっているのではないのか。

やがて、回廊の出口が見えてきた。行き止まりの右手の壁に釣《つ》り鐘《がね》みたいな形の開口部があり、細い格子《こうし》が降りていて、その先には緑の芝生《しばふ》の切れっ端《ぱし》が見える。後ろの無名僧が進み出て、格子の脇にあるハンドルを回した。格子がきりきりと横に開いた。

外に出れば、そこは友理子が見た建物の後ろ側にあたる場所のはずだ。振《ふ》り返ると、この出口にも両開きの金属製の扉があって、今は外側に開けたまま固定されていた。

外の天気もけっして快晴ではなかったけれど、それでも回廊から出ると眩《まぶ》しく感じた。友理子は目を細めて——

ほわぁ、というような声と共に息を吐《は》いた。

あてずっぽうの勘《かん》はあたっていた。友理子が目にしたあの威容《いよう》は、やはり万書殿の外郭《がいかく》、しかも部分的なものでしかなかったのだ。最初に一瞥《いちべつ》したときの、屏風《びょうぶ》を立て広げたようだという感想も正しかった。とてつもなく大きなこの屏風は、後ろ側にこんな景色を隠《かく》していた。

建物だけで、いくつあるだろう。友理子の両手の指に余るほどだ。ひときわ大きなお堂のような、巨人のお椀《わん》を伏《ふ》せたみたいな建物。あれが大伽藍《だいがらん》だろうか。その隣《となり》には鐘楼《しょうろう》が建っている。生まれてこの方、近所のお寺の鐘《かね》撞き堂しか見たことのない友理子にもそれとわかるのは、塔《とう》のてっぺんに、ひとつ、ふたつ、みっつの鐘がぶらさがっているからだ。ここから仰げば「ぶらさがっている」という表現で済んでしまうけれど、近づいてみたなら、ひとつの鐘は家よりも大きいくらいのサイズがありそうだから、ものすごい威圧感を覚えるはずである。鐘の怪獣《かいじゅう》だ、と思った。

建物の色合いは、基調は灰色に統一されているけれど、それぞれに少しずつ異なっていた。紫色《むらさきいろ》が強いもの、赤みのあるもの、青っぽいもの。横幅《よこはば》の広い低い建物。細長い建物。てんでんばらばらのデザインなのに、何となくバランスがとれているように見える。それは、すべての建物が石造りの外廊下と階段で連結されているせいかもしれない。単独で立っているものはない。みんな繋《つな》がり合っているのだ。しかも妙《みょう》な連結の具合になっていた。わざわざ繋げなくても、壁と壁がくっつきそうなほど近くに立っている建物同士を、ジグザグに折れて階段で上下する長い廊下で結んである。かと思えば、端っこと端っこの建物を、地上から三階ぐらいの高さの空中廊下で一直線に結んである。

繋がり方が気まぐれで複雑で、法則らしいものがない。ずうっと目で追っていっても、どれがどっちに通じているのかすぐにはわからない。騙《だま》し絵みたいだ。建て増し、建て増しで建物の数を増やしていきながら、それを強引《ごういん》にひとつにまとめてしまおうという執念みたいなものが感じられるし、一方で、おもちゃ箱をぶちまけたみたいな愉快《ゆかい》な感じもする。重厚《じゅうこう》で陰鬱《いんうつ》で、荘厳《そうごん》で巨大で、古色蒼然《そうぜん》としていて、だけど脈絡《みゃくらく》がなくてヘンテコで、妙に可愛《かわい》らしい。そう、友理子はこんなに小さいのに、気が遠くなるほど入り組んだひとつの町のようなこの巨《おお》きな眺《なが》めを、愛らしくも思うのだった。

不遜《ふそん》な感想だけれど、どこか懐かしいのだ。こういう「町」を知っているような気がする。どこをとっても日本的ではなく、かといって、友理子が映像で見知っているヨーロッパの国々の風景とも違う。アメリカやイギリスの町並みでもない。なのに、親しみを覚えてしまう。

それにしても、このスペースをそっくり、鐘楼までも内側に隠しているなんて。友理子はあらためて、万書殿《ばんしょでん》外郭部分の途方《とほう》もない大きさと高さに感嘆《かんたん》することになった。

この「町」の地面と道路の部分は、芝生あり石畳《いしだたみ》あり煉瓦《れんが》敷《じ》きありと、やっぱりとりどりだった。友理子が通ってきた三角屋根の玄関とあの広間は、「町」から見れば通用口であったらしい。これも、「町」のなかを走る道筋を見て初めてわかった。

外郭部分の、友理子が入ってきた側とは反対側の棟《むね》に、二階分をぶち抜いた通路があって、その先に門扉《もんぴ》がついている。飴色《あめいろ》の古びた板を鉄の金具で留め付けた門扉で、上部には先端が槍《やり》のように尖《とが》った装飾品がずらりと並んでいる。侵入《しんにゅう》者を防ぐためか。それとも、脱走《だっそう》者を阻《はば》むためか。

目の届く範囲《はんい》には、人影《ひとかげ》は見えないけれど。

門扉は、今は閉じていた。でも頻繁《ひんぱん》に開け閉《た》てされるに違いない。向こう側に道がある。すぐ外まで冷たい霧《きり》が押し寄せてきていて、道がどんな景色に通じているのかは見えなかった。

友理子の視線に気づいて、無名僧が言った。「あの門の先には、後ほどご案内することもありましょう。今は大伽藍へお急ぎください」

友理子の予想どおり、彼《かれ》は巨人のお椀の方向へと歩き始めた。大伽藍の外壁《がいへき》は銅板で覆《おお》われていた。緑青《ろくしょう》がふいている。鮮《あざ》やかな青緑色が、点々と外壁を彩《いろど》っている。お椀の持ち主の巨人が、絵筆に青緑の絵の具をつけて、デタラメになすったみたいだ。その様が目に浮《う》かぶようだ。きっと巨人の子供に違いない。面白《おもしろ》がって絵の具をペタペタやったんだ。

仰ぎ見れば、大伽藍のてっぺんに載《の》っているヤカンのつまみみたいな形の装飾も可愛らしい。シチューに入っている小タマネギみたい。ショートケーキの上の生クリームの飾《かざ》りみたい。

ふと思った。そうだ、これは。

童話のなかの町。

絵本に出てくる建物。

実在はしないけれど、空想のなかに在るもの。

お話のなかに出てくる、どこでもない場所。

どこにもない「町」。

友理子はそこを歩いてゆく。運動靴《ぐつ》の底で石畳を踏みしめて。スクールゾーンのアスファルトの道路を、商店街を、家の近所の遊歩道を踏みしめてきた友理子の靴は、この世にはあり得ない「町」の感触に驚いていることだろう。

裸足《はだし》の無名僧たちは、足の裏が冷たくないんだろうか。衣《ころも》の裾《すそ》から覗《のぞ》いた足首には、骨がくっきりと飛び出していた。どうしたら、こんなに骨張るほど瘦《や》せられるのかしら。

ここの暮らしは、過酷《かこく》なんだろうか。

イタズラ好きな巨人の子供が、巨人のお父さんに手伝ってもらって造りあげた、不思議で愉快な箱庭みたいな「町」。だけどそこには黒衣の、裸足の、瘦せた守人《もりびと》たちがいて、世界中の書物——万書を保管している。

書物を、何かから守るために。

書物から、何かを守るために。

大伽藍の正面には、一箇所《かしょ》だけ屋根が踊《おど》り子《こ》の指先のように反り返っている箇所《ところ》があって、そこが入口になっていた。ここまで近づいてきて、友理子は、大伽藍だけはどの建物とも繫がっていないことを見てとった。

半円形に張り出したステップ。これも銅でできていて、滑《すべ》りそうだ。上がると入口だ。思いのほかこぢんまりした観音開《かんのんびら》きの扉《とびら》。一面に、今度も文字だ。文字、文字、文字が浮《う》き彫《ぼ》りされている。

扉の左右に一人ずつ無名僧《むめいそう》が立っている。見上げて、友理子は息を呑《の》んだ。

また同じ顔だ！

無名僧たちは無言で一礼し合う。扉が開かれる。一対《つい》が開くと、その奥《おく》にもう一対。その奥にもさらに一対。ちょっと待って、おかしいよ。この壁、そんなに厚いの？

次々と扉が引き開けられてゆく。友理子は見えない手で背中を押《お》されるようにして、そこを通り抜けてゆく。いや、大伽藍の内側へと吸い込まれているのだろうか。足が床《ゆか》から浮いている。すぐ前を歩く無名僧の黒衣の背中が近くなったり遠くなったりする。焦点《しょうてん》がぼける。

お香《こう》の匂《にお》いだ。それで我に返った。

ここでもまた、友理子の距離感《きょりかん》と空間把握《はあく》がおかしくなっている。外から眺めたときも充分《じゅうぶん》に大きな建物のように見えた大伽藍だけれど、内部はもっと広大だった。

闘技場《とうぎ》。とっさに、そう思った。

それとも円形の劇場？

真ん中に丸いステージがある。それを取り囲んで、幾重《いくえ》にも幾重にも階段状に通路が積み重なっている。座席になっているのか、ただ柵《さく》で仕切ってあるだけなのか、見てとれない。すべてのスペースを、黒衣の無名僧たちが埋《う》め尽《つ》くしているからだ。

「どうぞ、中央にお進みください」

友理子を案内してきた無名僧が、道を開けて脇《わき》に退いた。友理子は円形のステージへと歩いてゆく。誰《だれ》も、しわぶきひとつしない。静まりかえっている。しかし、友理子は無名僧たちの無数の視線を感じた。

膝《ひざ》が震《ふる》えて、うまく足を持ち上げられない。爪先《つまさき》がひっかかって転びそうになった。それでも、誰も何も言わない。声をたてない。運動靴の底が床をこすってきゅっと軽い音をたてた。

円形のステージの真上には、色も形も白色灯そっくりのガラス玉がぶらさがっていた。あの高さにあってあのサイズに見えるのだから、とんでもなく大きいものであるに違《ちが》いない。友理子はその下へと歩み寄っていく。何かヘマをしでかしたら、あのガラス玉が落ちてきて押しつぶされてしまうのではないかしら。

額に、ひやりとした感触が走った。

同時に、ステージの真上のガラス玉が光った。

額の印が輝《かがや》いている。その輝きが、真っ直ぐにガラス玉へと向かっている。まるで、友理子のおでこにスポットライトがついていて、それがガラス玉を照らしているみたいだ。

ガラス玉の球面に、門《ゲート》の魔法陣《まほうじん》がきらめくように浮かび上がった。と、そのきらめきを受けて、円形のステージの床が輝き始めた。そこにも門の魔法陣が映し出される。

「印《オルキャスト》を戴く者よ」大勢の唱和する声が響《ひび》いた。

「陣のなかにお入りください」

ものすごく怖《こわ》いのに、歯の根が合わないほどなのに、友理子の身体《からだ》は無名僧たちのコーラスに従い、床の上に輝く陣のなかへと進んでゆく。

友理子が陣の中央に立つと、それはひときわ輝かしく明るい光を放った。

そしておさまった。光は魔法陣の文様のなかに封《ふう》じ込《こ》められ、文様に沿って素早《すばや》く流れている。角かどでキラリと輝き、弧《こ》の部分ではすっと暗く沈《しず》む。ほっそりとした光の蛇《へび》が、魔法陣の文様のなかを動き回っているかのようだ。

「面《おもて》をお上げなさい。恐《おそ》れることはありませぬ」

合唱ではない。旋律《せんりつ》はひとつだ。千人、万人もの無名僧が、声を合わせて友理子に語りかけているのである。

目を上げる。友理子はステージの中央で、大伽藍《だいがらん》の底で、無名僧たちに取り囲まれている。いちばん高いところにある最後列の無名僧たちの姿は、あまりに遠くてはっきり見えない。でも、友理子にはもう、前列に居並ぶ無名僧たちの顔立ちが見えるだけで充分だった。

まったく同じ顔だ。三つ子でも五つ子でもない。この人たちは、みんな同じ顔、同じ姿形をしているのだ。

千人、万人おれども。

一人しかいない。

そういう意味だったのだ。

心のなかにある驚《おどろ》きのメーターが壊《こわ》れてしまった。針が振り切れてしまった。友理子はただ口を半開きにして、黒衣の集団を仰《あお》ぐだけだ。東京ドームを埋め尽くす観客を独《じ》り占めするミュージシャンの気分？　だけど、この人たちはみんなお坊《ぼう》さんなんだ。友理子は歌をうたうのではなく、お経《きょう》を唱えなくてはいけないんじゃないのか。

「あの……こんにちは」

裏返ってよじれたような声が、口から飛び出してきた。

「は、初めまして」

友理子の挨拶《あいさつ》に、千人、万人の無名僧たちが、一斉《いっせい》に礼を返してきた。さざ波のように衣擦《きぬず》れの音がたつ。この眺めは幻覚《げんかく》ではない。みんな実体があるものなのだ。

「わ、わた、わたし、森崎友理子といいます」

無名僧たちは、再び大伽藍を震わせて礼を返してきた。

「あなた方、には、お名前は、ないんですか」

「我らは無名僧にござります」

たった一人で、千人、万人とやりとりする。彼らの声に圧倒《あっとう》されそうだ。

「すみません。どなたかお一人と、お話ししてはいけないですか」

しぃんと沈黙《ちんもく》。まずいことを言ってしまったのだろうか。

と、友理子の正面の中程《なかほど》の列で、一人の無名僧が動いた。列を横切り、通路の端《はし》まで来ると、友理子のいるところまで下りてくる。端に階段がついているのだ。

静寂《せいじゃく》のなかで、友理子は彼が近づいてくるのを待ち受けた。ひたひたと、裸足の足が床に触れる音だけが聞こえる。

「幼き印を戴く者よ」

友理子から二メートルほど離《はな》れた場所で立ち止まると、無名僧は頭を下げた。彼の足は、床の魔法陣を踏《ふ》んでいない。

「これならば、お話がし易《やす》くなりますか」

ずっと案内してきてくれた、若々しく眉《まゆ》の濃《こ》いあの顔だ。声も同じだ。友理子はうなずいた。

「はい。ありがとうございます」

無名僧が微笑《びしょう》した。友理子はその微笑《ほほえ》みに慰《なぐさ》められ、ほっと気が緩《ゆる》んで、ひと息つくことができた。

見上げると、千人、万人の無名僧たちが、同じ顔に同じ微笑みを浮かべていた。

「名を持たぬ我らには、本来、固有の姿というものはございませぬ」

無名僧は言って、黒衣の袖《そで》を軽く広げた。

「あなたがお心やすいよう、如何様《いかよう》にも顔形を変えることができまする。今のこの姿はいかにも若い。あなたは驚いておられましたな」

確かに、最初に会ったとき、意外に思った。

「〝僧〟という存在は、あなたのお心のなかでは、もっと年老いた者であるべきなのでしょう。たとえば、このような」

無名僧がするりと手で顔を撫《な》でると、彼《かれ》の姿が一変した。坊主頭《トンスラ》に、ふさふさとした白く長い眉毛、皺《しわ》の刻まれた顔。わずかに腰《こし》が曲がって、友理子と同じくらい小柄《こがら》になった。

また目を上げてみると、千人、万人の無名僧たちが、全員同じ老人へと変わっていた。

「あ、ありがとう。このお顔に慣れるようにいたします」

いちいち上を見なければいいのだ。目の前の一人にだけ集中して、あとの無名僧たちは背景だと思えばいい。

千人、万人のお爺《じい》さんたちの注目の的になるというのも、ちょっと面白い体験ではあるけれど。

「わたしがここにやってきた理由を、皆《みな》さんはご存じなんですよね」

存じておりますと、老無名僧は頭を下げる。

「あなたは兄上をお探しになるために来られた」

「はい。お兄ちゃん――兄は、〝最後の器《うつわ》〟になってしまったんです」

その言葉で、次々と繰《く》り出される驚異《きょうい》の連続に蕩《とろ》けてしまっていた友理子の芯《しん》が、ようやく形を取り戻《もど》した。わたしはここに来た。〝無名の地〟に。

〝英雄《えいゆう》〟が封印されていた場所。そして、破獄《はごく》した場所。

「わたしをここに送り込んでくれた本たちは、皆さんがわたしに力を貸してくださるって言っていました」

友理子は一歩大きく下がると、おでこが膝頭《ひざがしら》にくっつくほど深くお辞儀《じぎ》をした。

「お願いします。どうか助けてください。お兄ちゃんを見つけ出すために、何をどうすればいいのか教えてください。手がかりがほしいんです」

沈黙。友理子は固く目を閉じていた。

何も起こらない。ゆっくりと瞼《まぶた》を開けてみる。と、魔法陣を踏んで、老無名僧の枯《か》れ木のような足が近づいてくるのが見えた。

老無名僧は、友理子の頭の上に手を載《の》せた。

「おいたわしいことでございます」

低く、優《やさ》しい声だった。

「〝印を戴く者〟は、多くの場合、幼子《おさなご》。幼い魂《たましい》でなければ、この地へ至る道を見出《みいだ》すことができぬ故《ゆえ》にございます」

賢者《けんじゃ》も、アジュも同じことを言っていた。

「しかし、あなたはそのなかでもひときわかそけき魂の主であらせられる。あなたは女子《おなご》だ。その頰《ほお》はあまりに柔《やわ》らかく、その腕《うで》は細く、その脚《あし》は、あなた自身を支えることさえも危《あや》ういほどに、まだか弱い。それでもあなたは兄上をお探しになりたいのですか」

友理子が頭を上げると、老無名僧の掌《てのひら》は、髪《かみ》をそっと撫でて離れていった。

再び向き合い、瞳《ひとみ》を合わせると、老無名僧が友理子のために悲しんでくれているのがわかった。これまでにもらった同情や慰めの言葉、すべてを合わせても、老無名僧の、友理子を包み込むようなこの眼差《まなざ》しには足りない。髪を撫でてくれた、優しい手つきには及《およ》ばない。

確かにこの人たちは知っているのだ。〝英雄〟のこと。黄衣の王のこと。〝器〟とされる人びとのこと。お兄ちゃんの身の上に起こったこと。信じられないとか、そんなことあるわけないとか、笑ったりしない。説得する必要もない。この人たちは、全部わかってる。

それが友理子に勇気を与《あた》えた。

「わたしは確かに女の子ですけども、だからって弱いとは限りません」

お爺さん、それはちょっと古い考え方です。

「女の子だって、男の子に負けてません。あたし大丈夫《だいじょうぶ》です。皆さんと一緒《いっしょ》に頑張《がんば》ります！」

お兄ちゃんを見つけて、助け出して、皆さんが黄衣の王を再び封印するお手伝いだって、やってみせます――勢い込む友理子を、老無名僧は骨張った掌を掲《かか》げて遮《さえぎ》った。

「〝印を戴く者〟よ。あなたは少し考え違《ちが》いをなさっておるようでございます」

「考え違い？」

「我らは〝英雄〟をこの地に奉《ほう》じ、閉じこめて参りました」

「ええ、ですから」

「しかし、ひとたび破獄し〝輪《サークル》〟へと逃《のが》れ出た〝英雄〟を狩《か》る力は、我らにはございませぬ。我らはこの地に縛《しば》られし身の上。戦士ではございませぬ」

追跡者《ついせき》でもないというのか。

「だって、それなら誰がどうやって〝英雄〟を捕《つか》まえるんです？　封印するためには、まず捕まえなくちゃならないでしょ？」

老無名僧《むめいそう》はゆっくりとかぶりを振《ふ》る。

「〝英雄〟を捕《と》らえることは、できませぬ」

啞然《あぜん》──である。

「その力を削《そ》ぎ、それを流れへと引き戻すことができるだけにございます。〝英雄〟も物語でありますが故に、大いなる物語の流れの内に引き戻されるならば、それは〝咎《とが》の大輪《たいりん》〟の巡《めぐ》りに乗り、自《おの》ずとこの地に還《かえ》って参ります。そして我らは、再び封印をほどこすことがかないます」

トガノタイリン。何だそれは。

「この地は物語の源泉にございます」

友理子の瞳を見つめて、言い聞かせるような口調で、老無名僧は言葉を続ける。

「物語の生まれ出て消ゆるところ。物語の往《ゆ》きて還り着くところ。〝咎の大輪〟は、その流れを生む仕掛《しか》け――装置と申しましょうか」

それを押《お》し、回し続けることが無名僧の役目なのだという。「作務《さむ》」という表現を、老無名僧は使った。

「だけどアジュも賢者も――わたしが出会った本たちですけど、あなた方がわたしを助けてくれるって」

「あなたが求める智恵《ちえ》をお渡《わた》しすることならば、できましょう。あなたがお求めの地図をお探しすることもできましょう。しかし〝英雄〟を追跡し、それを狩ることには、我らの力は及びません。我らは〝英雄〟に対峙《たいじ》することすらかないませぬ。我らは――」

咎人なれば。

また難しいことを言う。でも、些細《ささい》な表現に引っかかっている余裕《よゆう》はなかった。だってこれじゃ話が違うじゃないか。

「じゃ、わたし独りぼっちなんですか？　皆さんは一緒に来てくれないの？」

こんなに大勢いるのに！

友理子の焦《あせ》りが目に見えるだろうに、老無名僧は淡々《たんたん》とした口調を変えようともしない。

「〝印を戴く者《オルキャスト》〟よ」進み出て、友理子の肩《かた》に手を載せた。「しかしあなたには、数多《あまた》の書物どもがお味方をいたします。〝英雄〟の破獄を知り、すでに狩りを始めておるであろう〝狼《おおかみ》〟たちも、やがてあなたの御前《おんまえ》に姿を現すことでありましょう。あなたが今はまだご存じない領域のなかには、〝英雄〟の力を削ぐことのできる剣士や法術士もおることでございましょう」

剣士？　法術士？　自然に、嫌々《いやいや》するように首を振り始めた友理子は、老無名僧の手で肩を穏《おだ》やかに揺《ゆ》り動かされて、目を上げた。

「弱気に陥《おちい》ってはなりませぬ。領域は星の数ほどございます」

「領域って何？　あたしが住んでる現実の世界のこと？　だったら、うちの近所には剣士も法術士もいませんよ。いるわけないじゃない」

老無名僧は頬を緩ませた。

「あなたが暮らしておられる場所も領域。しかし、領域はほかにもあるのでございます」

〝輪〟のなかを流れる、数え切れないほどの物語も、そのひとつひとつがすべて領域なのだと老無名僧は説明した。

「〝輪〟の内の、さらにひとつひとつが閉じておる場所にござります」

ちょっと理解しかねた。〝輪〟の内に行き交《か》う物語というのならば——

「本のことですか？」

「書物のみではござりませぬが。元の形は書物なれど、別の形で顕現《けんげん》しておる領域もございます」

映画とか？　コミックとか？　ゲームとか？　いちいち声をあげて、しかもだんだん甲高《かんだか》い声になる友理子の詰問《きつもん》に、老無名僧は動じない。

「あたし、そのなかに入り込《こ》むんですか？」

「兄上がそこを通られた形跡があるならば、あなたも追って行かねばなりますまい」

現実の世界のなかで、現実と創作物のなかを行ったり来たりするというのか。

「どうしてそんなことができるの？」

「あなたが〝印を戴く者〟であらばこそ」

友理子は額の印《しるし》に触《さわ》った。頭がふらついてきた。印の重み。印の働き。印を戴《いただ》いたことの意味。

「お疲《つか》れのようだ。少しお休みになられるとよろしゅうございます」

無名僧って、腹が立つくらい、こっちの気持ちをよく察する人たちだ。

「お部屋に案内《あない》いたしましょう」

老無名僧が手を挙げて合図を送ると、別の一人が階段を下りてきた。最初に会った若者の顔だ。見回してみると、ずっと相対してきた老無名僧を除いて、残りの全員は、また若者の姿形に戻っている。

「私《わたくし》のみは、この姿でおります方が、あなたのお心が休まりましょう」

一人だけ年老いた姿のままの無名僧が、目元の皺をいっそう深くして、にっこりと笑った。

第四章　咎《とが》の大輪《たいりん》

大伽藍《だいがらん》を出て、入り組んで行き交《か》う通路や渡《わた》り廊下《ろうか》を歩き、大きさも形も異なる石造りの建物をひとつ、ふたつ、みっつ通り抜《ぬ》ける。そこでいったん外に出て、わずかなあいだ淡《あわ》い陽射《ひざ》しを浴びて庭を歩き、別の建物のなかに入る。そこが「僧坊《そうぼう》」と呼ばれる無名僧たちの住まいで、友理子《ゆりこ》はそのなかのひと部屋を与《あた》えられることになった。

僧坊も、外側《そとがわ》から見ると石でできているように見える。が、なかに入ると、古びた太い木の梁《はり》や柱が目についた。床《ゆか》も、黒々と沈《しず》んだ色合いの板敷《じ》きだ。家具も木製で、他の建物のなかにあったような、金属製で凝《こ》った飾《かざ》りがほどこされた種類のものは見あたらなかった。

案内《あない》役の若い無名僧の後について、友理子は階段を三階分のぼった。窓と踊《おど》り場《ば》の数からして、たぶん三階だろうと思う。階段も木製で、手すりだけが錬鉄《れんてつ》製というのか、ちょうどアーチ型の扉《とびら》のところで見た格子《こうし》とよく似た、真っ黒でざらついた手触《てざわ》りのものだった。

僧坊には窓が少なく、全体に薄暗《うすぐら》い。階段は傾斜《けいしゃ》が急でステップが高く、友理子はふくらはぎが痛くなってきた。

「どうぞ」

木の板の周囲を鉄枠《てつわく》で補強した片開きの扉を、無名僧が開けてくれた。なかは、四《よ》畳《じょう》半ぐらいの広さだろうか。正面と右手は灰色の土壁《つちかべ》。天井《てんじょう》は斜《なな》めに切り下がっていて、てっぺんのところに三角形の明かり取りの窓がついている。左手の壁は書架《しょか》だ。本で埋《う》め尽《つ》くされている。

右手の壁際《かべぎわ》に、粗末《そまつ》な木の寝台《しんだい》。白いカバーのかかった薄い枕《まくら》がひとつと、ラクダ色の毛布が畳《たた》んで置いてある。寝台の足元に、小学生が教室で使うくらいのサイズの机と椅子《いす》。机の上には、友理子の手の上に載《の》るくらいの小さなランプ。真っ白な灯心が、半透明《とうめい》の油のなかからちょこっと頭をのぞかせている。

「ご自由にお使いください」

一礼して、若い無名僧は立ち去った。でも、扉を開けたままにして行ったので、何となくすぐ戻《もど》ってくるような気がした。友理子は椅子にちょこんと腰《こし》をおろして待った。

勘《かん》はあたっており、無名僧は引き返してきた。両手にお盆《ぼん》を捧《ささ》げ、腕《うで》にはもう一枚毛布をかけている。

「お召《め》し上がりください」

机の上、友理子の目の前にお盆を置いた。白いお皿に白いパン。水差しも載っている。

「ありがとう」

友理子がお礼を言うと、無名僧は黙《だま》って礼を返した。頭を下げるときには、いちいちきちんと背中を伸《の》ばし、足先を揃《そろ》える。礼儀《れいぎ》正しい。

「ご用の折には、これをお使いください」

お盆の上、水差しに並べて、スズランの花に似た形の呼び鈴《りん》が置いてある。無名僧の手がそれを指し示した。

間近で見ると、無名僧の手はひどく荒《あ》れていた。爪《つめ》が割れている。

「でもわたし、いつまでもぐずぐずしてるわけにはいかないんですよね?」

「今はとりあえず、お休みください」

若い無名僧は、腕にかけていた毛布を寝台の足元に置いた。

「ここは冷えることと思います。毛布を重ねてお使いになるとよろしいでしょう」

今度は本当に立ち去るつもりらしい。無名僧が出入口のドアに手をかけて、また礼をするために姿勢を正したとき、友理子は追いかけるようにして問いかけた。

「ね、この部屋の本も、みんな作り物ですね」

部屋に踏《ふ》み込《こ》んだ瞬間《しゅんかん》に気がついていた。壁の書架を埋めている数多《あまた》の本は、万書《ばんしょ》殿《でん》の廊下を歩いているときに見かけたのと同じで、みんな彫刻《ちょうこく》だ。些細《ささい》な差といえば、あちらのが石造りで、こちらのは木製だというくらいだ。

「ここは万書殿と呼ばれる建物なのに、なかにある本は、どうしてニセモノばっかりなの？」

若い無名僧は、まばたきさえせず静かに友理子を見つめ返した。濃《こ》い眉毛《まゆげ》と、漆黒《しっこく》の瞳《ひとみ》。

「偽物《にせもの》――ではございません」

囁《ささや》くような小声なのに、はっきり聞き取れる。

「これらは象徴《しょうちょう》と申すべきものでございます。あるいは遺跡《いせき》と申してもよろしいかもしれませぬ」

ショウチョウ？　イセキ？　どちらにしても、「本」というものには不似合いな言葉だ。

「万書殿はすべての物語の源泉にして終熄《しゅうそく》の場所にございます。故《ゆえ》に、ここでは本の象《かたち》に意味はございませぬ」

意味があるのは、中身だけということか。

友理子が考え込んでいると、無名僧は一礼した。行ってしまうのだ。なぜかしら急に、ここで一人になるのが心細くてたまらなくなり、ただ彼《かれ》を引き留めるためだけに、友理子は思いついた質問を素早《すばや》く投げかけた。

「でも皆《みな》さんは、本を読むんでしょ？」

図書館の司書さんは、本を読む。本の専門家だ。本が好きな人が就《つ》く職業だ。無名僧だって、同じはずだろう。

若い無名僧は、ほんの少しだけ首をかしげた。穏《おだ》やかな無表情には変わりがない。

「我らは、本を読むことはございませぬ」

そして、さらに問いかけようとした友理子を制するように、すぐにこう続けた。

「我らの存在そのものが本に等しいものでありますが故に、我らは本を必要とはいたしませぬ」

友理子は当惑《とうわく》してしまった。無名僧は軽く手を動かして、友理子を宥《なだ》めるような動作をした。

「さあ、少しお休みなさい。〝印を戴く者《オルキャスト》〟よ、あなたはあなたご自身で気づいておられるより、はるかにひどくお疲《つか》れになっている」

「でも——」

「充分《じゆうぶん》お休みになれば、また元気を取り戻し、あなたがこれからとるべき行動、進むべき道を考えることがおできになるでしょう。大僧正は、それをお待ちしております」

「ダイソウジョウ？」

無名僧がうっすらと微笑《ほほえ》んだ。

「先ほどあなたがお会いになった、老いた無名僧でございますよ。そのようにお呼びください。我らは、あなたがもっとも心やすい——理解しやすい姿と呼称《こしよう》でお目もじをいたします」

一人だけ老人の姿のまま留《とど》まってくれたのと同じく、大僧正という呼び方も、そういう呼び分けを必要としている友理子のために作られたということだ。本来、彼らには上下関係なんかないのだろう。千人いても万人いても、実はみんな同じ顔で、一人

友理子は初めて、素朴《そぼく》な疑問を抱《いだ》いた。

そういうのって、どんな気分なんだろう？ 友理子は初めて、素朴《そぼく》な疑問を抱《いだ》いた。

たとえるならば、クラスメイトがみんな自分と同じ顔をしているということだ。いや、クラスメイトが全員、イコール自分自身だということだ。同じようにふるまい、同じようにしゃべり、同じように考える。喧嘩《けんか》なんか起こらない。いじめもない。意見が食い違《ちが》うこともない。

さぞ安心だろう。快適だろう。

でも、そんなに大勢「自分」がいたら、どれが本物の自分自身だかわからなくなってしまうんじゃないだろうか。

友理子がそれを尋《たず》ねようと言葉を探しているうちに、若い無名僧は、扉を閉めて出て行ってしまった。友理子は独りぼっちになった。

急に、あくびが出た。寝台で横になろうかと思ったら、派手にお腹《なか》が鳴った。すごくいい音で、天井にまで響《ひび》いた。友理子はふき出してしまった。

パンを食べ、水を飲んだ。食べたり飲んだりする物音が、妙《みょう》に自分の耳についた。寂《さび》しくなった。涙《なみだ》が出てきそうになった。パンと一緒《いっしょ》にぐいぐい呑《の》み込んだ。

驚《おどろ》くほど美味《おい》しいパンと水だった。食べ終えると、本格的な睡魔《すいま》が襲《おそ》ってきた。靴《くつ》を脱《ぬ》ぎ、寝台へころりと転がり、ほどなく、半分眠《ねむ》りかけながら毛布を引き揚《あ》げて、身体《からだ》を丸めてくるまった。

眠った。夢は見なかった。

どれぐらい寝《ね》ていたのかわからない。目を覚ましたとき、部屋のなかはすっかり暗くなっていた。小机の上のランプに火が灯《とも》っている。

友理子はしばらくのあいだ、毛布をかぶって横たわったまま、暗がりに揺《ゆ》れるその小さな灯《あかり》を眺《なが》めていた。灯火が生み出す温かな光の輪。壁を埋める作り物の書籍《しょせき》の背表紙の列が、ほのかな光を受けて、重々しい威厳《いげん》をまとっている。

目が覚めたのに、かえって夢を見ているようだ。ここがどこで、自分が何をしているのか、どうでもいい。それなのに――いや、それだからこそか、心は安らいでいた。

永遠にここで寝転がっていようか。〝無名の地〟では、それも許されるような気がする。友理子もまた、名の無い、個としての存在の無いものになってしまいたい。闇雲《やみくも》で出し抜けな、強い願いがこみあげてきた。ここで、無になってしまいたい。

出入口の扉のところで、暗がりの一端《いったん》がするりと動いた。灯火のつくる明かりの輪の、すれすれの境界のところで。

友理子はぱっと起き上がった。ひたひたと逃《に》げてゆく足音がした。

誰《だれ》か、扉のところにいたんだ。寝台から滑《すべ》り降り、扉に近づくと、それが十センチほど開いていることがわかった。

――無名僧の、のぞき？

らしくないふるまいではないか。まさかね。

――明かりを点《つ》けに来てくれた人かな。

ちょうど友理子が起きたので、間が悪くて逃げ出したのかもしれない。うん、そっちの方がずっとずっとありそうな仮説だ。

目をこすり、この部屋の暗がりに分け入る光源がほかにもあることに気づいて、目を上げた。

天井に近いところにある、三角形の明かり取りの窓だ。光が映ってちらちらと揺れている。ひとつの光ではないようにも見えた。

この建物の表側だ。外だ。

友理子は大急ぎで靴を履《は》いた。起き上がるとすごく寒かったので、毛布を一枚、ポンチョのように肩《かた》からひっかぶる。扉を抜けて廊下に出た。

長い廊下では、点々と燭台《しょくだい》の蠟燭《ろうそく》に火が灯っている。それを目印に、どこか外に開いている窓か扉はないかと、左右に注意しながら進んでいった。

自分では、ここまで案内してもらったときに通ったルートを歩いているつもりだった。が、実際には道を間違えていたらしい。角をひとつ曲がったら、行きには見かけなかった等身大の銅像にいきなり出くわして、声も出せずに飛び退《の》く羽目になった。

別段、怖《こわ》いものではない。無名僧に似た、衣《ころも》をまとって書物を手に持った僧侶《そうりょ》の像だ。目を伏《ふ》せて頭《こうべ》を垂れ、祈《いの》っているような姿。ただ、慣れない蠟燭の明かりのなかでは、本来は美しく崇高《すうこう》な美術品であろうはずのこういうものまで、お化け屋敷の仕《し》掛《か》けのように見えてしまう。友理子は一人で恥《は》じ入った。

落ち着いて周囲をよく見ると、他にもいくつか銅像が置かれている。ここはもう廊下ではなく、小さなホールのようだった。燭台も、壁の上の高いところに取り付けられている。

あ、この建物の玄関《げんかん》なんだ。友理子にあてがわれた部屋の扉よりひとまわり大きい、羽目板にごつい鉄枠をかませた重そうな両開きの扉が、すぐ左手に在る。左右の扉の合わせ目が少しだけずれていて、そこからちらちらと光が漏《も》れてくる。

友理子は扉に掌《てのひら》をあてると、ゆっくりと押《お》した。扉は滑《なめ》らかに外側に動き、隙間《すきま》から光が溢《あふ》れ出てきた。

「わぁ……！」

銀河だ。そう思った。何千、何百という光の粒《つぶ》が、川のように連なっている。友理子の足元を、その川が流れてゆく。粛々《しゆくしゆく》と、黙々《もくもく》と。よく見れば光の粒のひとつひとつは松明《たいまつ》であり、大勢の無名僧たちが、片手にそれを掲《かか》げて行進しているのだった。

彼らの裸足《はだし》が地面を踏みしめる音が、さやさやと聞こえてくる。無名僧たちは全員フードをかぶり、坊主頭《トンスラ》を隠《かく》しているので、夜の闇に姿が隠れてしまっていた。松明が揺れると、彼らの痩《や》せた肩や、背中の一部が光に浮《う》かんだ。

大勢で、どこへ行くのだろう。

「作務《さむ》に参るところでございます」

下の方から声がした。燭台を手にした大僧正が、友理子の立っている扉のところまでのぼってくるところだった。大僧正の後ろには、たぶん友理子の世話を焼いてくれた無名僧だろう、あの若い、眉毛《まゆげ》の濃い顔立ちがぴったりと従っていた。

それでようやく、友理子も理解した。確かにここはホールだが、玄関ではなく、二階だか三階だかのベランダに通じる場所だったのだ。だから大僧正たちは、階下からのぼってくるのである。もう、ここの建物の繋《つな》がり方も、建物自体の構造も、複雑でこんがらがっていてわかりゃしない。

「作務って、お仕事ってことですよね？」

大僧正は友理子に並んで立った。お付きの若い無名僧が、友理子がずっと押さえていた扉《とびら》をいっぱいに開けてくれた。

「こんなに暗いのに、皆さんは働くんですか」

「交代の時刻なのですよ」

やっぱり、八時間労働？　三交代で働くということなのだろうか。夜間操業をする工場みたいだ。

「どんなお仕事なんですか」

本の分類？　それとも、壁《かべ》を埋《う》め尽《つ》くすニセモノの本を作ること？　建物の維持《いじ》とか管理とか掃除《そうじ》とか。それを、これほどの人数で？

大僧正は、友理子の顔にまともに蠟燭の光があたらないよう、手を脇《わき》に避《よ》けた。蠟燭のてっぺんから立ち上る黒い煙《けむり》が、夜のなかでもふわりとなびいて見える。ジジッと芯《しん》が焦《こ》げる音がした。

「では──」大僧正は微笑《びしよう》した。「〝印を戴く者〟よ。我らの作務をご覧になりますか」

言葉は、外来者の友理子を見学に誘《さそ》っているというだけのものだ。が、友理子はそこに、ある種の覚悟《かくご》を問われているかのような、厳しいものを感じ取った。

大僧正は、これまで友理子が出会ったどんなお爺《じい》ちゃんたちよりも、お爺ちゃん然としている。お爺ちゃんのチャンピオンだ。それは最初に顔を合わせたときから感じていたことだけれど、なぜなのかはわからなかった。偉《えら》いお坊《ぼう》さんだからだろう――つまり、その姿をとっているからだろう、ぐらいに思っていた。

が、蠟燭の光のなかで、友理子は今、その理由を知った。大僧正の瞳《ひとみ》には、この厳しさがあるからだ。ニコニコ笑いかけてくれていても、瞳には揺るがないものがある。友理子の暮らす町で、こんな強い眼差《まなざ》しをしたお爺ちゃんに出会ったことはない。こんな人はいない。

その認識《にんしき》が、自然と友理子の姿勢を正しくさせた。身体に巻き付けた毛布をぎゅっと引っ張って、背中を伸《の》ばした。

「わたしが見ても、よろしいんですか」

大僧正はうなずいた。お付きの若い無名僧は慎《つつ》ましく目を伏せている。

「ご覧になれば、この地の在ることの意味がおわかりになりましょう」

ならば、必要なことなのだ。

「〝印を戴く者〟はみんな、皆さんの作務を見るんですよね」

「はい」と、大僧正は答えて、少し沈黙《ちんもく》した。蠟燭の芯がまたジジッと音をたてる。

「我らの作務をご覧になったことで、この地から立ち去る方もおられます」

友理子の心臓が、小さく飛び上がった。

「怖い——眺めなんですか」

「さて」大僧正はまた微笑《ほほえ》む。「あなたが何を恐《おそ》れ、何を喜び、何にお心を動かされるか、我らには察し得ぬことでございます」

無名僧たちの松明が成す銀河は、こうして話している間に、かなり先へと離《はな》れてしまった。列の後尾《こうび》が見えるようになった。先頭の者たちは中庭を抜《ぬ》け、昼間見かけた、一箇所《かしょ》だけ外に向かって開いていた門扉《もんぴ》をくぐって進んでいるらしい。

あの先には、何があるのか。

「わたし、行きます。作務を見せてください」

大僧正は無言のまま踵《きびす》を返し、階段をおり始めた。若い無名僧が友理子を促《うなが》し、友理子は大僧正のあとについた。ステップをおりると、ちょっとだけ膝《ひざ》が震《ふる》えていることに気がついた。

無名僧たちの列から歌声が響き始めた。最初は囁《ささや》きのようにかすかに、次第《しだい》に音を高めてゆく。

「あの歌」

友理子を迎《むか》えに来てくれた、三人組の無名僧たちもうたっていた——唱えていた歌だ。

「念歌というんですよね」

「そのとおりでございます」

列の最後尾に追いつくと、大僧正も、お付きの無名僧も、低く唱和を始めた。友理子は念歌の響きに包まれて門扉をくぐり抜け、万書殿《ばんしょでん》の外へと足を踏《ふ》み出した。

夜の天蓋《てんがい》に星は見えなかった。どこまでもどこまでも、なだらかな草原が広がっている。それでも空と地の境目が見て取れるのは、〝無名の地〟が星のない夜空よりも暗いからだろう。風が渡《わた》り、草の匂《にお》いがする。夜露《よつゆ》が靴を濡《ぬ》らす。

道らしい道はない。舗装《ほそう》なんてない。ただ草が踏みしめられ、すりきれて、自然に通り道を成しているだけだ。多くの無名僧たちの裸足が、日に何度も往復する道筋なのだろう。

前を歩く無名僧たちの松明が爆《は》ぜて、火の粉が舞《ま》い上がる。飛んできた小さな火の粉が、友理子の額にとまってちくりと刺《さ》した。手をあげて額をさすると、あの魔法陣《まほうじん》がほのかに、青白く輝《かがや》いている。その光が指に映った。

思わず、隣《となり》を歩く大僧正の顔を見た。大僧正は何の反応も見せない。友理子の額の魔法陣のことなど、気にしていないのだ。ここでは当たり前のことなのだ。歴代、多くの――いったいどのくらいの人数なのか――〝印を戴く者〟の訪《おとず》れを受け、彼《かれ》らを見守ってきた〝無名の地〟では。

道はやがて、緩《ゆる》やかだが確実に登りにさしかかった。

「我らが通い慣れしこの道は」

大僧正が、友理子の歩みに合わせて並びながら、肩を寄せるようにして話しかけてきた。

「〝碾《ひ》き割り麦の丘《おか》〟へと通じております」

その丘が、作務を行う場所だという。

「〝無名の地〟では本来、万物に名がございませぬ」

それは地名も例外ではない。

「しかしこの丘には名がございます。かつてあなたと同じようにこの地を訪れた〝印を戴く者〟が、目的を果たし立ち去るとき、そう名付けた故《ゆえ》にございます」

だからそれ以来、無名僧たちもそう呼んでいるのだという。説明する大僧正の口調には、その〝印を戴く者〟への淡《あわ》い尊敬の念があるように、友理子は感じた。

「あの方は、あなたより少し年長の、金色の髪《かみ》をした少年でございました」

外国人だ。「その子は、何のためにこの地を訪ねてきたんですか？」

「あなたと同じように、親しい人をお捜《さが》しでございました」

そして目的を果たしたというのだ。友理子の問いに、思わず力がこもった。「うまくいったんですね？　捜し出すことができたんですね？」

黄衣《こうい》の王に憑《つ》かれた者を——金色の髪の少年の肉親か恋人《こいびと》か、友人か。

「はい」大僧正はゆっくりと深くうなずいた。

友理子は少し息が切れてきたが、大僧正もお付きの無名僧も、足取りはまったく変わらず、呼吸も穏《おだ》やかなままである。

金色の髪の少年は、奪《うば》い去られた親しい人を取り戻《もど》し、この地を去った。去り際《ぎわ》に、〝無名の地〟のひとつの風景に、名称《めいしょう》を与《あた》えて。

名前の存在しない場所に、名を付ける。それは〝祝福〟というものではないのか。そうだ。少年はこの丘に祝福を与えたのだ。

それにしても、こんな事柄《ことがら》、本来の友理子の頭では、まだ考えつくことなどあり得ない種類のものだ。急に大人になったみたいで、友理子は自分で自分に驚《おどろ》いていた。額に印を戴《いただ》いた瞬間《しゅんかん》から、わたしはもしかすると別のわたしに変わったのかもしれない——

足取りと同じく、変わらぬ静かな口調のまま、大僧正が続けた。「あの方は、この丘の眺めが、懐《なつ》かしい故郷《ふるさと》の田園風景と似ていると言っておられました。丘の向こうに、川のせせらぎと水車小屋がないのが残念だと」

水車小屋なんて。そうか、昔の人なのだ。百年前？　二百年前？

わたしも、この地の何かに名前を付けることができるといいな。

お兄ちゃんを取り戻し、二人で〝無名の地〟を去る。そのとき、この地を祝福することができたらいい。きっときっと、そうしよう。

夜の闇《やみ》の底を、夜露に足を濡らしながら行進しつつ、友理子はあらためて決意を固めた。小さな拳《こぶし》をぎゅっと握《にぎ》りしめる。傍《かたわ》らを歩む大僧正は無言のままだ。頑張《がんば》りなさいとか、成功をお祈りしますとか、それらしい励《はげ》ましの言葉をかけてほしい。高ぶる気持ちを言葉にして告げようと大僧正の方に向き直った友理子は、そのとき、足の下の地面がかすかに震動《しんどう》していることに気づいた。

地震だろうか？　いや、そういう揺れ方ではないようだ。でも確かに地面が震えている。今まで気づかなかっただけで、先《せん》から少しずつ揺れていたのかもしれない。大僧正も、行進を続ける無名僧たちの列も、何も感じていないのか。念歌は続いている。彼らの歩みに乱れはない。

丘を登り続けてゆくうちに、足元から伝わる震動に、低い轟《とどろ》きのようなものが混じり始めた。行く手の闇のなか、丘の上で、何か大きなものが動いている——その動きが震動と音を生み出しているのだと、友理子はようやく理解した。

「これ、何ですか？」

大僧正は面《おもて》を上げ、松明の火の粉に目を細めながら、友理子の問いに答えた。

「これこそが、我らが作務にございます、〝印を戴く者《オルキャスト》〟よ」

〝碾き割り麦の丘〟の上で、友理子は見た。

それは、どんな奔放《ほんぽう》な想像や、どんな重々しい覚悟をも軽々と飛び越《こ》える、途方《とほう》もなく異様な光景だった。

丘の上の広々とした高台を、黒衣の無名僧たちが埋め尽くしている。

そして、そこでうごめいていた。無数の無名僧たちの黒い衣《ころも》が、夜の底でさらに黒い輪を描《えが》いている。黒い輪が動くと、地面が轟いた。下腹に応《こた》え、膝のお皿を震わせるような轟音《ごうおん》が足元からこみあげてきて、友理子の身体《からだ》を通り抜け、頭のてっぺんから夜空にまで立ちのぼってゆくようだ。

丘の頂上で、無名僧たちは、巨大《きょだい》な車輪を回しているのである。それもひとつではなかった。左右に並んだ一対《つい》の車輪だ。

その大きさといったら！　友理子はとっさに、東京ドームを思い出した。お父さんがジャイアンツ・ファンだから、年に何度か家族で野球観戦に行く。ドームの内部に入ると、試合を観《み》たり、ホットドッグやアイスクリームを食べたり、メガホンを買ってもらって大声で応援《おうえん》しながら振《ふ》り回したり、そのなかでこそ意味のある楽しいことに夢中になってしまうから、ドームの大きさを意識することはなくなる。でも、ドームに入るために近づいてゆくとき、とりわけ電車の窓からドームの白い天蓋を目にするときには、友理子はいつも思うのだった。こんな大きな建物を建ててしまう、人間って凄《すご》いな。

丘の上の車輪は、その東京ドームよりもまだ大きい。それがふたつ並んでいるのだ。車輪といっても、よく見ると、輪の部分はないようだった。中心に、ちょっとしたビルぐらいの大きさの柱が立っており、そこから放射状に、途方もなく長い輻《や》が、数え切れないほどたくさん伸びている。無名僧たちは重なり合うように横一列に並んで、力を合わせて輻を押《お》し、車輪を回しているのだった。

右の車輪と左の車輪は、回る方向が逆になっていた。左は時計回り、右は反時計回りだ。左右の車輪は、それの描く弧《こ》がくっつきそうなほど近接しているので、車輪を回す無名僧たちがすれ違《ちが》うと、彼らの衣の裾《すそ》が触《ふ》れ合う。

ここでは、彼らは念歌を唱えていない。無名僧たちの沈黙のうちに、巨大な一対の車輪だけが、地をどよもすような響《ひび》きと共に回転している。無名僧たちはフードを取り、頭を低く下げ、両腕《りょううで》に力を込《こ》めてひたすらに輻を押し続ける。

彼らが掲《かか》げてきた松明《たいまつ》は、彼らの周囲の地面に突《つ》き立てられた素朴《そぼく》な台に、ひとつひとつ収められていた。松明の台もまた円を描いている。一対の車輪を包み込む、いちばん外側《そとがわ》のもっとも大きな明かりの円だ。

立ちすくんだまま唖然《あぜん》と見とれている友理子の前で、回る輻のあいだから一人、また一人と無名僧が抜け出てきて、松明を台から取り上げ、丘を降りる道へと歩き出す。彼らが抜けた場所には、友理子と一緒《いっしょ》に行進してきた交代の無名僧たちが、空いた台に松明をかけて入り込む。交代といっても、そのあいだ回転が停《と》まるわけではないのだ。作業を休むことはない。

気がつくと、友理子の後ろには、抜け出た無名僧たちが丘を降りてゆく、新しい行列ができていた。また念歌が聞こえ始めたが、車輪の轟きにかき消され、切れ切れにしか耳に届かない。

これが作務《さむ》だというのか。ひたすらに、一対の巨大な車輪を回し続けることが。

「これ、何の役に立つんですか」

驚きで喉《のど》が乾《かわ》ききってしまい、かすれた声しか出てこない。隣に立つ大僧正は、黙《だま》ったまま車輪の回転を見つめている。友理子は声を張り上げた。

「これで何をしてるんですか？　動力を起こしてるの？」

大僧正はフードをとると、友理子に向き合って一礼した。

「〝印を戴く者〟よ。これは〝咎《とが》の大輪《たいりん》〟にございます」

トガのタイリン。友理子は呟《つぶや》いた。轟音に遮《さえぎ》られ、自分の声さえよく聞こえない。

夜の闇を映し取った大僧正の黒い目のなかに、松明の明かりが小さく揺《ゆ》れている。

「右の車輪が〝輪《サークル》〟のなかに物語を送り出し、左の車輪が〝輪〟のなかで力を失った物語を回収いたしまする。すべての物語は、ここより出《い》でてここに還《かえ》る。この大輪の動きを停めず、営々と押し続けることが、我ら無名僧の使命にござります」

もう一度、大僧正は頭を下げた。友理子に向かって礼をしたのではなく、一対の大輪にそうしたようにも見えた。

「……どこに、物語があるんです」

糸車なら、巻き取られている糸が見える。それと同じようなものではないのか。

「物語は、人の目には見えませぬ」

そのままでは——と、大僧正は微笑《ほほえ》んだ。不思議なことに、轟音のなかでも静かな声が届く。

「ここより送り出される物語に、人の目に見える象《かたち》を与えることができるのは、〝輪〟のなかを生きる人間だけでござります。人間の力だけが、物語をよく実存へと導くことができるのでござります」

我らは、ただ流れを保つのみ。

友理子には信じられなかった。小さいときに大好きだった絵本のお話や、今ぞっこんハマッていて、クラスメイトと貸し借りしながら読みふけっている——ああ、そんなこともあったのだ——学園もののコミックや、家族で観にいったスペクタクル映画や、これまで友理子が触れてきたさまざまな物語のことを、いっぺんに思い出した。頭のなかが物語で溢《あふ》れた。疑似《ぎじ》初恋の相手になった登場人物。読んだ瞬間に涙《なみだ》が溢れてきた名台詞《ぜりふ》。その夜の夢にまで出てきた素晴《すば》らしい空想特撮《とくさつ》のシーン。

それらがすべて、みんなみんな、轟音と共に回転する、この一対の車輪を源泉としているというのか。坊主頭《トンスラ》を汗《あせ》で濡《ぬ》らし、黒い衣《ころも》の裾をひきずり、黙々と輻を押し続ける、顎《あご》の尖《とが》った、全員が同じ顔の、粗末《そまつ》な衣に裸足《はだし》の、無数の無名僧たちの働きが、物語の流れを維持《いじ》しているというのか。

美しく、楽しく、華《はな》やかなものの源泉が、こんな形をしているだなんて。

「……嘘《うそ》でしょ」

歪《ゆが》んだ笑いが、友理子の顔に浮《う》かんだ。

「嘘ですよ。こんなことあるわけない。わたしのこと、騙《だま》そうとしてるんでしょ？　からかってるんじゃないんですか？」

物語は、もっともっと幸せなものだ。美しいものだ。価値あるものだ。

「人間は、自分で物語を作るんです！　創造して、想像して、作り上げるんです！　こんな場所に源泉なんてありません！」

友理子の叫《さけ》びは、轟音にかき消されてしまった。ただ松明の火の粉だけが、動揺《どうよう》を察したように、一段と高く爆《は》ぜて闇のなかに舞《ま》い上がる。

大僧正《だいそうじょう》が、友理子の肩先《かたさき》をそっと掌《てのひら》で包んだ。

「先ほど私《わたくし》は、我ら無名僧の作務を目にし、この地より立ち去る〝印を戴く者〟もおられると申し上げました」

その方々は、皆《みな》、あなたと同じことを叫ぶ。

大僧正の肉の薄《うす》い掌の感触《かんしょく》が、肩の骨から伝わってくる。痩《や》せてやつれた老人だ。

「あなたもそうなさりますか。ならば、お止めすることはいたしませぬ」

重大な問いかけだ。進むのか戻るのか、厳しい選択《せんたく》を、柔《やわ》らかな言葉で迫《せま》られている。

答えるのは易《やさ》しい。こんなのペテンだ、わたしはイチ抜《ぬ》けた、帰ります！　叫んでしまえば事足りるのだ。大僧正は止めないと言っている。

が、それをさせないものが、友理子のなかにはあった。簡単に踵《きびす》を返してしまってはいけない。早まるな。何より、ここから目を背けるなと呼びかける声が、お腹《なか》の底から響いてくる。

轟音と共に、一対の車輪は回り続ける。無数の無名僧たちの裸足が地面を擦《こす》る音がする。重い輻を押し続ける腕が軋《きし》む音がする。汗の臭《にお》い、土の匂《にお》い、冷たい夜気。

これは、苦役《くえき》だ。

「皆さんだって、人間なんでしょ？」

友理子の心もまた軋み、反問する言葉になった。

「交代して休んだり、食べ物や飲み物をとったりするんでしょ？　わたしと同じ人間のはずです。なのに、どうしてこんなことをしていられるの？　なぜこんな目に遭《あ》わされてるんです？　ヘンだと思わないの？　辛《つら》くないんですか？」

大僧正は真正面から友理子の瞳《ひとみ》を見つめている。その瞼《まぶた》が、老齢《ろうれい》で刻まれた皺《しわ》やたるみ以外のもののせいで、つと緩んだように見えた。

「いかにも、我ら無名僧も人の身にございます」

しかし——と、かぶりを振る。

「あなたがおっしゃるような意味合いでは、すでに〝人間〟ではございませぬ」

何が違うというのだ。言葉遊びじゃないか。友理子はくちびるを嚙《か》みしめる。

「なるほど我らも休息をとり、食物をとります。それは必要に迫られてというよりは、そうあることで、かろうじて人の身である己《おのれ》を繫《つな》ぎ止めているということでございます。本来、我らにはそのどちらも必要ではございませぬ故《ゆえ》に」

「眠《ねむ》ったり、食べたりしなくていいの？」

大僧正は、友理子を宥《なだ》めるように微笑む。

「はい。我らのこの身は既《すで》にして借り物、仮の姿にございますでな」

黒い衣の袖《そで》を夜気に翻《ひるがえ》して、軽く両手を広げてみせた。そんなふうにすると、大僧正の身体が枯《か》れ木のように痩せていることが、なおさらはっきりと見てとれる。

「我らも、かつて真の人間であった時代には、それぞれ固有の姿を持ち合わせておりました。しかし、無名僧となりにし折に、それは失われてしまいました。いや、我らが捨てたのです」

この姿は、一《ひとつ》にして万《よろず》。万にして一。

「しかし一方、個を失うことで、己の負うておるものをも容易に忘れ去ってしまうのが人の身の浅はかさ。故に我らは、人の身であることを——かつては人間であったことを覚えておるためにのみ、眠り、食べ、休みまする。それを覚えておらねば、無名僧としての役割をまっとうし、己の罪を償《つぐな》うことができぬからでございます」

罪を償う。似たような言葉を、ここに来て間もなく聞いた覚えがある。

「トガビト」と、友理子は呟いてみた。そうだ、確かに無名僧の一人がそう言っていた。

「咎人って、罪人という意味でしょう？」

今度は大僧正だけでなく、後ろに付き従っている若い無名僧も一緒にうなずいた。

「なぜ罪人なの？　皆さんがどんな罪を犯《おか》したっていうんです？」

大僧正は、詰《つ》め寄る友理子からすうと身を引くと、車輪を押し続ける無名僧たちの群の方へ向き直った。

「この一対の輪を、〝咎の大輪〟と申します」

物語を送り出し、物語を回収する。物語の流れを保つ仕掛《しか》け。それが〝咎〟と名付けられている。

「なんとなれば、物語は〝咎〟にほかならぬからでございますよ、〝印を戴く者〟よ」

猛烈《もうれつ》な反論が、友理子の喉から飛び出してきた。そんなことはない！　そんなバカな！

「物語は楽しいものよ。美しいものよ。人を幸せにするものですよ！」

大僧正は首を巡《めぐ》らせ、友理子をひたと見つめる。

「しかし〝英雄《えいゆう》〟を——その暗黒面である黄衣の王を生み出すのは、物語にほかなりませぬ」

友理子は震《ふる》えていた。寒さのせいだ。身体に巻き付けた毛布を強く引っ張る。

「物語とは、さて何でございますかな。〝印を戴く者〟よ」

友理子が答える前に、大僧正は凛《りん》とした声音《こわね》で言い切った。「嘘にございますよ」

咎の大輪は回り続ける。無名僧たちは押し続ける。その傍《かたわ》らで、友理子は震えている。

「有りもしない出来事を作り上げる。そして語る。記録に残し、記憶《きおく》をばらまく。嘘でございます」

有りもしない世界を作り上げ、そして語る。それも嘘だ。

その目で見たこともない昔の出来事を、残された記録の断片《だんぺん》をつなぎ合わせて物語にする。それも嘘だ。

「そうした嘘がなかりせば、人間は生きられぬ。人の世は成り立ちませぬ。物語は人間に必要とされる、人間を人間たらしめる必須《ひっす》の嘘なのでございます。しかし、嘘は嘘。嘘は罪にございます」

ならば、誰《だれ》かがそれを贖《あがな》い償わねばならぬ。

「我ら無名僧は、咎の大輪を押し続けることにより、人の世が求める嘘を供給いたします。流れを絶やさぬように、営々と働きまする。それは罪の贖いであると同時に、また罪を再生産することでもございます」

かくも我らの業《ごう》は深い――と、ため息のような声で大僧正は言った。

「それは人間の業でもございます。我ら無名僧と化した者どもは、己の個を有していた時代に、物語の罪を犯しました。故に、〝輪〟に生きる人間すべてに成り代わり、物語の贖罪《しょくざい》の役目を背負うこととなり申した」

お付きの若い無名僧が、さっと前に出て友理子の腕をとらえた。粗暴なふるまいではない。友理子がふらついたので、支えてくれたのだ。

「ご、ごめんなさい」

友理子が自分を持ち直し、何とか両足でしっかりと立つのを確かめて、若い無名僧はそっと腕を放した。

その手は温かかった。確かに人の体温があった。

胸が詰まってきた。

「ひどすぎます」

泣き声になってしまった。

「皆さんばっかり、どうしてこんな不毛なことをさせられるの？　物語の罪なら、人間全部が背負えばいいじゃないですか」

大僧正のしわくちゃの顔が、大きくほころんだ。

「あなたはお優《やさ》しい。その優しさは、幼子《おさなご》だけが持ち合わせるもの。だからこそ、幼子のみが、よく〝無名の地〟を訪《おとず》れることができるのですよ」

〝輪〟のなかにも、物語の罪科を背負う者たちは存在していると、大僧正は続けた。

「あなたが兄上をお探しになるうちに、出会うこともあるでしょう」

「物語を作る人たちですか？　作家とか、歴史家とか」

「彼《かれ》らばかりではありませぬ。また彼らのすべてが、己の罪に気づいておるとも限りませぬ」

〝狼《おおかみ》〟たちもそうだという。

「黄衣の王を狩《か》り、危険な写本を狩って〝輪〟を守るあの者どもも、咎人にございます。彼らは彼らなりのやり方で、罪を償《つぐの》うておるのです」

わからない。わかりたくない。友理子の頭は理解を求めても、心はそれを拒絶《きょぜつ》している。

「物語にだって、良いことはいっぱいあります」

「もちろんでござりますよ。それは〝輪〟に満ち満ちておりまする」

しかし、ここには無い。〝無名の地〟には存在しない。ここは物語の源泉であり、嘘《うそ》の源泉であるのだから。

「皆さんだって、〝輪〟のなかにいたまま、人間として生きていながら、物語の嘘の贖罪をすることだってできるはずでしょ？　〝狼〟の人たちみたいにね。それなのにどうして、皆さんだけが無名僧にならなくちゃいけないんですか」

友理子の問いかけは、こんな細部のところにまで後退してしまった。いや、否応《いやおう》なしに理解を得て、前進したのかもしれない。

「個を持っていたころに、どんな悪いことをしたら、無名僧になっちゃうんですか」

恐怖《きょうふ》と共に、友理子は尋《たず》ねているのだった。怖《こわ》いのだ。いったいどんな人間が、ここに連れてこられて、もしくは召喚《しょうかん》されて、無名僧と化すのだろう。

大僧正は、しばらくのあいだ考え込んだ。たるんだ瞼が閉じ、立ったまま眠ってしまったみたいに。かなりの間《ま》が空いた。

なぜ、すぐ答えられないの？　友理子の内側《うちがわ》の恐怖がふくれあがり、身体を震わせる。

大僧正が目を開けて、穏《おだ》やかな眼差《まなざ》しを友理子の顔に当てた。

「今はまだ、お答えしても、あなたのお心には届きますまい。しかし、言葉だけお渡《わた》し申しておきましょう」

我らはかつて、人間の身であったころ、物語を生きようとした者のなれの果てでございます。

「嘘を生き、嘘を体現しようとする大罪を犯しました。故に我らは個を失い、一にして万、万にして一の黒衣の無名僧として、この地にのみ安住の場所を見出《みいだ》すこととなり申した」

物語を生きようとした――？

さらに鋭《するど》い恐怖の錐《きり》が、友理子の心に突《つ》き刺《さ》さってきた。どうしても答えを知りたい問いが。

「いつか、許される時は来るんですか」

大僧正は優しく問い返してきた。「人間が必要とする嘘に関《かか》わる罪を、では誰が許してくれましょう？　神でございますか？　神もまた、人間の創《つく》りし物語にほかならぬのに」

嘘が嘘を許すことも、浄《きよ》めることもできない。

「それなら、皆さんは永遠にここに囚《とら》われているんですか？」

「この地には、時間は存在いたしませぬ。永遠は一瞬《いっしゅん》に等しく、一瞬は永遠に等しい。我らはただ、今この時、この地におるだけでございます」

何を考えたのか、立ちすくんでいる友理子の手を、大僧正の痩《や》せた手がそっとつかんだ。

「こちらにおいでなさい。もう少し、高いところから咎《とが》の大輪《たいりん》をご覧になってはみませぬか」

大僧正は友理子の手を引き、夜露《よつゆ》を踏《ふ》んで歩き出した。友理子の目にはここが丘《おか》の頂上のように見えていたけれど、一部がさらにこんもりと盛り上がっているらしい。大僧正はそこへ足を向けている。

そちら側は風上にあたっていた。夜風が友理子の顔を撫《な》で、前髪《まえがみ》を乱して通り過ぎる。額の印が淡《あわ》く輝《かがや》く。咎の大輪が回る轟《とどろ》きが、ほんの少し遠くなった。

目の下の草原で、黒衣の群がうごめき、さざめきながら回っている。不思議なことに、この高さに来ると、無名僧たちの足音や荒《あら》い息づかいは聞こえなくなり、重々しい轟音《ごうおん》も足元に淀《よど》んでしまい、耳まで届かなくなった。入れ替《か》わりに、咎の大輪の中心、無数の輻《や》を伸《の》ばしている柱が回転する音が聞こえてきた。

友理子は軽く目を見開いた。

きれいな音だ。高く、軽《かろ》やかで、涼《すず》やかな音色。鈴《すず》が鳴っているようでもあり、どうかすると歌声のようにも聞き取れる。

友理子の驚《おどろ》きに、大僧正《だいそうじょう》は満足げな笑《え》みを見せた。「左様でございます。咎の大輪の芯《しん》柱——右のそれは天の柱、左のそれは地の柱と呼ばれておりますものは、歌うのでございますよ」

丘のこぶの上では、大僧正と二人きりになっていることに、友理子は気づいた。お付きの若い無名僧は、先ほどの位置から動いていないのだ。友理子の方を見てさえいない。こちらに背を向けて、松明《たいまつ》を立てる台になってしまったかのように佇《たたず》んでいる。

「念歌、ですか」

「いや、念歌ではございませぬ。念歌はあのように幸《さち》に満ちた歌ではない。あのように慰撫《いぶ》を与《あた》える歌でもない」

物語を送り出す〝天の柱〟は幸を歌い、物語を巻き取り回収する〝地の柱〟は慰撫を歌うのだと、大僧正は言った。

「どちらも、物語の尊い使命でございましょう」

またこの二つの歌には同時に、願いも込《こ》められているのだという。送り出される物語には、より多くの幸を〝輪《サークル》〟のなかに生み出すようにと。回収される物語には、〝輪〟での役割を果たし終えたことを言祝《ことほ》ぎ、ひとときの安寧《あんねい》を得られるように、と。

「あなたの兄上は、ここから送り出される物語の流れの何処《いずこ》かにおられます」

もちろん、〝英雄〟も。黄衣の王も。

「〝英雄〟が〝輪〟に降臨した以上、間もなく天地の柱の歌の声にも変化が表れることでございましょう」

「どんなふうに変わってしまうの？」

大僧正の返答は意外なものだった。

「力強くなり申す」

〝輪〟に放たれた〝英雄〟は、より多くの物語のエネルギーを求める。必然的に、それが使い果たす物語のエネルギーも増えてゆく。だから芯柱の歌声は高く、雄々《おお》しくなるのだ。

「そのまま〝英雄〟を封印《ふういん》せず、あれの恣《ほしいまま》に芯柱を高く歌わせ、多くの物語を循環《じゅんかん》させるならば、早晩、咎の大輪は、我らこの地の無名僧の手に負えるものではなくなります」

物語の流れそのものが力を得て、意思を持ち、〝英雄〟のもとへと迸《ほとばし》る。右の大輪、天の大輪は、無名僧たちが押《お》さずとも、〝英雄〟に引かれて回り始める。無名僧たちは、天の大輪のその速さに追いついていけなくなる。

「転び、地に伏《ふ》し、音高く回り続ける輻に身体《からだ》を打たれ、骨を砕《くだ》かれて無に還《かえ》りましょう」

それとは逆に、左の地の大輪の動きは鈍《にぶ》ってゆく。〝英雄〟が〝輪〟のなかで、物語という物語を蕩尽《とうじん》してしまうからだ。物語は残らず〝英雄〟に食い尽《つ》くされて、〝無名の地〟には戻《もど》ってこられなくなる。

「無名僧たちがどれほど強く押そうとも、左の大輪、地の大輪がぴくりとも動かなくなるときが到来《とうらい》いたします」

〝輪〟の終焉《しゅうえん》のときだと、大僧正は語った。

「停《と》まる寸前に、地の柱がひときわ高く、悲鳴のように歌いまする。その声を、〝輪〟

の内のある人びとは、世の終わりを告げる天使のラッパの音に喩《たと》えておるそうでございます」

地の大輪が停まれば、野放図に回り続けていた天の大輪も、やがては停まらざるを得ない。そのときこの地には、無に還ることのなかった無名僧たちだけが、取り残されることになる。

「そして待ち始めるのでございます」

次の〝輪〟の誕生を。

なぜなら、物語を食《く》らい尽くした〝英雄〟は、彼が降り立った〝輪〟の終焉のとき、共に滅《ほろ》びてしまうからである。

「万書殿《ばんしょでん》は――どうなるんです？」

「残りまする」と、大僧正は答えた。言葉を発するのと同時に、彼の目が彼方《かなた》の万書殿の方角へと向けられた。友理子も彼に従い、夜の虚空《こくう》へと目を投げた。

あの威容《いよう》も、今は闇《やみ》に溶《と》け込んでいる。窓明かりが闇に並んでまたたいているだけだ。

「次の〝輪〟が生まれ出《いず》るそのときまでに、我らは万書殿に刻み込まれた数多《あまた》の書物――滅び去った〝輪〟に顕現《けんげん》した物語の象《かたち》の遺物を取り壊《こわ》し、万書殿を空《くう》にして、新たに来《き》たるべき象を待ち受けるのでございます」

ひとつの文明が消え失《う》せ、次の文明が生まれる。

それが、この地の歴史なのだ。時間が存在しない〝無名の地〟の歴史なのだと、友理子は理解した。

でも――

「わたし、どうしたらいいんでしょう」

いかようにもと、大僧正は応じた。

「あなたがお望みのままになさればよい」

〝輪〟に戻り、自由を得た〝英雄《えいゆう》〟が成す所業を目の当《ま》たりにしながら、英雄と共に滅びてもかまわない。もっとも、滅亡《めつぼう》には時がかかる。友理子の人生のあるうちには、それは招来されないのかもしれない。ならば友理子は平和に暮らせることだろう。

「水内《みのち》さんの図書室で、本たちも同じようなことを言っていました」

大僧正はうなずいた。「それもひとつの選択《せんたく》でござりまする。見ぬもの、知らぬものは存在せぬ。あなたはこの地を忘れ去ることもできるのです」

「だけど、お兄ちゃんのことは忘れられない」

友理子は叫《さけ》んだつもりだった。しかし、歎《なげ》くような声は弱々しく吐《は》き出されただけだった。

「皆《みな》さんのことだって、忘れられません」

見たもの、知ったものを打ち消すことはできない。できないという選択を、友理子はとりたい。

「でもわたしには、〝英雄〟と――黄衣の王と戦うことなんかできません。〝輪〟を救うことなんかできません。わたし子供なんだもの。そんな重大なこと、絶対に無理です。わたしはただ、お兄ちゃんを助けたいだけなんです。お兄ちゃんに会いたいだけなんです」

「〝印を戴く者《オルキャスト》〟よ」大僧正は友理子に相対し、恭《うやうや》しく頭《こうべ》を垂れて、友理子の両手をとった。

「そのふたつは、けっして異なる目的ではございませぬ」

そんなバカな。片方は世界の命運を、片方はたった一人の兄を救うという使命だ。まるっきり違《ちが》っているじゃないか。が、しゃにむに首を振《ふ》って逃《のが》れようとする友理子を、大僧正の手はしっかりと繋《つな》ぎ止めて離《はな》さない。

「ようお考えなされ。あなたの兄上は、〝最後の器《うつわ》〟になられた。最後の器とはどのようなものでしたか」

〃英雄〃が力を蓄《たくわ》えて、破獄《はごく》するための最後の一要素だ。器を満たす、最後の一滴《てき》だ。

「そうであるならば、その一滴が取り除かれれば、器は満たされぬことになります る」

友理子はびくりとして、動きを止めた。

「一滴——足りなければ？」

大僧正は深々とうなずいた。

「あなたが兄上を黄衣の王のもとから解き放てば、〃英雄〃は、兄上の分だけ力を失うのでございますよ」

友理子が成すべきことは、大樹《ひろき》がやったのと、正反対のことなのだ。最後の一滴を足すか、最後の一滴を取り除くか。

「兄上という〈最後の器〉を失った〈英雄〉は、その分の力を削《そ》がれ、自《おの》ずと、大いなる物語の流れに引き寄せられることでしょう」

そして地の大輪の動きに引かれ、巻き取られて、この〃無名の地〃へと還ってくる
——

桁《けた》違いに強大な、しかし、単なるひとつの物語として。

「そんなことなんですか？」

友理子はまるっきり釈然《しやくぜん》としない。

「それでいいの？　たった一人、わたしのお兄ちゃんの分の力を削ぐことが、ホントに、世界を滅ぼしかねない〈英雄〉を封印することにつながるんですか？」

何だか、話が旨《うま》い——というより、はっきり言って小さ過ぎるような気がする。

大僧正は微笑《ほほえ》んでいた。友理子の考えを見抜《みぬ》いているらしい。

「あなたが日々をおくっている領域《リージヨン》では、人の命の価値ということについて、どのように教わっておられますか」

面食らってしまった。どういう質問だ？

「あの、お尋《たず》ねの意味がよくわからないんですけれど」

大僧正は穏やかに続けた。「では、お尋ねを変えましょう。あなたの領域では、人びとが人の命を何かと引き比べ、どちらの方がより重いか、あるいは高価であるかというような喩え話をなさいますかな？」

ああ、それならわかる。

「人ひとりの命は地球より重い、と言います」

大僧正はやっと友理子の手を離すと、顔の前で人差し指を立てた。

「言い換《か》えればそれは、人ひとりの命は、世界と同じ価値を持つということでございますな」

友理子はちょっとつっかえてからうなずいた。「は、はい」

「ならば、人ひとりを救うことが、世界を救うことに相通じるとしても、不思議はございませんでしょう」

友理子はまたつっかえた。うなずいてしまっていいような悪いような――

と、大僧正の皺《しわ》の多い顔から笑みが消えた。

「一人の子供が、己《おのれ》の意思で別の一人の子供の命を奪《うば》うことを憚《はばか》らぬ世界は」

声も重々しく、厳しくなった。

「千人が千人の命を、万人が万人の命を奪うことを憚らぬ世界と、何ら変わりませぬ」

友理子は目を瞠《みは》って大僧正を見つめた。大僧正の眼差《まなざ》しは揺《ゆ》るがない。

その瞬間、霧《きり》が晴れたように、悟《さと》ることがあった。

「一《ひとつ》にして万《よろず》、万にして一」と、友理子は呟《つぶや》いた。「その真意は、そういうことなんですね？」

大僧正は深くうなずいた。「あなたに兄上を救おうとするお心があれば、あなたが世界を救うこともかなうのでございますよ」

それに――と、友理子を見据《みす》えて、

「兄上お一人を救うこととて、あなたにとってはどれほどの困難であることか。どれほどの恐怖《きょうふ》を乗り越《こ》えて進まねばならぬ道程か」

なぜなら、〈英雄〉に近づかなければならないのだから。

「ひとつ踏《ふ》み誤れば、あなたも〈英雄〉に囚《とら》われ、呑《の》み込まれてしまうことでしょう」

兄上を思うお心の切であるが故《ゆえ》に、迷い、絶望し、悲嘆《ひたん》に暮れて。

「〈英雄〉は強大です。比類なき力を擁《よう》する完全な物語でございます。それは人を酔《よ》わせ、虜《とりこ》にいたします。しかしその裏面《りめん》には、〈黄衣の王〉の顔がある」

友理子はけっして理屈《りくつ》っぽい子供ではない。だけど今の大僧正の言葉には、これまでの過程で友理子が漠然《ばくぜん》と疑問に思いつつ、混乱してしまって言い表すことができずにいた事柄《ことがら》が集約されていて、だからようやく、胸のもやもやを吐き出すような質問をすることができた。

「わたし、ずっと不思議に思ってたんですけど、訊《き》いてもいいですか」

大僧正が軽くうなずいて促《うなが》す。

「皆さんは、〈英雄〉と〈黄衣の王〉はひとつの盾《たて》の両面だっておっしゃいますよね。

二つに分かつことはできないんだって」

　大僧正が、今度は同意のためにうなずく。

「そのとおりでございます」

「だけどね、だったら〈英雄〉だけを見ていたらいいんじゃありませんか？　盾の、良い側《がわ》だけを見つめていたら？　そしたら人間は何も間違いをおかすことがなくなるでしょうし、〈英雄〉から良い力だけを取り入れることができるでしょ？　それなら封印だってしなくってもいいんじゃないかしら」

　人間たちが、〈英雄〉の取り扱《あつか》いに注意すればいいのだ。いつも表面だけ見るように。

　大僧正はじいっと友理子を見つめた。友理子も見つめ返す。長々と見つめ合ってから、大僧正が妙《みょう》に人間くさいことをした。ため息をついたのだ。

「やはり、あなたは幼子《おさなご》であらせられる」

　ものの喩えというものをご存じないと、軽くかぶりを振って言った。

「盾の裏表云々《うんぬん》は、喩え話でございます」

「だって……」

「〈英雄〉と〈黄衣の王〉は、ひとつのものなのでございますよ、〝印を戴く者〟よ」

だから表裏だって言うんでしょ？　友理子は口を尖《とが》らせた。

「では、こう申し上げましょうか」またひとつため息をついて、大僧正は言った。

「我ら無名僧も、〝輪《サークル》〟に溢《あふ》れる人間どもも、誰《だれ》も〈英雄〉の相貌《そうぼう》を知らぬのです。

〈黄衣の王〉の相貌も知らぬのです。ですから、見分けがつかぬのでございますよ」

「じゃ、見分けられるようにすればいいいんじゃない？」

大僧正が黙《だま》り込《こ》んでしまったので、さすがに友理子もバツが悪くなった。

「ごめんなさい。別に、ここのシステムに文句があるわけじゃないいんです」

余計な弁解だったようだ。

「だけどわたし……そんなワケわかんないものを一人で追いかけて、一人で戦うなんて、やっぱり自信、ないんです」

真摯《しんし》な告白というよりは愚痴《ぐち》のような言い方で、自分でも、真剣味が足りないかなと思った。が、大僧正は自力で立ち直ってくれたらしい。

「あなたはお一人ではありません」と、穏《おだ》やかな口調で言った。「あなたには、〝輪〟のなかに在る数多の書物がお味方いたします」

だけど、本は剣をとって戦えないだろう。

「書物だけではございません。〝狼《おおかみ》〟たちもおります」

〝輪〟のなかで危険な写本を狩《か》るという、ハンターたちだ。

「彼《か》の者どもは、まごうことなき戦士。必ずあなたをお守りし、あなたが使命を果たすそのときまで、真摯にお仕えすることでございましょう」

「だけど、どこに行けば〝狼〟さんたちに会えるんでしょう?」

大僧正は久しぶりに微笑んだ。「あなたがお探しにならずとも、彼の者どもの方からあなたを探し当て、御前《おんまえ》に姿を現します」

〝輪〟には幾人《いくにん》もの〝狼〟がいるという。彼《かれ》らは既《すで》に〈英雄〉の破獄を察知し、最後の器となった人物がどこの誰であるか知るために、動き出しているに違いないという。

「最後の器を〈英雄〉の呪縛《じゅばく》から解き放ち、それによって〈英雄〉の力を削ぐためには、最後の器と同じ血を持つ〝印を戴く者〟の力が必要なのでございますから」

「だからって、好きこのんでそんな危険なこと――」

言い返しかけて、友理子は思い出した。さっき聞いたばっかりじゃないか。〝狼〟たちは〝狼〟たちでまた咎人《とがびと》で、己のやり方で物語の罪を償《つぐな》おうとしているのだ、と。

だから手を貸してくれる。友理子が使命を果たすそのときまで。

使命。友理子の望む小さな〈一〉。お兄ちゃんを取り返すこと。それは世界を滅亡から救う、大きな〈万〉につながること。

「そろそろ万書殿に戻《もど》りましょう。おいでなさい」

大僧正が友理子に手を差し伸《の》べた。

「あなたに『英雄の書』をお見せしなくてはなりません」

「『英雄の書』？」

手をつないで丘《おか》のこぶを降りながら、大僧正はうなずいた。「万書殿にてただ一冊、〝輪〟にあるときの象《かたち》のまま留《とど》まっている書物にございます」

それは、もしかしたら。

「はい。かつて〈英雄〉を封印していた書物にございます」

〈英雄〉が破獄した今、それは空っぽの檻《おり》となり、囚人《めしゅうど》の帰還《きかん》を待っている。

「空になった『英雄の書』は、再び〈英雄〉を閉じこめるまで、『虚《うつ》ろの書』と呼ばれ申す。今このとき、その表紙には、あなたさまの額の印と同じ印が浮《う》かび上がっておるはずでございます」

友理子が額の印の力で〈最後の器〉を解放することができた暁《あかつき》には、額の印と『虚ろの書』の印がひとつになり、ひときわ高く輝《かがや》いた後に、消えてゆくという。

「わたしの責任、重いんですね」

印を通して、友理子は〈英雄〉の檻に繋ぎ止められたようなものだ。

「お兄ちゃんの分の責任も、わたしが負うんですよね」

深く考えて口に出したわけではなかった。またぞろ、愚痴みたいなものだった。ちょっぴりだけ覚悟《かくご》も混じっていたかもしれない。でもちょうどそのとき、行きと同じように友理子の後ろについてくれたあの若い無名僧《むめいそう》が、友理子の言葉を聞いて、思わずというように足取りを乱した。

それを悟って、友理子は急に恥《は》ずかしくなった。わたしは今、お兄ちゃんを責めるみたいなことを言った。お兄ちゃんのせいでわたしは大変な目に遭《あ》うんだと聞こえるようなことを言った。それが、若い無名僧にはわかったんだ。

「お辛《つら》いならば」

友理子の手を取って歩き続けながら、大僧正は淡々《たんたん》と言った。

「額の印を捨て、立ち去ることもできるのですよ」

友理子は黙ったまま万書殿《ばんしょでん》を目指した。途方《とほう》もなく巨大《きょだい》なあの屏風《びょうぶ》の足元まで来て、やっと言った。「わたし、逃《に》げたりしません」

そして、少しでも毅然《きぜん》として見えるように、しっかりと足を運んでいった。

「大伽藍《だいがらん》でお待ちくだされ」

大僧正とはホールで別れ、若い無名僧が、友理子が迷子にならないよう、大伽藍の中央まで連れて行ってくれた。そこに着くと彼も一礼して去り、友理子は一人でぽつりと待つことになった。

途中でひとつ、おかしなことがあった。長い回廊《かいろう》を歩いているあいだに、若い無名僧が何度か、背後を気にするような仕草をしたのである。どうしたんですかと問いかけるヒマもないほど素早《すばや》い動作であったけれど、不審《ふしん》な感じがした。

一人になると、ますます気になってきた。何かいるのかしら。そこらの闇《やみ》のなかに、何か潜《ひそ》んでいるのかしら。無名僧があんなふうに気にするものって、何かしら。ネズミとか。強《し》いてそんなふうに思って、自分で自分を笑わせようとした。ここにネズミがいたら大変だよね。本を齧《かじ》られちゃう。

独りぼっちの大伽藍はだだっぴろく、呼吸の音さえ天蓋《てんがい》まで反響《はんきょう》するようだった。

やがて、密《ひそ》やかな足音が近づいてきて、大僧正が再び姿を見せた。お供が増えている。大きな銀色の箱——それを形づくる六つの面に、多種多様な文字がびっしりと彫《ほ》り込まれた櫃《ひつ》を運んで、大僧正に付き従っている。櫃の前後には二つずつ金の輪っかがついており、そこに二本の金棒をさしこんで、四人の無名僧が担《かつ》いでいる。もちろん、また四人ともさっきと同じ顔だ。

大僧正と友理子は、大伽藍の中央に並んだ。お付きの無名僧たちが櫃をおろし、金棒を抜《ぬ》き取る。

大僧正は櫃に近づくと、両手を合わせて一礼した。ついで一歩退き、今度は床《ゆか》に座《すわ》って手をつき、額を擦《こす》りつけるようにして二度、礼を繰《く》り返した。そして立ち上がる。四人の無名僧が櫃の角に一人ずつ立ち、大僧正がうなずきかけると、櫃の蓋《ふた》を開けた。

友理子は期待していたのだけれど、何も起こらなかった。櫃から光が溢れ出ることも、音が聞こえてくることも、香《かお》りが漂《ただよ》うことも。

大僧正は恭《うやうや》しく跪《ひざまず》き、そのまま膝頭《ひざがしら》で櫃ににじり寄っていって、さらに一礼。ようやく、櫃のなかに両腕《りょううで》を差し入れた。

漆黒《しっこく》の布に包まれた、小さなものを取り出す。確かに、書物のような形をしている。

大僧正は膝行《しっこう》して下がり、元の位置まで戻ると、きっちりと正座して、漆黒の布を解き始めた。

「『虚ろの書』でございます」

かつては〈英雄〉が封印《ふういん》されていた『英雄《えいゆう》の書』だ。

漆黒の布のなかから、古ぼけた革装《かわそう》本が現れた。大判ではあるが、拍子《ひょうし》抜けするほどに、何という特徴《とくちょう》もない書物だ。

今は空っぽの檻に過ぎないから、外見も素っ気ないものに変わってしまっているのだろうか。これが『英雄の書』であったころには、美しく重厚《じゅうこう》な書物だったのだろうか——

何かおかしい。友理子は気づいた。

四人の無名僧たちが立ちすくんでいる。みんな、食い入るように大僧正を見つめている。注目の的となっている大僧正は、彫像《ちょうぞう》になってしまったみたいに、ぴくりとも動かない。

皺《しわ》に埋《う》もれそうだった細い目が、いっぱいに見開かれている。身体《からだ》が細かく震《ふる》えている。カタカタと何かが鳴る音がする。

大僧正の歯が鳴っているのだ。

「どうかしたんですか？」

問いかけて、友理子は大僧正に駆《か》け寄ろうとした。と、

「そのまま！」

大僧正の声が飛んできた。鞭《むち》で打たれたように、友理子はひるんで飛び下がった。

大僧正は友理子の方を見ようともしない。目は『虚ろの書』に釘《くぎ》付けだ。書物を捧《ささ》

げ持つ手が震えて、漆黒の布が床に滑《すべ》り落ちた。

「これは……何と」

そう聞こえた。押《お》し殺した呻《うめ》き声だけれど、確かに大僧正はそう言った。

「何と……」

大僧正が首を振《ふ》り始める。何度も何度もかぶりを振って、それからがくりと頭を下げると、額を『虚ろの書』にくっつけた。

友理子は怖《こわ》くなってきた。何か変なんだ。何か、普《ふ》通《つう》じゃないことがあるんだ。だって、このヒトたちがこんなに狼狽《うろた》えるなんて。こんなふうに感情を露《あら》わにするなんて。

「大僧正さま、どうしたんで」

声を励《はげ》まして問いかけようとしたとき、大僧正と四人の無名僧たちが、いっせいに気色《けしき》ばんで身構えた。みんな、さっき彼らが歩いてきた方向、大伽藍入口の闇の奥《おく》を見据《みす》えている。揃《そろ》って、今にも噛《か》みつきそうな顔つきで見据えている。

これまたあり得ないはずのことだ。

驚《おどろ》きに声を失った友理子の面前で、大僧正が、闇に向かって叱《しか》りつけた。

「そこに潜む者よ！　出てきなさい」

闇が震えている。友理子の目の錯覚《さっかく》ではない。さざ波のように震えて、それが小さな人の形を成してきた。

無名僧だ。黒衣に裸足《はだし》の若者——

でも、顔が違《ちが》う。大僧正ではないし、櫃を運んできた四人とも違う。

「お、お許しください」

五人目の無名僧はビクついている。声がかすれて、甲高《かんだか》く裏返っている。

「どうぞお許しください」

闇のなかからまろび出てきたかと思うと、五人目の無名僧はその場で平伏《へいふく》し、身を縮めて丸くなった。お許しください、お許しくださいと繰り返しながら、額を床に擦りつけている。というかぶっつけている。こつんこつんと音がたつ。

何もかも非現実的なこの場で、その仕草は妙に親しみ深く、その音は痛々しくも可愛《かわい》らしく、停《と》まっていた友理子を動かした。

「ね、ね、ね」

友理子は彼の方に近寄りかけた。

「ダメよ、そんなにおでこをぶつけたら。痛いでしょ？　こぶができちゃうよ」

友理子の声に、さらに丸くなって身を遠ざけながらも、五人目の無名僧は頭を持ち上げた。大伽藍の灯《あか》りが坊主頭《トンスラ》に映る。

櫃を運んできた四人の無名僧たち——最初からお馴染《なじ》みのあの眉《まゆ》の濃《こ》い顔と、よく似ている。けれど、四人よりもさらに若い。まだ十四、五歳《さい》ではないか。あの四人の時を戻して幼くすると、ちょうどこんな顔になるのではないか。

——兄弟?

ぽかんと見とれてしまった友理子の傍《かたわ》らで、大僧正が『虚ろの書』を手にしたまま立ち上がり、五人目の少年無名僧に歩み寄った。

「〝印を戴く者《オルキャスト》〟の御前《おんまえ》である。控《ひか》えよ」

大僧正の声に、少年無名僧はまた平伏した。櫃を運んできた四人のうち二人が進み出ると、左右から少年無名僧の腕を取り、引きずるようにして大僧正の足元へと連れてきた。

「そんな乱暴なことをしなくたって」

友理子も大僧正に近寄り、そのまま、足元にうずくまっている少年無名僧の傍らにしゃがみこんだ。大僧正は止めなかったし、四人の無名僧たちも無言のままだった。

「大僧正さま、この人、何か悪いことをしたんですか?」

大僧正を仰《あお》いで、友理子は訊《き》いた。

「お許しくださいって謝《あやま》ってますよ。ほら、こんなにぶるぶる震えちゃって」

かばうつもりで、友理子は少年無名僧の肩《かた》に手をかけた。その骨張った感触《かんしょく》に驚く間もなく、不思議なことが起こった。

友理子の額の印が、出し抜けに輝いたのだ。その光は、一瞬《いっしゅん》だけれど大伽藍の壁《かべ》に、くっきりと魔法陣《まほうじん》の細部まで映し出すほど強いものだった。

額の印の光は、少年無名僧の顔にも照り映《は》えた。彼の額に、印が描《えが》く円弧《えんこ》の一端《いったん》が映って、すぐに消えた。

「今の、何?」

友理子は自分の掌《てのひら》を見た。それから額に触《さわ》ってみた。もう何も起こらない。

大僧正は両手で『虚ろの書』を捧げ持ち、それを胸に——心臓の真上に押し当てていた。その場に立ったまま目を閉じている。

目を開くと、『虚ろの書』を差し出して、その表紙を少年無名僧の額にあてた。さっき、友理子の印の一端が映ったその場所に。

「〝印を戴く者〟よ」

呻くように苦しげな響《ひび》きこそなくなっていたけれど、大僧正の声音《こわね》は低く、押しつぶされたかのようにかすれていた。

「この者は、あなたの従者でございます」

友理子は少年無名僧を見た。彼は逃げるように平伏した。頭を両腕の狭間《はざま》に突《つ》っ込《こ》んで、そうやって自分の身体を隠《かく》そうとでもしているかのようだ。

「は、はい」

「『虚ろの書』が、この者を選び申した」

お連れくだされ——と言って、大僧正はがっくりと両肩を落とした。その骨張った手から、危《あや》うく『虚ろの書』が滑り落ちそうになる。すると大僧正は、本を持ち直すのではなく、身体ごとしゃがんで両膝で『虚ろの書』を受け止めた。脚《あし》から力が抜けて、くずおれたようにも見えた。

「面《おもて》を上げなさい」

大僧正は少年無名僧に命じた。

「そして、おまえの手で『虚ろの書』に触れてみなさい」

少年無名僧はガタガタ震えながらも身を起こすと、『虚ろの書』を受け取った。熱いものでもつかんでいるみたいな、危なっかしい手つきだ。

大僧正は目を細め、眉間《みけん》にしわを寄せ、少年無名僧の顔を見つめている。あまりに近くに迫《せま》っているので、ほとんど額と額がくっつきそうなほどだ。

と、大僧正は突然《とつぜん》立ち上がり、逃げるように背中を向けて少年無名僧から離《はな》れた。

「お連れくだされ。これがあなたの従者となります」

友理子からも少年無名僧からも顔を背《そむ》けたまま、言い放つ。

「これはあなたの下僕《げぼく》。いかようにもあなたの意のままに動き、あなたをお助けいたしまする。どうぞお連れくだされ！」

強い口調ながら、命令というより懇願《こんがん》のように聞こえるのは、友理子の錯覚だろうか。

「お、お連れくださいませ」

少年無名僧が言った。こちらははっきり、懇願だった。その声音は、事態に混乱している友理子の心をも揺《ゆ》り動かした。あまりにも切実で、あまりにも悲痛で。

友理子は彼の目を見た。刹那《せつな》、真っ黒な瞳《ひとみ》の底を覗《のぞ》き込んだ。少年無名僧はまばたきをすると、床の上を擦るようにして友理子から距離《きょり》を置き、『虚ろの書』をかき抱《いだ》いて、今度は友理子に向かって平伏した。

「〝印を戴く者〟様をお助けいたします。どうぞわたくしをお連れください。お願い申し上げます」

大僧正は背を向けたままだ。四人の無名僧たちは頭《こうべ》を垂れ、両手を拳《こぶし》に握《にぎ》って身体の脇《わき》に、まるで天からのしかかってくる重たいものに堪《た》えるかのように、じっと立ちつくしている。

「……わかりました」

断れるような雰囲気《ふんいき》じゃない。もしも断ったなら、このヒト、泣き出しちゃいそうだし。

「でも、とりあえず立ってください」

そっと呼びかけると、少年無名僧《むめいそう》が戦慄《おのの》きながら立ち上がった。

その腕のなかの『虚《うつ》ろの書』。

「それ、わたしにも見せてくれない？」

友理子が手を出した途端《とたん》に、大僧正の声が飛んだ。

「いけません！」

大僧正は少年無名僧の手から『虚ろの書』をひったくるようにして取りあげた。四人の無名僧たちが殺到《さっとう》してきて、友理子と少年無名僧のあいだに割り込み、立ちふさがり、二人を引き離しにかかった。

「〝印を戴く者〟は、『虚ろの書』に触《ふ》れてはならぬのです！」

乱暴に肩をつかまれて、友理子は転びそうになった。

「間近でご覧になることも許されません！　あなたの印が穢《けが》れます！」

「わかりました。わかりましたってば！」

友理子も必死で叫《さけ》び返し、無名僧たちの手を振り払《はら》った。

「ちょっと見てみたいと思っただけです。ごめんなさい！」

友理子の声に、若い無名僧たちは、我に返ったように動きを止めた。少年無名僧は押し倒《たお》され、床に押しつけられている。

「その人、起こしてあげてください。つぶれちゃう」

呼吸を整えながら、友理子は言った。若い無名僧たちが少年無名僧を引き起こした。

「ご無礼をお許しくだされ」

まだわずかに乱れの残った声で、大僧正が友理子に詫《わ》びた。

「これはしかし、禁忌《きんき》なのでございます」

「わかりました。よく気をつけます」

友理子はくるりと一同に背を向けた。

「わたし、こうしてますから、早く『虚ろの書』を隠すなり何なり、どうにかしてください」

衣擦《きぬず》れの音がする。無名僧たちの裸足の足の裏が、大伽藍《だいがらん》の床の上でひたひた動き回る。

背中を向けたままでいるには、強い意志の力が必要だった。禁忌などという言葉は、友理子にはまだとても抽象的《ちゅうしょう》なものだ。でも好奇心《こうきしん》は具体的で、理屈《りくつ》抜きだから。

本当は、気になった。振り返って、じっくりと『虚ろの書』を観察したかった。なぜなら、丘《おか》のこぶの上で聞いた大僧正の説明と、実物とのあいだに、食い違うところがあったから。

さっき一瞥《いちべつ》した限りでは、少年無名僧がかき抱いている『虚ろの書』の表紙には、友理子の額と同じ印など、浮《う》かんでいないように見えたのだ。ただののっぺらぼうの革《かわ》表紙に見えたのだった。

そしてこの、無名僧たちらしからぬ大騒《おおさわ》ぎ——

「大僧正さま」背中を向けたまま、友理子は静かに問いかけた。

「何でございましょう」

大僧正の声も落ち着きを取り戻《もど》していた。

「わたしの額の印、『虚ろの書』の表紙に浮かび上がっていますか？　そうなっているはずなんですよね？」

ひと呼吸するあいだの沈黙《ちんもく》を挟《はさ》んで、大僧正は答えた。「はい。浮かび上がってございます」

「間違いありませんか？」

「何をお気になさっておられるのでしょう」

じゃ、さっきあたしが見たのは裏表紙だったのかしら。

「大僧正さま、櫃《ひつ》を開けて『虚ろの書』を出したとき、とっても驚いて、怖がっているみたいに見えました」

衣擦れの音が止まった。

「それに、『何と』とおっしゃいましたよね。まるで歎《なげ》いてるみたいでした」

大僧正は答えなかった。かわりに、こう言った。「『虚ろの書』は櫃に納め申した。どうぞお直りください、〝印を戴く者〟よ」

友理子はゆっくりと振り返った。大僧正と少年無名僧が並んで立ち、その後ろに四人の若い無名僧たちが控えている。

老人の顔と若者たちの顔からは、あの狼狽《ろうばい》の色は消え去っていた。柔和《にゅうわ》でありながら冷静。静謐《せいひつ》でありながら温厚《おんこう》。黒衣の上に浮かぶ、白い風船みたいな五人の顔。

ただ少年無名僧だけは、まだ心の震《ふる》えを抑《おさ》えかねるように、瞳を動かしていた。

「『虚ろの書』が——」

傷んでおりましたと、大僧正は言った。

「此度《こたび》の〈英雄《えいゆう》〉の破獄《はごく》の猛々《たけだけ》しかったことが、そこに表れておりました。それ故《ゆえ》に、覚えず驚きの声を放ってしまい申した」

檻《おり》が壊《こわ》れていたということか。壊れっぷりが凄《すご》かったので、びっくりしちゃったということなのか。

それならまあ、わからないでもない、ね。

まこと、無名僧にあるまじき失態——と、大僧正は頭を垂れた。

「深くお詫びを申し上げます、〝印を戴く者〟よ」

四人の若い無名僧たちも大僧正に倣《なら》い、身を折って頭を下げる。

大人たちの儀礼《ぎれい》が理解できず、ついて行くことができずに取り残された子供のように、友理子と少年無名僧だけが突っ立っている。それでも、少年無名僧はあわてて頭を下げようとした。

その目と、友理子の目が合った。

友理子は彼《かれ》に微笑《ほほえ》みかけた。どうしてそうしたのかわからない。自然に笑《え》みが浮かんできてしまったのだ。

少年無名僧のくちびるが、軽く開いた。生まれてこの方、誰かにこんなふうに見つめられるなんて、友理子は初めてだった。

何だか、虹《にじ》になったみたいだった。少年無名僧は、空にかかる虹を仰ぐような目をして友理子を見つめている。

急に照れくさくなって、友理子は声を出して笑った。大僧正たちが起き直った。

「わたしの従者さん」

友理子は少年無名僧に歩み寄った。そして、学校の朝礼のときみたいに、きちんとお辞儀をした。

「よろしくお願いいたします」

第五章　追跡《ついせき》の始まり

友理子《ゆりこ》は再び、咎《とが》の大輪《たいりん》を見おろす小高い丘《おか》の上に戻《もど》ってきた。今度は大僧正《だいそうじょう》と、友理子の従者となった少年無名僧の三人で。

〝無名の地〟では、夜が明け始めていた。東の空がかすかに明るくなり、地平線にほの白い線が浮《う》かび上がっている。

「この地に往来される折には、ここから発《た》ち、ここに戻られるのがいちばん確実でございます」

大僧正はそう言った。一時の動揺《どうよう》は消え、威厳《いげん》をとり戻している。

「あなたを各地へお運びする魔《ま》法陣《ほうじん》の機能に間違《まちが》いはございませぬが、それでも、万にひとつを考えますれば」

できるだけ物語の源流——つまりは咎の大輪の近くで移動した方がいいというので

ある。

「迷子になる心配があるんですか？」

「ほんのわずかな確率でございますがな」大僧正は穏《おだ》やかに笑った。「万が一、思いもかけぬ領域《リージョン》に飛ばされてしまうことがあれば、時間の無駄《むだ》でございましょう」

少年無名僧は口をへの字に結んで、先ほどからひと言もしゃべらない。まだ緊張《きんちょう》しっぱなしのようで、坊主頭《トンスラ》のてっぺんから鼻筋まで汗《あせ》で濡《ぬ》れている。友理子が彼《かれ》の方を見るだけで、そのたびに飛び上がるようにして退き、頭を下げるものだから、友理子の方が疲《つか》れてきてしまった。だから、今はなるべく、彼の方を見ないようにしている。

少年無名僧は、大僧正から小さな荷物を手渡《てわた》されて、それを背中に、斜《なな》めにくくりつけていた。何が入っているのと尋《たず》ねても、大僧正は教えてくれなかった。

さらに大僧正は友理子に、無名僧たちがまとっているものによく似た、真っ黒な衣《ころも》をくれた。衣服の上から着なさい、という。

「これは守護の法衣でございます。〝印を戴く者《オルキャスト》〟を護《まも》り、魔法の効き目を強化する働きがございます。この先、必ずやあなたにとって、心強い道具となりましょう」

友理子は漆黒《しっこく》の法衣を身につけた。埃臭《ほこりくさ》い匂《にお》いがした。丈《たけ》が長くて、くるぶしまで届いてしまう。手の指先も、ちょっぴり覗《のぞ》くだけだ。フードをかぶってしまえば、ちょっと見にはどこの誰《だれ》だかわからないだろう。ものすごく怪《あや》しい。

追跡と捜索《そうさく》の端緒《たんしょ》に、真っ先に友理子がするべきは、家に帰ることだと、大僧正は言った。

「あなたの兄上は、〝黄衣《こうい》の王〟の何に魅入《みい》られてしまったのか」

ひれ伏《ふ》して、床《ゆか》に頭をこすりつけるほどに深く。

「兄上のお心の内に在ったどんな隙間《すきま》に、黄衣の王が忍《しの》び入ることができたのか」

それを突《つ》き止めるには、事件を起こす前の森崎大樹《もりさきひろき》の行動を調べる必要があるというのだ。

「そのとき、兄上のお心にどんな想《おも》いが凝《こご》っていたのか。それが手がかりになり申す」

要するに、動機を突き止めろということだ。

「そんなこと、わたしに調べられるかな……」

誰に訊《き》けばいいの？　誰が教えてくれる？　お父さん？　お母さん？　学校の先生？

大僧正は、友理子を励《はげ》ますようにうなずいた。

「〃輪《サークル》〃にお戻りになれば、自《おの》ずと道は開けます。図書室にある書物どもも、進んであなたにお力添《ぞ》えいたしましょう。お心を強くお持ちなされ」

反問を許さぬ、確信に満ちた口調だ。友理子の口がへの字になる。そうか、力むとこうなるんだ。

「お忘れになりませんように。あなたはもう、この地を訪《おとず》れる前のあなたではない」

これでいよいよ本当に、役割を果たし終えるまで、友理子は十一歳《さい》の森崎友理子ではなく、〃印を戴く者〃となるのだ。年齢《ねんれい》も性別も、立場も何も関係なくなる。

「ですから、新たなお名前を持たねば。〃印を戴く者〃としてのお名前を」

ちょっと心が躍《おど》った。ヘェ！　なんて名前にしようか。うんとお洒落《しゃれ》なのがいい

――と考えていると、大僧正に釘《くぎ》を刺《さ》された。

「もとのお名前と、あまり大きくかけ離《はな》れるのは感心いたしませぬ。名前には魂《たましい》が宿ります故《ゆえ》に、あなたがこれまで生きてこられ、育ててこられた十一年分の魂を損《そこ》なうようなお名前を付けてはなりません」

なんだ、ちょっとガッカリ。

「友理子。ユリコ」大僧正はゆっくりと呟《つぶや》いた。

「ユーリ――ではいかがかな？」

うん、悪くないじゃない？「はい！」

友理子あらためユーリは少年無名僧を振《ふ》り返った。「従者さん、あなたにもお名前がないと、何かと不便だと思うんですけど」

少年無名僧はおどおどして、大僧正の顔を見た。

「無名僧は、〝無名の地〟に足を置く限り、名前を持つことを許されませぬ」

〝輪〟にお戻りになったら、名付けてやってくださいませと、大僧正は言う。

「あなたが名付けるのです。この者は名乗れませぬ故に」

ユーリは承知した。

丘の上を、夜明けの風が吹き渡る。衣の裾《すそ》が翻《ひるがえ》る。足元では咎《とが》の大輪《たいりん》が回り続けている。

「えっと、そしたら、もう行かないといけないんですよね？　いつまでもここにいたって、仕方ないですもんね」

急に気後《きおく》れがしてきた。心臓がことことと足踏《あしぶ》みしている。

「どうしたらいいんでしたっけ？」

額の魔法陣に触《ふ》れるのだったたか。

「従者の手をお取りください」大僧正は慇懃《いんぎん》に頭を下げて、言った。「さすれば、その者もあなたと一緒に〝輪〟に渡ることがかないます」

ユーリは少年無名僧に目をやった。彼はまたぞろ汗に濡れている。

「手を、出して」

ユーリは彼に右手を差し伸《の》べた。少年無名僧はぎくしゃくと動き、彼もまた右手を出そうとして、あわてて左手に替《か》え、さらに泡《あわ》をくって、大慌《おおあわ》てでその手を何度も何度も黒い衣に擦《こす》りつけた。

その仕草に、ユーリはふと心を動かされた。

「平気ですよ。あたしの手も汗びっしょり」

にっこりして、彼の手を取った。ちっとも汗をかいてなんかいなかった。意外に柔《やわ》らかく、さらりと乾《かわ》いた掌《てのひら》だった。

ユーリは左手を額にあて、目をつぶった。一語一語くっきりと、ゆっくりと発声した。

「わたしたちを、水内《みのち》一郎さんの図書室に、連れ戻してください」

額の魔法陣が、冴《さ》えた月光のように青白く輝《かがや》く。瞬間《しゅんかん》、その光がユーリの顔全体を明るく照らした。

そしてユーリと従者の姿はかき消えた。あとには大僧正一人が残された。

しばし、大僧正は夜明けのかそけき光のなかに佇《たたず》んでいた。朝露《あさつゆ》の雫《しずく》を宿した草の葉が、昇《のぼ》りつつある陽《ひ》を受けて、地上に落ちた星の欠片《かけら》のように、かすかに光り始める。それと入れ替わるように、咎の大輪を取り囲む松明《たいまつ》が、ひとつ、またひとつと、燃え尽《つ》きて消えてゆく。

大僧正は天を仰《あお》いだ。老いさらばえた身体《からだ》がぶるりと震《ふる》える。と、彼の姿は、ユーリが最初に出会った大勢の無名僧たちとそっくりに戻った。

足音もたてず、彼は丘を下り始めた。

〝無名の地〟へ運ばれたときと同じだった。はっと気づいて目を開けると、ユーリは戻っていた。水内一郎の別荘《べっそう》の図書室に。あたりを埋《う》め尽くす本たちの群のど真ん中に。床の魔法陣を踏みしめて。

「あ、帰ってきた！」

アジュの声だ。途端《とたん》に、ユーリの心から、自分でも思いがけないほどの懐《なつ》かしさと喜びがこみあげてきた。

「アジュ！　アジュ！　どこ？　ただいま！」

「ここだよ、オレはここだよ！」

壁際《かべぎわ》の本の山の一角で、赤い光が激しくまたたいている。まるでぴょんぴょん飛び跳《は》ねているみたいだ。

「アジュ！」

ユーリは赤い本を胸に抱《だ》きしめた。

「あたし、行ってきた。行ってきたよ、〝無名の地〟に。万書殿《ばんしょでん》にも入った。それから、それから」

胸が熱く、喉《のど》が詰《つ》まる。

「と、咎の大輪を、見てきた。あれが回る音を、聞いてきたの。大勢の、無名僧さんたちが、回して、回して――」

涙《なみだ》が溢《あふ》れる。どういう涙だろう。ユーリはアジュの表紙に顔を押《お》しつけておいおい泣いた。

「わかるよ。オレたちにはわかる。オレたちも、あそこのことならよく知っているからね」

アジュが優《やさ》しく宥《なだ》めてくれた。赤い光には温《ぬく》もりがある。

「守護の法衣を着ているね」

ユーリは顔を上げ、その法衣の袖《そで》で顔を拭《ぬぐ》った。

「うん。これ、特別な衣なんだって」

「そうさ。強い魔力を秘《ひ》めている。嬢《じょう》ちゃんを危険から守ってくれるよ。だからさ、大切な法衣だから、それで洟《はな》なんかかんじゃダメだ」

まさにそうしようとしていたユーリはふき出してしまった。

「あたし、名前も変わったの」

「〝印を戴く者〟としての名前だね。なんて名だい？」

「ユーリ」

「いい名前だ。いい響《ひび》きがするじゃないか」

そしてアジュは、赤い光でユーリの瞳《ひとみ》を照らした。「従者を連れ帰ったんだね。オレたちみんなに紹介《しょうかい》しておくれよ」

少年無名僧は、魔法陣のなかで身を縮めていた。捕《と》らえられた獣《けもの》のように、目ばかり光らせて固くなっている。が、アジュの発言に、脱兎《だっと》のように図書室の出入口に駆《か》け寄ると、そこで土下座した。

「お、お許しください。わ、私《わたくし》がユーリ様の従者でございます」

声が震えて裏返っている。また汗みずくだ。現実のこの世界でも夜明けが訪れており、図書室の明かり取りの窓から朝日が差しかけている。そのせいで、坊主頭がてらてら光るのだ。

「従者さん、そんなに怖《こわ》がらなくていいのよ。ここにいる本たちは、あたしの味方だもん。大僧正だってそうおっしゃってたじゃない」

「そうだよ、無名僧さん」アジュの口調はあいかわらず軽い。「顔を上げなよ。あんたがそんなふうにビクついてたら、ユーリが困るだけだ」

と、少年無名僧は何とか面《おもて》を上げたものの、今度は「申し訳ありません」と謝《あやま》り始めた。

ユーリはアジュを胸に抱いたまま、本たちがひしめきあっている図書室のなかに、どうにかこうにか二人分の座《すわ》るスペースを確保した。

「さ、掛《か》けて。ちょっと落ち着きましょうよ」

促《うなが》して、自分はあの三段の脚立《きゃたつ》を椅子《いす》代わりにする。少年無名僧には、本の山のなかに埋もれていた小さな丸椅子を勧《すす》めてあげた。彼は、椅子が噛《か》みつくのではないかと恐《おそ》れているかのように、おっかなびっくり腰《こし》をおろした。

「――従者を連れ帰ったか」

こちらも懐かしい声がした。ユーリはぐるりを見回して〝賢者《けんじゃ》〟を探した。

「帰って参りました、賢者さん」

返事がない。

図書室のなかがうっすらと明るくなっても、本たちの放つ淡《あわ》い光はかき消されることがない。ただ、暗闇《くらやみ》が後退したことで、プラネタリウムに似た眺《なが》めではなくなり、無数の宝石を隠《かく》し持った秘密の洞窟《どうくつ》のような景色になってきた。

「賢者さん、どこですか?」

ユーリは立ち上がって呼びかけた。ようやく、正面の高いところから、賢者が応じた。

「ユーリ殿《どの》、この従者の名を何となさるおつもりか」

賢者はもともと、アジュのような軽《かろ》やかな語り方をしない。が、それにしてもひどく沈《しず》んだ声である。非難しているような響きもあった。少年無名僧もそれを感じ取ったのだろう、また首を縮めてうつむいてしまった。

「まだ……考え中なんですけど」

ユーリの物言いも慎重《しんちょう》になった。

「もしかして、従者を連れ帰ったらいけなかったんでしょうか」

大僧正は、そんなことを言っていなかった。少年無名僧は『虚《うつ》ろの書』に選ばれたのだ。選択《せんたく》の余地はない、お連れください——それだけだった。ユーリは一生懸命《けんめい》にそれを説明した。賢者は何が気にくわないんだろう？　また、返事がない。賢者の深緑色の光のまたたきが、意味ありげなものに見える。

「賢者さん、怒《おこ》ってます？」

ユーリは、思い切って脚立を動かそうとした。賢者を手に取りたいと思ったのだ。

だが、

「それには及《およ》びません。どうぞお座りなされ、ユーリ殿」

賢者の言葉遣《づか》いが丁寧《ていねい》になっている。「ユーリ殿」っていうのも、照れくさい。

「私《わたし》は怒ってなどはおりませぬ。しかし、無名僧は本来、〝無名の地〟を離れぬ者。あえて従者としてユーリ殿に供するのは、この者に子細があってのことでありましょう。この者は、それをあなたに打ち明けてはおらぬようじゃ」

厳しい口調に、少年無名僧は深く頭《こうべ》を垂れ、ひたすら恐れ入っている。衣《ころも》の襟元《えりもと》がずれて、痩《や》せた肩口《かたぐち》が覗《のぞ》いている。

「子細って――理由ってこと？」

ユーリの膝《ひざ》の上で、アジュが言った。「〝無名の地〟には〝無名の地〟の判断があったんだろ？　その大僧正とやらがそう言ったんなら、別にいいじゃないか」

「アジュ、静かに」女性の声が割り込《こ》んで、制した。「あなたは若い。まだ知らないことがたくさんある」

ユーリはアジュと――アジュが人間であるならば、顔を見合わせるような格好になった。

「答えよ、従者を名乗る者よ。おまえはなぜユーリ殿に供して参った？」

賢者の、今度こそ詰問《きつもん》だった。この部屋に集《つど》っている本の重みをそのまま体現したような沈黙《ちんもく》が、ユーリの頭の上に垂れ込めてくる。

かすかに、カチカチいう音がした。少年無名僧《むめいそう》の歯が鳴っているのだ。

ユーリは胸を突《つ》かれた。これほどまでに怯《おび》えている彼《かれ》が可哀相《かわいそう》になったのだ。ほんの少し前までの、自分を見ているような気がした。あたしもそうだった。怯えて、悲しくて、ただただ拳《こぶし》を握《にぎ》って身体を小さく丸めて、震えることしかできなかったのだ。

「私、わたくし、は――」

少年無名僧の涸《か》れた喉から声が絞《しぼ》り出される。

「無名僧たる資格を、失いました故《ゆえ》に」

ユーリは目を瞠《みは》った。そんな話、向こうでは切れっ端《ぱし》も出てこなかったじゃないの。

「どういうこと？」

思わず問い返すと、少年無名僧が、針で突《つ》かれたかのように縮み上がる。実際に、ユーリの言葉が痛いのかもしれない。

「大丈夫《だいじょうぶ》、怖がらないで。あたしも怒ってなんかいない。ただ、大僧正が話してくださらなかったことがまだまだいっぱいありそうで、それが不思議なだけよ」

みんなもそうなんでしょ？　まわりの本たちに呼びかける。応じる声はなかった。

「オレはユーリと同じ気持ちだよ」応援《おうえん》してくれるのはアジュだけだ。「みんな、なんだか知らないけどやけにトゲトゲしてるじゃないか。おかしいよ」

「この者は破戒《はかい》僧じゃ」賢者がぴしりと言い放った。「己《おのれ》でそれを認めおった」

「だけど、大僧正がこいつを選んで、ユーリにつけて寄越《よこ》したんだから――」

「無名僧に階級はない。それ故に、ある者がある者に命じることなどできぬ。大僧正とやらを名乗った者は、ユーリ殿のお心に合わせ、あくまでも一時的にそれを演じただけのこと。選ぶも選ばぬも、認めるも認めぬもあるものか」

さすがにアジュも黙《だま》ってしまった。ユーリと、また〝顔を見合わせ〟た。

「〝印を戴く者《オルキャスト》〟に従者がついてくるのは、珍《めずら》しいことなんですか？　異例のこと？　だから賢者さんは気に入らないの？　でも、あたしが向こうに行く前には、無名僧たちが手を貸してくれるっていうようなこと、言ってたでしょう？」

しばらくのあいだ不機嫌《ふきげん》そうにまたたいてから、賢者は言った。「このような手の貸し方には、それ相応の理由がなくてはならないのですよ、ユーリ殿」

そう。だったらわかった。

「じゃ、それを話してもらいましょうよ。そンならいいでしょ？　怖い声を出さないで。あたしの従者を脅《おど》かさないでちょうだい」

自分ではそんなつもりはなかったが、ユーリの口調には、それなりの威厳《いげん》があったらしい。賢者の緑色の光がひゅっと小さくなった。

「出過ぎたことを申し上げたようです」

重々しく謝罪する。

「ユーリ殿のお望みのとおりにいたしましょう」

この反応には、ユーリも困った。気まずい。

「ごめんなさい。賢者さんに逆らうつもりはなかったんです」

こんなとき、大人はどうやって雰囲気《ふんいき》を変えるのかしら。咳払《せきばら》いとか？

やってみた。あんまり効果がないようだ。

「ま、いいや。ともかく、あなたは今、あたしが知らなかった重大なことを言いました」

ユーリは少年無名僧に向き直った。

「だから、詳《くわ》しくお話ししてちょうだい。あなたはなぜ、無名僧の資格を失ってしまったの？」

質問を投げてから、相手がどうにもおどおどビクビクするのをやめられずにいるのを見守っているあいだに、ユーリは気がついた。〝無名の地〟では、無名僧は咎人《とがびと》だと言っていたじゃないか。ならば、無名僧の資格を失うというのは、むしろ喜ばしいことなのでは？　咎人から、罪人の立場から解放されるということなのだもの。

「従者さん、もしかしたら、あなたは自由になったんじゃありませんか？」

重なる問いかけに、少年無名僧はようやくユーリの方に顔を向けた。まばたきをして、口元を迷うように動かしている。

と、また賢者が強い口調で割り込んだ。「お言葉ですがユーリ殿、無名僧が自由の身になることはあり得ませぬ。無名僧は、ひとたび無名僧になったならば、それ以外の者にはなり得ぬのでございます」

「だけどこの人は――」

「無名僧が無名僧の資格を失えば、それは無になるだけのこと。この者は〝無〟でございます！」

喝《かつ》！　という激しい声音《こわね》だ。ユーリも舌が縮こまってしまった。おっかない。学校の木内先生も相当怖いけど、怒ったときの賢者の比ではない。

「お許しを」

少年無名僧が、何とかかんとか口を開いた。

「なぁに？　言ってみて」と、ユーリは励《はげ》ます。もうちょっとで、彼に近づき、さっきみたいに手を取ってしまいそうになった。本当にそうしたい気持ちにかられていた。

「お許しを賜《たまわ》れますならば、何故《なにゆえ》に私が〝無名の地〟を追われるのか、〝印を戴く者〟たるユーリ様にお話を申し上げます」

〝無名の地〟を追われた？

「お許しなら、いくらでもあげます。さっきからあげてるでしょ？　でもヘンね。あなたは〝無名の地〟を追われたんじゃないよ」

選ばれて、ユーリについて来たのだ。しかし、少年無名僧はかぶりを振《ふ》った。まだ震《ふる》えていて、歯が鳴っている。

「いいえ、追われたのでございます、ユーリ様」

『虚ろの書』に選ばれるということは、即《すなわ》ち、〝無名の地〟を放逐《ほうちく》されることなのだという。

「そんなの、あたしは聞いてないよ！」

強張《こわば》った指で黒衣の襟元をかき合わせ、少年無名僧はうなだれる。その様は、ユーリよりもっとずっと幼い子供が、行き場を失い途方《とほう》に暮れているように見えた。

「私を従者としてお連れくださいと、大僧正がユーリ様に言上しました際――」

「ええ、そうだったわ」

「とても急いでいるようには見えなかったでしょうか。言葉も厳しいものでございました」

確かに、そんな感じだった。ちょうど今の賢者のように、あのときの大僧正は、頭から少年無名僧を叱《しか》りつけていた。

「あれは私を、一刻でも早く、かの地から追い払う必要があったからでございます」

私は穢《けが》れております故に、という。

「あなたが穢れてる？　どうして？　『虚ろの書』に選ばれたから？」

少年無名僧は、深くうなずいた。「はい。ただ、順序が違《ちが》います。むしろ逆なのでございます。私は穢れております故に、『虚ろの書』に選ばれました」

「それなら、あなたはナゼ穢れてしまったの？」

片手で黒衣の襟元をしっかりとつかみ、何度か空唾《からつば》を飲み込み、少年無名僧は言った。「〝英雄《えいゆう》〟の破獄《はごく》を、かの地では、一《いち》の鐘《かね》を鳴らすことを以《もっ》て報じます」

一の鐘は、〝英雄〟のためにのみ、打ち鳴らされるものだという。それの破獄のときと、それが封印《ふういん》を施《ほどこ》されたとき。

「ふたつの場合では、鐘の打ち方が異なります。誰《だれ》が耳にしても、すぐ聞き分けられるほどに」

興味を惹《ひ》かれて、ユーリは訊《き》いた。「あなたも聞き分けられるの？　以前にも聞いたことがあるのかしら」

少年無名僧はまたうなずく。やっと歯の鳴る音がしなくなった。

「かつて――遠い昔でございますが、封印の際の音を耳にした覚えがございます。〝無名の地〟には時が存在しておりませぬ故に、どれほど昔のことであるのか、私《わたくし》には申し上げることがかなわぬのですが」

破獄の音を聞いたのは、今度が初めてだったそうである。

「封印の音とは、明らかに違う打ち鳴らし方でございました。破獄だと、即座《そくざ》にわかりましてございます」

〝英雄〟が獄を破り、自由になった――

「私はそのとき」

少年無名僧は目を閉じ、

「そのとき、心を、動かしました」

恥《は》じるように震え、おののき、額から汗《あせ》を垂らしながら、そう言った。周囲を埋《う》め尽《つ》くしている数え切れないほどの数の本たちが、一斉《いっせい》に息を呑《の》むような気配がした。

「破獄が起こった。〝英雄〟が、黄衣の王が〝輪《サークル》〟へと逃《のが》れ出た。それを知った刹那《せつな》に、私は、あるはずのない私の心が躍《おど》るのを感じたのです」

これには、ユーリも返す言葉がなかった。

「戦いが始まる」と、少年無名僧は続けた。「破獄した〝英雄〟を追跡《ついせき》し、〝無名の地〟へと連れ戻《もど》すための狩《か》りが始まる。一の鐘のあの音色は、それを告げる音でもございます。私は——それに、心を動かされました」

ゆっくりと、ユーリは息を吐《は》き出した。

「違っていたらごめんなさい。それはこういうことかしら。あなたは、大変なことが起こって、ちょっぴりワクワクしたのね？」

途端《とたん》に、少年無名僧がまた身を縮めて固まってしまった。両腕《りょううで》で身体《からだ》をかき抱《いだ》いている。

「……はい」

消え入りそうなかぼそい声が、ユーリの問いかけに答える。

「はい、おっしゃるとおりでございます」

「なるほど、そのように申し述べるか」

賢者《けんじゃ》の声がした。冷ややかなだけでなく、厳しいだけでもなく、ちくりと皮肉がこもったような響《ひび》きを、ユーリの耳は聞き取った。

「この者は、変化を喜んだと申しておるのです。〝無名の地〟を揺《ゆ》るがす〈英雄〉の破獄を、彼《か》の地の時の流れから外れた営みに変化をもたらす出来事であると、胸をはずませ魂《たましい》をたぎらせて寿《ことほ》いだと申しておるのです！」

もうひとつ、別の響きもあった。恐怖《きょうふ》だ。賢者は恐《おそ》れている。『虚《うつ》ろの書』に選ばれたユーリの従者の、この言い分を。

ユーリは驚《おどろ》いていた。これって、櫃《ひつ》を開けて『虚ろの書』を取り出したときの大僧正と同じじゃないか。

再び、重すぎる沈黙。少年無名僧の激しい息づかいだけが聞こえる。今にも泣き出すか、叫《さけ》び出すかしそうだ。

「賢者さん、その言い方はちょっと意地悪よ」

驚きを抑《おさ》えて、ユーリは優《やさ》しく言った。

「あたし、わかる気がする。あんなところであんな暮らしを強《し》いられていたら、変化が欲《ほ》しくなるのは当たり前だもの」

無為《むい》に、無限に続く作務《さむ》。あの恐ろしく不毛な大輪《たいりん》を押《お》し続けるだけの毎日。予測のつかない動きをするものといったら、松明《たいまつ》の火花だけだ。

「しかしユーリ殿、無名僧は、彼の地で咎の大輪を押すためにのみ存在しておる者どもなのです」

「どうして？　罪人だから？　大僧正は言ってた。無名僧たちは昔、個別の顔と姿を持った人間だったころ、〝物語を生きようとした罪〟を犯《おか》した者どもだって」

図書室の本たちが、また息を呑んだようになった。変化がないのはアジュだけだ。

「だけど、罪を犯して罰《ばつ》を受けているのだとしても、それに終わりがないのはおかしいよ。あたしの従者さんの心が動いたのは、従者さんの罪の償《つぐな》いが終わって、元の人間に戻れる兆《きざ》しなんじゃないのかしら？」

誰も何も言わない。少年無名僧が顔を上げた。が、彼が口を開く前に、アジュが妙《みょう》に元気のない輝《かがや》き方をして、そっとユーリに囁《ささや》きかけてきた。

「ユーリ、それはやっぱり違う。それは――オレが知っている限りの無名僧のあり方とは違うよ。彼らには、終わりはないんだ」

「罪は永遠に許されないの？」

「時間のないあの場所には、永遠もないんだ」

ユーリは口を尖《とが》らせた。そんなの、絶対に厳しすぎると思う。ペテンじゃないの。

「罪は許されないのでございます、ユーリ様」

少年無名僧《むめいそう》が、何だか諭《さと》すみたいに、怒《おこ》ったユーリを宥《なだ》めようとするみたいな口調で言った。

ユーリは、かえって辛《つら》くなってきた。「どうしてもそう言い張るなら、いいよ。そういうことにしておきましょう。あたしは違うと思うけど」

それで？　心を動かしたあなたはどうしたの？

「私は、心待ちにいたしました」

「何を？　それとも誰を？」

ここで初めて、少年無名僧が微笑《びしょう》した。あるかなきかの儚《はかな》い笑《え》みで、かすかな朝日のいたずらのようにも見える。

「あなたがおいでになることを」

私はあなたをお待ちしておりました。

異性の口から森崎友理子の耳に囁きかけられるのであるならば、少なくとも五年は早すぎる台詞《せりふ》である。が、友理子ではなくユーリとなった今、だぶだぶの守護の法衣に身を包んだやせっぽちの少女は、はにかんだり臆《おく》したりすることなく、この言葉の正しい意味を聞き取ることができた。

そこに込《こ》められた、希望と畏怖《いふ》を。

ユーリはしげしげと少年無名僧の顔を見つめ直した。

「あなた、万書殿《ばんしょでん》で、眠《ねむ》ってるわたしの身体に毛布をかけてくれたでしょ。暗くなった部屋に明かりを灯《とも》してくれたわよね？」

少年無名僧は狼狽《ろうばい》した。それでわかった。

「そっか。あなたはわたしのこと、見てたのね」

〝印を戴く者《オルキャスト》〟の到着《とうちゃく》を待ち、やって来たユーリを見つけて、それ以来ずっと見つめていた。つけ回すというかつきまとうというか、いやそれでは悪いことをしているみたいだけれど、とにかく彼《かれ》はユーリから目を離《はな》すことができずにいたのだ。

「だから万書殿でも、大僧正に〝そこに潜《ひそ》む者よ。出てきなさい〟って、一喝されたのね」

少年無名僧は小さくうなずく。「あなたはお気づきではございませんでしたが、私はあなたの到着を心待ちにし、あなたに近づこうと、あなたのまわりをうろついておりました。同胞《はらから》たちはそれを知り、私が穢れたことを察知したのです」

〝無名の地〟では、外の世界への好奇心《こうきしん》を持つこと、変化に憧《あこが》れること、すべてが「穢れ」とされるのか。

「――希《まれ》に起こることにございます」

賢者だ。なぜかしら、喉《のど》の奥《おく》から無理やり引きずり出したみたいにかすれた声だ。

「それは一種の――事故でございます」

声音にこもる、恐怖の色が濃《こ》くなっている。

「事故」と、ユーリは繰《く》り返した。事故ならば、ほかにもあった。

「あのね、賢者さん」

ユーリは、『虚ろの書』が傷《いた》んでいたということを、賢者に説明した。

「それで大僧正さま、ものすごく驚いてたの。無名僧の人たちって、人間らしい心は持ってないって言ってたけど、そんなことないわ。驚いてたし怖《こわ》がってたし、ちょっぴり怒ってもいた。今の賢者さんと同じように」

賢者は沈黙《ちんもく》している。緑色の光が、深呼吸するような間隔《かんかく》でまたたいている。

「今度の〈英雄〉の破獄が猛々《たけだけ》しかったから、『虚ろの書』が傷んでしまったんだって。それも希なことなんでしょ？　無名僧をあんなに驚かせたんだもの」

説明しているうちに、思いついた。

「そのことと、わたしに従者さんがついて来たことと、もしかしたら関係があるんじゃないかしら？　珍《めずら》しいことがふたつも重なるなんて、ただの偶然《ぐうぜん》じゃないと思う」

「そう申したのでございますか」と、賢者が尋《たず》ねた。「彼の地の無名僧が、櫃《ひつ》を開け『虚ろの書』を手にして驚き、大いに狼狽《うろた》え、その理由を、あなたにそう申し上げたのですか、ユーリ殿《どの》」

念を押すような、低い問いかけだった。

「う、うん」

賢者はまたしばし黙《だま》り込んだ。沈黙のなかで緑色の光の点滅《てんめつ》がだんだん早くなり、駆《か》け足しているときの鼓動《こどう》なみのテンポになり、それからだんだん間隔が開いてゆっくりになり、また深呼吸のテンポにまで落ち着いた。

「然《しか》り、確かにそれも希なこと。彼の地の者がそう申し上げたのならば、そのとおりなのでございましょう」

何か、慎重《しんちょう》な言い方だなあ。

「此度《こたび》の破獄の激甚《げきじん》であることが、そこな従者の誕生にかかわりがあるというユーリ殿のご推察も、的を射たものであるかと存じます」

何か、角張った言い方だなあ。

「今まで、賢者さんは従者付きの〝印を戴く者〟に会ったことはないんですか？」

「此度が初めてでございます。しかし、知識は得ておりました」

「そういう珍しいこともあるって」

「はい」

「それは歓迎《かんげい》すべきことではない？」

ちょっと間が空いた。

「……はい」

「だから最初に、従者を連れ帰ったかって、叱《しか》ったのね」

賢者は急にあわてた。「ユーリ殿を叱ったわけではございません。そのように響きましたならば、お許しを願います」

ユーリも、謝《あやま》ってもらいたいわけではない。にっこりしてみせた。

「いいんです。わたしもビックリしただけで、気を悪くなんかしてないもの」

それに、『虚ろの書』が傷ついてしまったことはさておき、従者については、忌《い》まわしいばかりではないと思う。だってそうじゃないか。あの不毛の地から、たった一人だけど、外へ引っ張り出すことができたんだ。素敵《すてき》じゃないか。

「あなたは『虚ろの書』に選ばれた」

ユーリは少年無名僧に向き直ると、きっぱりと言った。

「それ、きっと悪いことじゃないよ！」

自分の思いつきが嬉《うれ》しくて、声がはずんでしまう。

「今度破獄《はごく》した〈英雄《えいゆう》〉があんまり手強《てごわ》いから、『虚ろの書』が、〝印を戴く者〟に助《すけ》っ人《と》が必要だって思ったんだとしたら？　そのために、あなたを選んだんだとしたら？」

ユーリが〈英雄〉と対峙《たいじ》し、森崎大樹という最後の器《うつわ》を解放し、〈英雄〉の力を削《そ》ぐことができたその時には、ユーリの手足となって働いた従者もまた、報《むく》われるのかもしれない。従者は、その好機を得ることを、『虚ろの書』によって許されたのかもしれない。

そうだ。きっとそうだ。それが『虚ろの書』に選ばれるということの、真実《ほんとう》の意味なのではないか。

「あなたは解放されるのよ。きっとそうよ！」

心に温かな力が満ちてきた。ユーリは少年無名僧に近づくと、両手で彼の手を取った。

「もっと胸を張って、しゃんとしなさい！　あなたはあたしを助けてくれるために来た。そして、あなた自身を救うために来たんだから」

「は、はい」

もしもしと、アジュが後ろから呼びかけてきた。

「いい場面だけど、ちょっとオレのアドバイスを聞いてくれる？」

「なぁに？」

「ユーリ、守護の法衣を脱《ぬ》いでごらん」

あっさり指示されたものだから、ユーリは深く考えずに従った。

途端に、膝《ひざ》から力が抜《ぬ》けた。全身が重くなり、激しい目眩《めまい》で天井《てんじょう》が回る。四方を囲む本の山がなだれかかってくるようだ。立っていられずに倒《たお》れ込み、したたかお尻《しり》と肘《ひじ》を床《ゆか》に打ち付けた。が、痛いと叫ぶ声さえ出てこない。力が入らないのだ。

何、これ――

ユーリのお腹《なか》が、大きな音をたてて鳴った。

「腹、ぺこぺこだろ？」と、アジュが笑う。「疲《つか》れ切ってフラフラなんだよ」

そういうことなのか。何とかして頭を持ち上げて、ユーリはアジュの声が聞こえてくる方を見ようとした。

そして気づいた。パニックが襲《おそ》ってきた。

少年無名僧がいない。ついさっきまでそばにいたのに。手を取っていたのに。姿が見えない。

「従者さん！　どこ？　どこ行ったの？」

「まあまあ、あわてなさんな」

アジュがちかちかまたたいている。

「もういっぺん法衣を着てごらん」

脱ぐときよりも、十倍難しかった。しかし、埃臭《ほこりくさ》い黒衣を身につけた瞬間《しゅんかん》に、ユーリの身体《からだ》に力が戻《もど》った。空腹感が消えた。目眩が止まった。

少年無名僧は間近にいて、さっきユーリと手を取り合っていたときと同じ体勢で、目を瞠《みは》ったまま凍《こお》りついている。

「ユ、ユーリ様」

あわててユーリを抱《だ》き起こそうとする。ユーリはぴょんと飛んで立ち上がった。

「だいじょぶよ。あたしは元気」

衣《ころも》の袖《そで》を広げて、じっくり眺《なが》めた。

「わかったわ。そういうことなのね」

「そういうことなのさ」アジュの口調がきりりと締《し》まった。「守護の法衣には、いくつかの特殊《とくしゅ》な働きがあるんだ。ちゃんと覚えておかないといけないよ。よく聞きな」

ひとつ。守護の法衣を着ている限り、ユーリは空腹や疲労《ひろう》を覚えることはない。

ひとつ。守護の法衣を身につけたユーリは、この現実世界に暮らす人間たちの目には、まったく見えない存在となる。

「透明《とうめい》人間になるの？」

「トーメイ――？　何だそりゃ」呟《つぶや》いて、アジュはすぐに納得《なっとく》したらしい。「ああ、そういう物語があるんだよな。うん、そんなもんだ」

ただそのときも、ユーリが手に触《ふ》れたり、手で動かしたりしたものは、他の人間たちの目に見える。よく注意しないといけない。

「逆に、法衣の下に隠《かく》してしまえば、どんなものでもユーリと同じように、他の人間たちの目からは見えなくなる。触れられることも、察知されることもなくなる」

さらにひとつ。法衣を脱いだ状態では、ユーリには従者の存在が見えなくなってしまう。

「あ、だから今も――」

少年無名僧が、あわててうなずいた。

「はい。そして私《わたくし》の目にも、ユーリ様のお姿がかき消えたように見えました。ユーリ様がいらしたはずの場所は、ただの空間になっておりました。触れることもできませんでした」

「本来、無名僧は〝無名の地〟以外の場所では実体を持たないものなんだ。そうだよな、賢者《けんじゃ》？」

アジュの問いかけに、賢者が「左様でございます」と応じる。口調はまだ苦く、堅《かた》苦しい。

「守護の法衣の魔力《まりょく》が、ユーリを通して、従者にかたちを与《あた》えてる。こいつの姿は、この世界においては、あくまでもかりそめのものなのさ。だから法衣がないと、互《たが》いに互いが見えなくなる。うっかり離ればなれになったら、それっきりだ」

ぞくりとした。もしもそんな事態になったら、少年無名僧はどうなる？ 無になって、この現実世界のなかを漂《ただよ》い、どこにも移動することもできないし、誰《だれ》にも気づいてもらえない——

無だ。この者は〝無〟でございます。

「よく気をつけなくちゃね」と、ユーリは言った。心のいちばんよく見える場所に、太字で書き付けておこう。

「さて、最後にもうひとつだけ、な」

アジュは急に、いたずらっぽい声音《こわね》になった。

「守護の法衣の魔力で、ユーリはありとあらゆる魔法を行使することができるようになった——はずなんだけどさ」

「はずなんだけど？」

「その実感、あるかい？」

さっぱりである。何も頭に浮《う》かんでこない。何をどうすればいいか見当もつかない。

「だろ？ ユーリには知識がない。呪文《じゅもん》を知らないんだから、当然だ」

多種多様な呪文は、この図書室に集められた数多《あまた》の本のなかに、バラバラに収められている。なぜなら、それぞれの本にはそれぞれの専門があるからだ。

「ところでユーリ、オレがどんな本だったか覚えてる？」

アジュは辞書である。それも初心者用の呪術用語の辞書なのである。

「けっこう、けっこう」アジュは上機嫌《じょうきげん》だ。「つまりユーリは、オレをとっかかりにすれば、自由自在に、いろんな魔法の呪文を知ることができるのさ。下準備さえしてくれればね」

「下準備？」

「オレに記されている知識には限界がある。これから先のユーリの旅路には、それだけじゃ絶対に足りない。だからね、オレがどこにいても、この図書室に集まっている仲間たちと連絡《れんらく》をとれるようになってれば、便利だろ？　必要になったときには、オレを通して、ここにいる仲間たちの知識を引っ張り出すことができるんだ！」

　そのために必要な〝連結《リンク》の呪文〟を、オレにかけてくれ。

「その、リンクの呪文はどこにあるの？」

「高位の呪文だからねぇ」アジュは意味ありげにまたたいた。「そりゃ、賢者が知ってるよ」

　ユーリは賢者を見上げた。賢者の緑色の光が強まり、すっと薄《うす》れた。何か言いかけて、やめたみたいに。

「ユーリ殿がお望みであるならば、お教えいたしましょう」

「ありがとう！」

「書き留める物を探して参ります」少年無名僧《むめいそう》が、あたふたと部屋を出て行く。そんなものは要《い》らないのよと、ユーリが呼んでも気づかない。

「いいよ、あいつにはちょっと席を外していてもらおう。嫌《いや》がられるかもしれないからな」

「嫌がる？　何を？」

「ユーリってば、鈍《にぶ》いねぇ」

アジュは今にも歌い出しそうだ。

「オレがどこにいても、自由自在に、仲間の知識を引き出すことができる――それって、どういう意味だかわかんないかぁ？」

ユーリは目を見開いた。「アジュ、あたしと一緒《いっしょ》に来てくれるの？」

「もっちろんだよ！」

オレもユーリと旅をするゥ〜、〝印を戴く者《オルキャスト》〟と一緒に冒険《ぼうけん》するゥ〜。本当に歌い始めた。

「そしたらアジュ、またリュックに入る？」

あれ、リュックをどこに投げ捨てたっけ。

「ちょっと待った！　それはナシ」

「ナシって？」

「あのねユーリ、もっと良い方法があるんだ」

オレのことも、生き物として実体化させてくれ。それなら、自分の足でユーリについていける。

「えッ！」

「簡単だよ。その呪文なら、オレのなかに記されてるから。見てごらんよ、ほらほら」

促《うなが》して、アジュのページは勝手にパラパラとめくれてゆく。

「ここ、ここだ。このページ」

さあ、オレをしっかり広げて持って。足を踏《ふ》ん張って立って。

「オレの後に続いて、呪文を唱えるんだよ」

ユーリは大きく息を吸い込《こ》み、アジュの声について唱和した。

「ケサラン、パサラン、アルティミディト、ウガ、ウガ、ウガチャカラカモディスタン——何これ、へんてこな呪文だよ〜！」

笑い出してしまったとき、赤い光がひときわ大きくきらめいて、そのなかに溶《と》け込むように、書籍《しょせき》としてのアジュの形が消えた。光の爆発《ばくはつ》が起こったような眩《まぶ》しさに、ユーリは一瞬、顔を背《そむ》けて目をつぶってしまった。

見ると、ユーリの鼻先に、サッカーボールぐらいのサイズの、赤く光る球が浮かんでいる。ぷかぷかと楽しそうに浮かんでいる。

指先を伸《の》ばして、おそるおそる触れてみた。ぷるるんと、赤い球がはずんだ。

「出して出して！」

アジュの声だ。

「こいつを壊《こわ》して、オレを出してよ！」

ユーリはあわてて、両手で赤い球をつかんだ。特大のこんにゃくゼリーをつかんだみたいな感触《かんしょく》だ。そういえば色も似ていやしないか？

「イチゴ味のゼリーだわ！」

叫《さけ》んで、思いっきり両手に力を込めた。指をたてた。ゼリーがぐにゃりと歪《ゆが》み、ぱちんと音をたてて弾《はじ》けた。

「うひょー！」

ゼリーの球のなかから、何か小さなものが飛び出した。宙に放《ほう》りあげられたネズミ花火みたいに、凄《すご》いスピードでくるくる回ると、でたらめな軌道《きどう》を描《えが》いて図書室のなかを飛び回り、いきなりユーリの頭の上に落ちてきた。

柔《やわ》らかい感触がした。あったかい。ユーリは頭の上に手を持ち上げ、髪《かみ》の上に着地しているそのものに触れてみた。

ぺろりと、長い尻尾《しっぽ》が垂れて、ユーリの顔の前にぶら下がった。

こういう尻尾には見覚えがあるような気がする。

「アジュ。あなた、何になったの？」

頭のてっぺんで、小さなものが動いた。足を踏みかえている。とっても小さな指がある。足は四本あるようだ。

「ねぇ、アジュ」

「——もうちょっとマシなものになりたかった」

傷ついている。がっかりしている。

「いくら守護の法衣の魔力が強くても、ユーリの力はまだ弱いからな。しょうがないかぁ」

慎重《しんちょう》に掌《てのひら》でなぞっていって、ユーリはその小さなものの首の後ろを探《さぐ》り当て、指先でつまみあげた。顔の前へとおろしてくる。

「——コンニチハ」

一対《つい》の黒い瞳《ひとみ》が愛らしくまばたきする。ピンク色の鼻先がピクピク動いている。身体とは不釣《つ》り合いに長い髭《ひげ》が、ユーリの鼻の頭をくすぐった。

ハツカネズミだ。

「アジュ!」

声を出した途端《とたん》に、髭のせいでくしゃみが飛び出した。まともにくしゃみを受けたアジュは、うわぁカンベンしてくれぇ～と悲鳴をあげて、小さな両手で小さな目を覆《おお》う。

「ユーリ殿のせいではない。おまえはもともと、その程度の小さき知識の集成なのじゃ」

賢者のお叱《しか》りに、他の本たちが一斉《いっせい》にさわさわとまたたいて笑った。久しぶりに、本当に久しぶりに、ユーリを囲む場の空気が、底の底から明るくなった。

「アジュ、可愛《かわい》いよ」

鼻の頭と鼻の頭をくっつけて、ユーリは笑った。

「あらためて、初めまして。よろしくね」

守護の法衣は、よくよく検《あらた》めるとけっこうな古着で、あちこちに繕《つくろ》った跡《あと》が残っていた。前身ごろの内側《うちがわ》では、一箇所《かしょ》、大きなかぎざきに、あて布をしてふさいである。その縫《ぬ》い目がまたほつれて、ポケットのように開いている部分があり、ハツカネズミへと化身《けしん》したアジュは、そこに収まることとなった。ちょうどユーリの心臓の上にあたる位置で、外へ顔を出すときは、襟元《えりもと》からちょこんとのぞく。

「居心地《いごこち》がいいや」と、本人はご満悦《まんえつ》である。

少年無名僧が、おろおろと山荘《さんそう》のなかを探し回り、何とかかんとか、

「これは文字を書くために使うものでございますね、ユーリ様」

と、サインペンを一本手にして図書室に戻《もど》ってきたときには、ユーリはすでに、アジュに〝リンクの呪文〟をかけ終えていた。

「もう済んじゃったよ。ご苦労さん」

アジュに声をかけられて、少年無名僧はキツネに――いや、ネズミにつまれたような顔をした。彼《かれ》を除く残りのみんなはまた笑った。

「ごめんなさい。でも、ありがとう」

「次からは、ユーリの言うことをよく聞いて行動しなよ。そうでないと無駄骨《むだぼね》になる」

「アジュ、威張《いば》らないの」

少年無名僧が探し出してきたサインペンは、見るからに古びていた。インクが出ない。キャップはちゃんとついているが、芯《しん》はカラカラに乾《かわ》いていた。

ユーリはちょっと訝《いぶか》しく思った。

〝無名の地〟とこの現実世界とは、いろいろな点で違《ちが》いがあるけれど、ペンのような基本的な道具を見て、使い道がわからないということはない。少なくともユーリにはそんなことはなかったし、現に少年無名僧も、だからこそこの大きな物置みたいにごたついた別荘のなかから、サインペンを探し出すことができたのだろう。

「ほかには、文字を書くために使えそうな道具は見あたらなかった？」

「ございませんでした」

いくら水内一郎が一人暮らしでも、これだけの部屋数の家に、ペンが一本しかないというのはおかしくないか？　ああいうものは、放っておいてもいつの間にか数が増えて、溜《た》まってしまうものだろう。

だいいち、水内さんは書物を集め、自分の望みを果たすために、調査を続けていたのだ。

――つまり勉強してたんだもの、ノートをとってたはずよ。それとも、何か書くときはパソコンを使ってたのかしら。

それだって、メモぐらいはボールペンや鉛筆《えんぴつ》でとるだろう。

「何だよユーリ。早く行こうよ」と、アジュがせっつく。顎《あご》の下を長い髭でこちょちょこされると、笑い転げてしまいそうになるほどくすぐったい。

「わかった、わかった――って、あたしたち、どこへ行くんだっけ」

「ユーリの家だよ。手がかりも欲《ほ》しいけど、とにかく、まずは分身《ダブル》の様子を見なくっちゃ。ユーリだって、父さん母さんに会いたいだろ？」

「そうね……」

〝印を戴く者〟となった今、両親に会ったらどんな気持ちになるだろう。なれるのだろう。

ユーリは図書室の床《ゆか》に描いた魔法陣《まほうじん》の上に進んだ。「従者さんも来て。また手をつなぐのよ」

少年無名僧は言われたとおりにしたが、魔法陣を足で踏みつけにすることに抵抗《ていこう》があるらしく、爪先《つまさき》立っている。

「ユーリ、どこへ飛ぶ？　瞬間《しゅんかん》移動だから、ピンポイントでどこへでも飛べるよ」

自分の部屋かな。ううん、ダメだ。もしもそこにお母さんがいたら困る。いくらお母さんの目にはユーリの姿が見えなくても、ユーリは動揺《どうよう》してしまうから。

「うちのマンションの前の道路に飛ぶわ。道を渡《わた》って、玄関《げんかん》から家に入ります」

「いいのぉ？」アジュは疑わしげな声を出す。

「道幅《みちはば》とか、ちゃんと覚えてるかい？　意外と難しいんだ。最初は家のなかの方が安全——」

「いいのいいの、さあ行くわよ！」

ユーリは片手を額にあてた。隣《となり》で、少年無名僧がごくりと空唾《からつば》を飲む。

「あたしたちを、あたしの家の前の道路の上、小野田内科クリニックの看板がついてる電柱のそばに運んでください！」

無数の本たちのまたたきを残して、ユーリたちの姿は図書室から消えた。

「賢者《けんじゃ》よ」と、賢者と同じくらい老成した声が、静かに呼びかけた。「あれでよかったのかの？」

ひと呼吸して、賢者は応じた。「よい。今はあれでよい。仕方がなかろうよ」

苦渋《くじゅう》の声音《こわね》だった。

「――ほかに道はない」

図書室の本たちが、ひととき、黙禱《もくとう》するかのように、またたきを消した。


これまでとは違い、剝《む》き出しの現実世界の中で飛んだせいかもしれない。ユーリは「着地」する感覚を覚えた。とっさに膝《ひざ》を曲げて、どこかからぽんと飛び降りたときのような姿勢をとった。

道の向こうには、見慣れた灰色の外壁《がいへき》のマンションがある。エンゼルキャッスル石島。うちだ。あの五階に我《わ》が家《や》がある――けれど。

距離《きょり》が近くない？

「ユーリ、危ない！」

ぶろろろろぉん！　轟音《ごうおん》が近づいてきたかと思うと、荷台に鉄筋を山ほど積み上げたトラックが迫《せま》ってきて、右から左へとユーリたちを通り抜けた。

憮然《ぶぜん》として、ユーリは走り去るトラックの尻《しり》を見送った。排気《はいき》ガスをまともに浴びる。

「道のど真ん中だよ」

アジュに指摘《してき》されるまでもない。ユーリが心に思い浮かべた電柱は、背後にある。

小野田内科クリニックの看板も。

「だから言ったろ？　最初のうちは距離感をとるのが難しいって」

「いいじゃないの、車に轢《ひ》かれる心配はないんだから」

少年無名僧は、両手を広げ足を踏み換《か》え、目をぱちぱちさせながら、自分の身体に異常がないことを確かめている。が、つと頭上を仰《あお》ぐと、その目を瞠《みは》った。顎ががくんと下がって口も開けっ放しになる。

「どうしたの？」

ユーリも頭の上を見た。いつの間にか夜はすっかり明け切って、春の青空がいっぱいに広がっている。タンポポの綿毛みたいな雲が、のどかにぽかぽかと浮かんでいる。

「なんでそんなに驚《おどろ》いてるの？」

返事がないので、ユーリは少年無名僧の腕《うで》に触《さわ》った。それでもダメなので、揺《ゆ》さぶった。

彼は頭上を仰いだまま言った。「これは、何でございますか、ユーリ様」

「何って――」

青空だ。ほかの何だというの？

「アオゾラ」少年無名僧《むめいそう》は呟《つぶや》いた。「しかしこれは、天でございましょう。何故《なにゆえ》に、天がこのような冴《さ》えた青色をしているのでございましょうか」

今度はユーリが驚いた。「あなた、青空を見たことないの？〝無名の地〟にだって空はあったじゃないの」

あ、でも。いつも曇《くも》っていた。霧《きり》に閉ざされて。

「従者さんは、今まで、空の青い色を見たことがなかったんだね……」

まだ目をまん丸にしたまま、彼はやっとユーリの方を見た。が、すぐに頭上に指を突《つ》きつけて、言いつけ口でもするかのように、懸命《けんめい》に訴《うった》える。

「ソラ？　青い色のソラとは何でございます？　これは天でございましょう、ユーリ様」

ユーリは理解した。〝無名の地〟には「空」という名称《めいしょう》がないのだ。万書殿《ばんしょでん》と咎《とが》の大輪《たいりん》と、無名僧たちの頭上に広がるものは、ただ「天」と呼ばれていたのだ。

「昼間の明るいときの天のこと、青空とも呼ぶんだよ」

「……美しい……色でございますね」

少年無名僧の瞳《ひとみ》は青空に魅《み》せられ、青空の色を吸い取り、映している。

都会の片隅《かたすみ》、あんなトラックがぶんぶん行き交《か》う街のなかで仰ぐ空の色なんて、くすんでいる。本当の青色じゃない。

そういえば、いつかお兄ちゃんが教えてくれたっけ――青空のこと、うんと難しい言葉では、「蒼穹《そうきゆう》」というんだ。そんなもの、森崎大樹と友理子の兄妹《きようだい》が住んでいるこの国には存在していない。本物の青空なんてね、たぶん、地球上のホントに限られた場所にしか、もう残ってないんだよって。

だけど、それでも従者さんには充分《じゆうぶん》なんだ。ニセモノの青空でも。〝無名の地〟にはないものだから。ずっとずっと〝無名の地〟に縛《しば》りつけられていたこの人は、排気ガスで煤《すす》けた青空でも、こんなに一生懸命になるほど感動することができるんだ。

「決めた」と、ユーリは言った。「ソラにする」

「何の話さ?」アジュが先に反応した。少年無名僧は、まだ仰向《あおむ》いたまま、春の陽射《ひざ》しを顔一面に浴びている。目を閉じて、心地よさそうに。

「あなたの名前だよ、従者さん」

少年無名僧は我に返った。「は？　ユーリ様、何かおっしゃいましたか」

「あなたの名前は、ソラ。これからは、ソラと呼ぶからね」

よろしくね、ソラさん——心を込《こ》めてユーリが呼びかけたとき、今度はさらに大きなトラックが、左から右へとユーリたちを通過した。

ご丁寧《ていねい》に、またぞろたっぷりとした排気ガスのおまけつきで。

「ユーリ、ソラ」と、アジュが呻《うめ》いた。「どうでもいいから、早くここから動こうぜ」

玄関のドアには鍵《かぎ》がかかっていた。ユーリは鍵を持っていない。水内さんの別荘のどこかに置き去りにしてきたリュックのなかだ。

「どうする？」

アジュの問いに答えず、ユーリは唇《くちびる》を噛《か》み、インタフォンを押《お》した。ピンポン。と、ドアの向こうに、足音が近づいてきた。スリッパを鳴らして走ってくる。

「ちょっと下がっててね」と、ユーリはソラを退かせた。

「はい！」

ドアが開いた。お母さんだ。インタフォンで確かめることもせずに、いきなりドアを開ける。やっぱり変わっていない。お兄ちゃんかもしれないと思って、走ってくるのだ。

「どなた?」お母さんはスリッパのまま、マンションの玄関を横切り、共用廊下《ろうか》の方に身を乗り出してきた。「どなたですか? 大樹?」

ドアをすり抜《ぬ》けて、廊下を駆《か》け出す。これもやっぱり変わっていない。エレベーターホールの方まで様子を見に行くのだ。もしやお兄ちゃんが帰ってきたんじゃないかと思って。

「この隙《すき》に入っちゃおう」

ユーリは言って、するりと玄関の内側に入り込んだ。ドアがゆっくりと閉まってゆく。ソラがあわてて後についてきた。

「ユーリのお母さん、いつもああして――」

「うん。また目が赤かったね。寝《ね》てないのかな」

胸にこみあげてくる感情を、ユーリは奥歯《おくば》で嚙み殺した。泣いてはいけない。いちいちそんなふうになるために、〝印を戴く者《オルキャスト》〟となって戻ってきたのではない。

「別荘でよく寝たから、身体《からだ》の疲《つか》れはいくらかとれてるよ」慰《なぐさ》めるように、アジュが言った。

廊下を進み、リビングを覗《のぞ》いてみた。テレビがついているだけで、誰《だれ》もいない。分身は学校かしら？　とにかく、自分の部屋に行ってみよう。

ソラはまた目が開きっぱなしだ。瞳孔《どうこう》まで開いちゃってるかもしれない。家具はともかく、電化製品に驚いている。身を縮め、まわりのものにうっかり触らないように手を縮め、また爪先立ち。

「だんだんとわかってくるよ。そのうち慣れるって」と、アジュが言う。「魔法《まほう》じゃないけど、魔法並みに便利なものなんだ」

「左様でございますか……」

ユーリは自室のドアをノックした。ちゃんと音がする。はい、と返事が聞こえた。

「あ、お帰りなさい」

ユーリの顔を見ると、分身はぺこりとお辞儀《じぎ》をした。アジュとソラのおまけを連れているユーリ本体に、驚く様子もない。分身にも、彼らの姿は見えないのだろうか。

おっと、それ以前に、分身にはユーリが見えるらしい。魔法でつくられた存在だから、守護の法衣の魔法の力に遮《さえぎ》られないのか。

「すっごく軽いお返事だけど、でも今は、あんただってそれしか言いようがないよね」と、ユーリも言った。「ただいま」

分身は机のそばにいた。教科書と、ユーリのものではない筆跡《ひっせき》でびっしりと書き込まれたノートが広げられている。

「あんた」と言って、ユーリは言い換えた。「友理子、学校へ行ってるの?」

分身はかぶりを振《ふ》った。「あなたが望まないことは、わたしもしないんですよ、ご主人さま」

「そう。あたしのことは〝ユーリ〟でいいわ」

「はい、ユーリ」

「このノート、誰かが持ってきてくれたの?」

「はい。佳奈《かな》ちゃんとさゆりちゃんが」

強く心をコントロールしているつもりなのに、もう涙《なみだ》が出てきそうになった。二人の友達の顔を思い出すと、瞼《まぶた》が熱くなる。

「佳奈ちゃんはあたしの親友よ。さゆりちゃんも、すっごく優《やさ》しくていい子なの。ありがとうって言ってくれた?」

「あなたがお望みではなかったので、お会いしませんでした。ノートはお母さんが受け取ってくれたんです」

これまでの友理子なら、そうしたであろう行動だ。分身は、間違《まちが》ってはいない。

「わかった。この先、あたしの気持ちが変わって、佳奈ちゃんやさゆりちゃんなら会ってもいいなって思ったら、あんた会ってくれる？」

「はい、もちろんです」

不意に釘《くぎ》を刺《さ》したくなった。「だけど、あんまり仲良くなり過ぎちゃダメよ。あたしの友達なんだから」

「ユーリ、ユーリ」アジュが口を挟《はさ》んだ。「こいつはユーリの分身《ダブル》、ただの魔法人形だ。本物の人間と心を通わせることなんかあり得ないよ」

理屈《りくつ》はそうなんだろうけど、気持ちは別だ。ユーリはアジュをつまみあげた。腕を伸《の》ばして、守護の法衣から遠ざける。

「これ、見える？」

「魔導で作られた化身《けしん》ですね。もとの姿は書物です」

見抜いている。

「ソラのこと、見える？」

分身はにっこり笑った。「見えます。ユーリ、わたしはあなたの分身です。言葉の真の意味での複製です。魔法が解けない限り、わたしはあなたなのですよ。ですから、あなたがご存じのことは、わたしにお話しにならなくてもいいのです。すべて通じておりますから」

だから、何にも驚かないのか。

「魔法人形のわたしにも、たった一人だけ心を通わせる人間がいます。それがユーリです」

分身は指を一本立てて、アジュの頭を撫《な》でた。アジュはネズミらしい鳴き声をあげた。

急に身体の力が抜けた。ユーリはアジュを肩《かた》の上に載《の》せると、ベッドに腰《こし》をおろした。ソラはベッドの裾《すそ》に、姿勢を正して立つ。いかにも従者らしい。

「あれから、どんなふうだった？」

こちらの現実世界では、両親と友理子が水内さんの別荘《べっそう》から帰って、三日が経《た》っていた。

「お父さんとお母さんは、警察の方たちに、水内一郎さんの別荘のことを話しました。思い立って様子を見に行ってみたけれど、大樹はいなかった。あそこに立ち寄った様子もなかった、と」

それでも警察は今後、水内さんの別荘には気をつけてくれるという。

「現実的には有《あ》り難《がた》いけど、魔法陣を守るためにはちょっと迷惑《めいわく》ね」

有り難い、なんて、大人っぽいというか老《ふ》けたしゃべり方だ。ユーリは確かに変わったらしい。

友理子は学校へは行っておらず、佳奈ちゃんたちがとってくれたノートをもとに、家で自習している。両親は転校のことも考えて先生と相談しているが、まだ本決まりにはなっていない。

「おうちのなかには、変化はありません。お母さんは少し疲れているみたいです」

「お兄ちゃんの部屋、やっぱり毎日掃除《そうじ》してる?」

「お掃除をして、いつも一時間ぐらいはそこで過ごしています。泣いているので、わたしはときどき慰めて、一緒《いっしょ》に泣くこともあります」

ありがとう——と言ってしまってから、ユーリは笑った。「変ね。自分のことなのに」

「いいえ、変ではありませんよ、ユーリ」

魔法人形って、優しいんだ。

自分の分身をつくって、それと仲良しの友達になる。今まで誰か、そんなことを思いついた人がいるだろうか。試《ため》してみた人は? ユーリはこの世で初めて、それを試みることになりそうだ。

「とりあえず、今後はこの部屋がわたしの基地になるわけよね」

ベッドから腰をあげると、腕を組んでまわりを見回した。うちに帰ってきたんだ。ここはわたしの世界だ。

「ああ、何か急にお風呂《ふろ》に入りたくなっちゃった。シャワーでもいいんだけど」

「食事はいいのですか。眠《ねむ》くはないですか」

「それは魔法で何とかする。時間が惜《お》しいもの。でもお風呂だけは我慢《がまん》できないな」

しばらくおとなしくしていたアジュが、張り切って仕切り始めた。「まず、魔法で元気をつけようじゃないか。そのあと、守護の法衣を分身に着せておいて、ユーリは風呂。いいだろ？」

「こんな時間にお風呂に入るのは、我《わ》が家《や》のルールからは外れてるのよ」

「でもわたし、昨夜《ゆうべ》は頭が痛くて早く寝たいからって、お風呂をパスしちゃったんです。ですから大丈夫《だいじょうぶ》ですよ」と、分身が言った。

「じゃ、ちょっとお母さんと話してきてくれるかな？」

分身が部屋を出てゆくと、アジュはちょろちょろとユーリの頭のてっぺんへ登った。

「さあ、オレの後にくっついて唱和するんだよ」

お母さんに聞こえるといけないから、小さな声で呪文《じゅもん》を唱えた。空腹を解消し、疲《ひ》労《ろう》を癒《いや》す呪文は、パとかピとか破裂音《はれつおん》だらけの、やたら陽気な音で構成されていた。

分身が戻《もど》ってきた。念のため、ドアノブの下に椅子《いす》を運んでいって、つっかえにしてから、ユーリは守護の法衣を脱《ぬ》いだ。

身体は元気だ。力が満ちている。それどころか体調がいい。抜群《ばつぐん》にいい。こんな感じは初めてだ。

でも、全身が汗臭《あせくさ》くて埃《ほこり》っぽい。よく見ると、指の爪《つめ》は土で汚《よご》れていた。〝無名の地〟の土だ——と思うと、心臓がどきりと打った。

何気なく法衣を脱いだのだけれど、思い出したようにあわててしまった。ソラの姿が見えない。

「ソラ、どこにいるの？」

返事も聞こえない。と、腕《うで》にかけた守護の法衣から、アジュが顔をのぞかせた。

「ちゃんとベッドのそばにいるよ。さあ、早く分身を隠《かく》さないと」

「頭が痛いなんて言ってたけど、風邪《かぜ》じゃないのかしら。大丈夫？」

お母さんがユーリの額に手をあててくれる。

「熱はないみたいだけど……」

ああ、ダメだ。心が揺《ゆ》れてしまう。お母さんごめんなさい。どうして謝《あやま》るの？　お母さんに隠し事をしてるから？　友理子はユーリになってしまったから？

ううん、理由なんかない。

「心配かけて、ごめんね」

いきなりこんなふうに言ったら、怪《あや》しまれる。

でも、お母さんは気づかなかった。「何言ってるの。おかしな友理子ね。さ、お風呂がわいたわよ。着替《きが》えはあとで持っていってあげるから、早く入りなさい」

あんた汗臭いわと、お母さんは笑った。背中を押してくれる手は柔《やわ》らかく、温かかった。

お風呂場で一人になり、頭からシャワーを浴びると、涙が出てきた。これが最後だ。もう二度とメソメソするもんか。だから今だけ。今だけちょっと泣かせて。

湯船につかり、顔にお湯をかけると、少し落ち着いた。脱衣場《だついば》のドアが開いて、曇《くも》りガラスのドア越《ご》しに、お母さんの姿が見えた。

「今日は温かいけど、ちゃんとシャツを着てね」

「はぁい」

昼間——どころかまだ午前中だ。お風呂場はとことん明るくて、隅《すみ》から隅までよく見える。お母さんはきれい好きで、特に台所やお風呂やトイレが汚れているのは我慢できない気質《たち》で、それはそれは熱心に磨《みが》き立てる。でも、いかんせん古いマンションなので、浴槽《よくそう》と壁《かべ》のあいだにうっすらと黴《かび》が生えているところもある。

ぽちゃん、と、お湯がはねる。

——そういえば。

ユーリが学校から帰り、佳奈ちゃんの家に遊びに行こうと支度《したく》をしていたら、出し抜けにお兄ちゃんが帰ってきて驚《おどろ》いたことがあったっけ——。

第六章　事件の内側《うちがわ》

あれはいつのことだったろうか。一ヵ月くらい前？　いや、そんな以前の話じゃない。お兄ちゃんが中学二年に、ユーリが小学校五年生になって間もなくのことだったと思う。だってあのとき、お兄ちゃんの帰りが早かったのは、

——今週は家庭訪問週間だから、授業が早く終わるんだ。

確かそう言っていた。だから部活動もお休みで、地区の野球クラブのメンバーと集まって自由練習するとか何とか。

——出かける前に、シャワーを浴びようと思ってさ。

そうだ！　だんだん記憶《きおく》がはっきりしてきた。お兄ちゃんはあのとき、帰ってくるなりお風呂場《ふろば》に直行したのだった。たまたまお母さんが買い物に出かけて、短いあいだだけれどユーリは一人きりだった。そこに玄関《げんかん》のドアが開き、足音がしたかと思っ

たらお風呂場で誰《だれ》かが出入りする物音がたったので、ちょっぴり薄気味《うすきみ》悪い気持ちで様子を見に行ったのだった。

すると、お兄ちゃんがいたのだ。もう制服の上着を脱《ぬ》いで、シャツとズボン姿になっていた。ユーリが覗《のぞ》き込《こ》むと、大慌《おおあわ》てで脱衣場《だついば》のドアをぴしゃりと閉めた。

——体育の時間にめちゃめちゃ汗《あせ》かいちゃってさ。臭《くさ》いんだよ。

これから練習に行くのに、その前にシャワーを浴びるのかとユーリが尋《たず》ねる前に、先回りして説明してくれた。間もなく、シャワーを流す音が聞こえてきた。

別段、ユーリは変に思わなかった。お兄ちゃんは普段《ふだん》からきれい好きだ。朝練習がない日には、寝起《ねお》きにシャワーを浴びてから登校することだってあった。

大した出来事ではなかった。ずっと忘れていた。真っ昼間のお風呂場の光景に、それが今、ふっと浮《う》かび上がってきたのだ。

なぜかしら、不安な色合いを帯びて。

本当に、大した出来事ではなかったんだろうか。

湯船のなかで膝《ひざ》を抱《かか》えて、ユーリは考えた。あんなことは、その後もあっただろうか。学校から帰ったお兄ちゃんが、お母さんに声をかけることもせず、まっしぐらにお風呂場へ行ってシャワーを浴び始める——

およそお兄ちゃんらしくないふるまいだった。

ユーリはつやつやした額に皺《しわ》を刻んで顔をしかめる。さらに不安の増すようなことを思い出して。

八の字眉毛《まゆげ》の警察の人が言っていたじゃないか。

――大樹《ひろき》君は、二年生になってから、クラスの仲間と上手《うま》くいかなくて悩《なや》んでいるようだったというんだよね。

そういえば、あの場でのお母さんの発言も、今さらのように意味深《しん》に思えてくる。

大樹は、妹に心配をかけるようなことは言わない。親のわたしたちにも、何も相談してくれなかったくらいだ。

心配。相談。上手くいってなかった。

い、いじめ。

いきなり勢いよく動いたので、お湯がざぶりとはねて顔にかかった。顎《あご》の先から雫《しずく》を落としながら、ユーリは目を見開いてお風呂場の壁《かべ》を見つめていた。

いじめ？　ありっこない。誰がお兄ちゃんを、森崎《もりさき》大樹をいじめるっていうんだ。

お兄ちゃんは――強かった。うん、そうだ。強いという表現がいちばんぴったりくる。何でもよくできて、カンペキだった。どんなに陰険《いんけん》で意地悪い同級生でも、森崎大樹に対しては、「いじめ」を始めるとっかかりの見つけようがなかったはずだ。

いじめという言葉と現象を、どうにかしてお兄ちゃんに結びつけなくてはならないとして、無理矢理そうするとしたならば、実際にはそんなことけっしてあり得ないけれど、いじめられるよりはいじめる側になるだろう。それくらい、森崎大樹は強かったのだ。存在が大きかった。

自分で自分の考えに、ユーリは呆《あき》れた。何でこんなことを思いつくんだろう。あたし、お湯にのぼせてるんだ。

湯船からあがり、シャワーをひねる。温度を下げて、冷シャワーにする。頭が冷える。

不安と疑問がふわりと舞《ま》い戻《もど》ってきた。

だけどそうなると、「クラスの仲間と上手くいってなかった」という言葉を、どう解釈《かいしゃく》すればいいんだろう。上手くいってなかったというのは、どういう意味になる？

現実問題として、お兄ちゃんは同級生を二人も傷つけているのだ。しかもナイフを用意して、首を刺《さ》した。急所だ。一人は命を落としてしまった。それは翻《ひるがえ》しようのない事実なのである。

ユーリはくちびるを噛《か》みしめた。もっと早く、このことに気がつくべきだった。しっかり向き合って考えるべきだった。あたしはなんて愚《おろ》かだったのだろう。

タオルで髪《かみ》を拭《ふ》きながらリビングに入ると、お母さんがキッチンでジューサーを使っていた。ユーリの大好きなバナナジュースをこしらえているのだ。

「お風呂上がりにちょうどいいでしょ」

大ぶりのグラスにたっぷり注いでくれた。お母さんのバナナジュースには、アイスクリームが加えてあって、濃《こ》くて美味《おい》しい。

お兄ちゃんも、これが大好きだった。ユーリはゆっくりと味わった。魔法《まほう》でおなかをいっぱいにするのは便利な技《わざ》だけれど、やっぱり本物の食べ物飲み物の方がいいに決まっている。

「ね、お母さん」

流しの前に立ったまま、自分の小さなグラスでジュースを飲んでいるお母さんに声をかけた。

「お兄ちゃんもバナナジュースが好きだよね」

お母さんの表情が揺《ゆ》れた。グラスを持つ手もかすかに震《ふる》える。

「そうねぇ」

「早くうちに帰ってくればいいのにね」

演技ではなく、本当にその想《おも》いがむらむらとこみ上げてきて、ユーリの声はかすれた。

「どこにいるのかな。お母さんのメキシカンピラフ、食べたいだろうなぁ」

お母さんは口を結び、グラスを流しの脇《わき》に置いた。蛇口《じゃぐち》のあたりに視線を落としている。ややあって、何か振《ふ》り切るみたいに顔を上げ、言った。

「今晩、メキシカンピラフをつくろうかな」

「いい匂《にお》いにつられて、お兄ちゃん帰ってくるかもしれないよ」

友理子《ゆりこ》、とお母さんが呼んだ。「あんた、毎日毎日お兄ちゃんのことを考えてる?」

どういう意図のある質問なのか読めなかったので、ユーリは質問で答えた。「お母さんは?」

「考えてるよ。毎日どころか、一日中、一時間ごとに考えてる」

本当は、十分ごとじゃないかな。

「あたしも」

お母さんはユーリの向かいに来て腰《こし》をおろした。

「いっぺん、あんたに訊《き》いてみたいと思ってたの。辛《つら》かったら答えなくていいからね」

「うん」

「友理子、お兄ちゃんのこと怒《おこ》ってる？」

今度は返事を控《ひか》える必要はなかった。「ある部分では怒ってる」

お母さんが目を瞠《みは》った。「どういう意味？」

「家出したまま帰ってこないってこと」

みんなに心配をかけて、悲しませている。

「怒ってるのは、そこだけ。あとは心配なだけだよ。毎日毎日心配してる」

お母さんは瞼《まぶた》を伏《ふ》せた。「大樹が、お友達にひどいことをしたって思わない？」

ユーリは飲みかけのバナナジュースを見つめた。「お兄ちゃんがどうしてあんなことをしたのか理由がわかんないから、思わない。お兄ちゃんは、フツーの喧嘩《けんか》だって、めったにしなかったよ。でしょ？」

お母さんは黙《だま》ってうなずいた。

「そのお兄ちゃんがあんな事件を起こしちゃったのは、よくよく思うところがあって、ほかにはどうしようもなかったからだよ。もちろん、ナイフなんか持ち出す前に、お父さんお母さんや先生に相談するとか、ほかにいろいろ方法はあったと思う。いつものお兄ちゃんなら、それがわかったはずだよ。けど今度のことでは、いつものお兄ちゃんではいられないくらい、よくよくの理由があったんじゃないかな。その事情がわからないと、あたしにはお兄ちゃんが悪いって言えない。やったことはいけないことだけど、あたしはまずお兄ちゃんの言い分を聞いてあげたい。家族だもん、そうしてもいいと思う」

気がつくと、お母さんが涙《なみだ》を流していた。

ユーリは胸を打たれた。今まで何度もお母さんが泣くのを見てきた。そして一緒《いっしょ》に泣いた。でもそれはすべて森崎友理子としての経験だった。今は違《ちが》う。友理子はユーリになった。ユーリとして初めて、可愛《かわい》い子供が人殺しの罪を犯《おか》したことを知り、その子の身を案じる母親を目の前にしているのだ。

不思議な感覚だった。思考は冷静だった。胸が張り裂《さ》けるような悲しみではなく、同情と哀《あわ》れみと、助けなければならない、助けられるのは自分だけだという――使命感？　それらがまぜこぜになって脈打つ、強靭《きょうじん》な心。それが、ユーリの内には確かに存在している。

あたしはもう、あたしじゃないんだ。

あたしは〝印を戴く者《オルキャスト》〟。まだ幼く未熟《みじゅく》ではあっても、黄衣《こうい》の王を狩《か》る追跡《ついせき》者なのだ。

お母さんの名前は何だっけ。森崎――美子《よしこ》だ。

悩める森崎美子よ。傷つき悲しむ、〝輪《サークル》〟の内に生きる小さき命の母親よ。わたしが必ず、あなたを救ってみせよう。

高揚感《こうようかん》に、ぶるりと震えた。

「泣かないで」と言った。「お母さんが泣いて泣いて身体《からだ》をこわしちゃったら、お兄ちゃんが心配するよ」

森崎美子が両手で顔を覆《おお》った。

「お兄ちゃんが傷つけた二人のこと、お母さん、よく知ってる?」

美子は頭《こうべ》を垂れたままかぶりを振った。

「お兄ちゃんの仲良しの子じゃなかったのかな」

今さらのように気がついたが、ユーリは彼《かれ》らの正確な名前を知らないのだ。周囲の大人たちが、ユーリには知らせないように計らってくれていた。またユーリも――友理子もそのころはそれでよかった。厳しい現実の情報から守ってもらっている方がよかった。

「よくわからないの」

手で顔を拭《ぬぐ》い、鼻をすすりながら、美子はユーリを見た。目が真っ赤だ。

「二人とも、二年生になって大樹と同じクラスになった生徒さんたちで……。だからお母さん、何も知らないのよ」

「水泳部員じゃないのかな」

「違うと思うよ。そういう話は聞いたことないからね。ただクラスメイトっていうだけで……」

忘れてしまったのではなく、本当に知らないようだった。

「そうだね。水泳部のヒトだったら、一年生のときから一緒のはずだもんね」

森崎大樹が通っていた公立希望《きぼう》ヶ丘《おか》中学校では、放課後の各種部活動への参加は、生徒の自由意思に任されている。だから、それぞれに様々な理由で部活に所属せず、授業が終わったらすぐ下校するという生徒たちもけっこういると、ユーリは大樹から聞いた。

——でも、チビ友理も中学生になったら、やっぱ部活はやった方がいいよ。いい友達ができる。

そんなふうにも言っていた。

——教室でただ机を並べてるだけじゃ、わからないことがたくさんあるからさ。

大樹が家で、部活動のことで文句や愚痴《ぐち》を言っていたことはない。少なくともユーリは知らない。

そもそも、学校で嫌《いや》なことがあったとしても、大樹は、チビの妹なんかに、そんなことを打ち明けたりしない。何か屈託《くったく》を抱えていたならば、かえってそれを押《お》し隠《かく》し、家族にはわからないようにふるまい、自力で解決しようとする。それが森崎大樹だ。そんな彼を好いて、味方してくれる友達もいたはずだ。人気者だったのだから。

だから、もしも誰《だれ》かが、大樹の何かが気にくわなくて、いじめようとした場合、それはかなり難しい試みになるはずだ。森崎大樹は与《くみ》しやすい相手ではない。ちょっとやそっとのことでは打ちのめされない。

では翻って、どんな事柄《ことがら》ならば彼を追い詰《つ》め得たか？

そこがキーポイントになるんじゃないか。森崎大樹が、自分自身を見失ってしまうほど恐《おそ》れたり、怒《いか》り狂《くる》ったり、悲しんだり、恥《は》じ入ったりする事柄。それほどの破壊《はかい》力《りょく》のある何か。

ただの悪感情や意地悪じゃない。羨望《せんぼう》から転じた嫉妬《しっと》？　大樹は優等生だから慣れているはずだ。ちょっとした工夫《くふう》で受け流すことができる。そんな程度のものじゃないんだ。何だ？　何なんだ。

素早《すばや》く考えを巡《めぐ》らせながら、グラスに残ったジュースを飲み干した。グラスの縁《ふち》が前歯にカチリとあたって、ユーリはふと我に返った。

あたし、心のなかであれ、お母さんのこと「美子」って呼んで、お兄ちゃんのこと「大樹」って呼んで、それでお父さんは――

森崎志郎《しろう》だ。志郎と美子の森崎夫妻。

大樹が、学校で抱《かか》えていた問題や鬱屈《うっくつ》を森崎夫妻に打ち明けていたという可能性は、ゼロに等しいと見切っていいだろう。夫妻が何かしら聞いていたのなら、事態の展開はもうちょっと違っていたはずだ。

ああ、またこんなふうに考えて。ユーリは空になったグラスをどんとテーブルに置くと、勢いよく立ち上がった。

「おいしかった。あたし、少しお部屋で勉強するね」

あんまり根を詰めないのよと、美子は言った。思い詰めないのよと言いたかったのかもしれない。

ユーリは逃《に》げるように自室に駆《か》け込《こ》んだ。ドアを閉め、鍵《かぎ》をかける。分身《ダブル》が守護の法衣から顔を覗《のぞ》かせ、小首をかしげた。

「ユーリ、大丈夫《だいじょうぶ》ですか」

「大丈夫じゃない」ユーリは震えていた。「あたし、おかしいみたい」

家族のこと、他人みたいに冷静に突《つ》っ放して考えるようになり始めてる。

「ちっともおかしかないよ」

机の上でピンク色の鼻の頭をぴくぴくさせながら、アジュが優《やさ》しい声で言った。

「これから先は、物事を冷静に見て判断しないと、道を誤る。だから、それでいいんだよ」

「だんだん慣れてきますよ」と、分身も優しく言う。「大丈夫、ユーリの友理子である部分は、ちゃんと保存されています。そしてわたしが大切に守っています。いつかユーリの役割が終わったとき、きちんとお返しするために」

ユーリは分身の手を握《にぎ》りしめた。「あんた、あたしがいないあいだにお母さんが泣いてたら、慰《なぐさ》めてあげてね」

「はい、必ず。安心してください」

分身はユーリに席を譲《ゆず》り、守護の法衣を脱《ぬ》いで着せかけてくれた。ユーリの目に、ドアの脇で気をつけをしているソラの姿が見えた。

「なるほど、こういうことね」自分自身に向かって、ひとつうなずいた。「こっちの現象にも、だんだんと慣れないとね」

アジュがユーリの肩《かた》の上に駆けのぼってきた。

「で、これからどうする？」

「被害者《ひがい》の二人のこと、調べなきゃ。事件が起こったときの様子も」

「そんなら、学校へ行くかい？」

ユーリはかぶりを振った。

「いきなり学校へ行っても、先生たちって口が固いから、実《み》のあることは聞き出せないと思うの。それより警察の方が早いと思う」

アジュがチュチュとネズミの声をたてて笑った。「ユーリはどんな姿で行くつもりだい？　ヒロキの妹として行ったって駄目《だめ》だよ」

もちろん、わかっている。「だからアジュ、何か良い手を思いつかない？」

「魔法を使って、警察の連中が話してくれやすい人間に化けるのがいいだろうね」

となると、やっぱり記者とかレポーターか。いや、駄目だ。そういう職業の人たちは、森崎大樹の引き起こした大事件のことを、今もまだ取材しているかもしれない。ユーリが彼ら彼女《かのじょ》らの誰かに化けて警察にいるところに、本物が来て鉢合《はちあ》わせ、なんてことになるのはご免《めん》だ。

「記者の人たちほど素早く動くことはなくて、でも警察や学校を取材する可能性のある人たち」

「難しい注文だぜ」アジュは呟《つぶや》いた。「ちょっと検索《けんさく》してみるか」

ハツカネズミのアジュの小さな赤い瞳《ひとみ》が、明けの明星《みょうじょう》のように輝《かがや》き始めた。ユーリの肩の上で、小さな足をせわしなく踏《ふ》み換《か》える。と、その動きが止まった。

「図書室の本たち、なんて言ってる？」

「ちょい待ち。今、賢者《けんじゃ》に訊いてもらってる」

こいつは「赤ん坊《ぼう》」たちの領分だから、という。

「赤ん坊って？」

「ユーリが生きてる今の時代に書かれた本のことだよ」

水内《みのち》一郎の図書室に集められている書籍《しょせき》たちは、軒並《のきな》み、人に喩《たと》えるなら千二百歳《さい》、千八百歳、二千五百歳などという高齢《こうれい》者だ。もちろん、本という物体としてはもっと新しいが、それは写しを重ねているからで、内容は超《ちょう》高齢なのである。

現代の書籍は、それに比べたら赤ちゃんだ。胎児《たいじ》といってもいいくらいだ。そしてあの別荘《べっそう》には、そういう赤ん坊たちもちゃんと保管されているのだという。

「ミノチだって、気晴らしの読書が必要なときもあったし、今の世の中の動きにまったく関心がなかったわけでもないからね」

「でも、あたしが図書室にいたとき、赤ん坊たちの声は聞こえなかったわ」

「そりゃそうさ。赤ん坊たちは別の部屋の書架《しょか》に集められてた。だいいち、赤ん坊はまだしゃべれないもの。光ることだってできないんだよ」

アジュの赤い目がまた輝き始めた。「お、お」と声をあげて、少し経《た》つと、「わかったよ、ありがとう」と、遠い図書室の賢者に向けて言った。

「うってつけの赤ん坊がいた」

五年ほど前に世に出た本だという。ある地方都市の公立中学校で、今回森崎大樹《き》が起こしたのと似たような事件が起きた。三年生の男子生徒が同級生にナイフで斬りつけ、重傷を負わせたのだ。ただ、この生徒はその場で先生に取り押さえられ、警察の捜査《そうさ》で、被害者の生徒に、進学や成績に関してバカにされたことを恨《うら》みに思って斬りつけた——という動機と経緯《けいい》が判明している。

「この事件を取材して、本を書いた作家がいるんだ」

伊藤品子《いとうしなこ》という女性作家だという。

「よく似た事件だから、今度も取材に来てるかもしれない。けど、それは事前に電話で探《さぐ》りを入れればわかるだろ？　大丈夫そうだったら、この作家に化けようよ」

ずっと、置物みたいに静かにしていたソラが、遠慮《えんりょ》がちに口を開いた。「サッカ——ですか」

「うん。物を書く人よ」

「作者のプロフィールには、ノンフィクション作家と書いてあるってさ」と、アジュが補足する。

にわかに、ソラが怯《おび》えたふうになった。

「物を書く。書物を書くということですね？」

それは〝紡《つむ》ぐ者〟でございます。

聞いた覚えがある。咎《とが》の大輪《たいりん》に関連した話のなかで、大僧正《だいそうじょう》が言っていたじゃないか。あるいは、最初に会った無名僧とのやりとりのなかに出てきたか。

「そうよね。〝紡ぐ者〟は作家のこと」

ソラがおそるおそるうなずいた。

「物語を紡ぐ者という意味なのね、きっと」

〝無名の地〟では、それも咎人の別称《べっしょう》だと言ってはいなかったか。

「でも、この場合は違うと思うな。ノンフィクション作家というのはね、ソラ。現実に起こったことを素材にして本や記事を書く人たちなの。想像して書くわけじゃないのよ。だから、物語作家ではないの」

ソラの顔からは怯えの色が消えない。ゆっくりと、今のユーリの言葉を拭い消すよ

うに左右に首を振《ふ》りながら、

「綴《つづ》られしものは、すべて物語なのでございます、ユーリ様」

「だって事実を――」

言いかけて、ユーリは口をつぐんだ。大僧正は言っていたじゃないか。歴史も物語だと。歴史だって実際に起こったことの記録なのに、でも物語なのだと。

「正確を期して補足するとだな」アジュが割り込んだ。「物語は、綴られしものばかりじゃないよ。語られしものも、同じく物語なんだ。まだ紙みたいな記録媒体《ばいたい》が発明される以前の時代には、人間はみんな、記録もお話も歴史も、すべて口から口へと言い伝えていたんだからね」

「でもそういうものも、紙が発明されて以降は、書物や巻物の形になったわけでしょ？　語り伝えてきて、覚えている人がいれば、それを記録すればいいんだもの」

人間は、石に刻まれていた碑文《ひぶん》だって、書籍に記し直して保存してきたのだ。

「そうだけど、全部写し替《か》えることができたわけじゃない」

アジュの鼻がひくひくする。話の内容とはまったく関係なしに、とても可愛《かわい》い仕草だ。

「語り伝えの形のまま、文字や文章にはならなかった物語もあるんだよ。そういうもののことを、〝ハナレモノ〟って呼ぶんだ」

ユーリは小首をかしげた。「記録されなかったら、いつかは消えてしまうでしょう。なにしろ大昔のことなんだから」

アジュは冷たい鼻先をユーリの頰《ほお》にくっつけた。「そんなことはないさ。一度語られた物語は、けっして〝輪《サークル》〟のなかから消え失《う》せたりしない。人にはわからないだけで、〝輪〟のなかに存在してるんだよ」

文字にならず、映像にも変わらず、記憶《きおく》にも残らず、しかし〝輪〟には在る。

「だから〝ハナレモノ〟さ。すべての事象から離《はな》れて、空《くう》に漂《ただよ》ってる」

もちろん〝ハナレモノ〟も物語だから、いつかは咎の大輪に巻き取られ、万書殿《ばんしょでん》に回収される。そして再び咎の大輪を通って〝輪〟のなかに送り出されるわけだが、

「二度、三度と〝輪〟のなかに出ていっても、やっぱり〝ハナレモノ〟になってしまう種類の物語があるんだよ。もう記録媒体がちゃんと存在している時代に出て行ったのに、それでも漂っちゃう」

文字にしにくい、あるいは文章にしにくい物語が、〝ハナレモノ〟として循環《じゅんかん》を繰《く》り返してしまうというのだ。

興味深い——と思いつつも、ユーリはアジュの小さな頭を指先で押さえた。

「わかったわ。けど、話が逸《そ》れてない？　さっさと魔法《まほう》を使って、警察署へ行かなくちゃ」

「おっと、ごめんごめん」

アジュが呪文《じゅもん》を唱え、ユーリがその後について復唱しているあいだ、ソラは依然《いぜん》として硬《かた》い表情のまま、それでなくても血色の悪い頬を翳《かげ》らせて、黒衣の内で身を縮めていた。何がそんなに怖《こわ》いのか。怖いなら怖いで、なぜなのか理由を説明してくれればいいのに。そしたら、何とかしてあげられるのに。何だか歯がゆいし、頼《たよ》りないなあ。

呪文の終わりに、まばゆい光がユーリの足元から頭上へと立ち上った。

「はい、一丁あがり」

ユーリは両手を広げてみた。守護の法衣を身につけた、我《わ》が身が見えるだけである。

「失敗じゃないの？」

「失礼な。鏡を見てご覧よ」

ユーリはクロゼットのドアを開き、内側《うちがわ》に取り付けられている一枚鏡の前に立った。

そこには、三十代半ばくらいの、髪《かみ》の長い女性が映っていた。初夏にぴったりの薄《うす》青色《あおいろ》のジャケットに白いパンツ。アクセサリーはつけていない。髪はうなじできっちりひとつにまとめてある。

「まわりの人間たちの目には、そう見える」

ユーリは両手を腰《こし》にあてた。「凄《すご》いわね」

この「化身《けしん》の魔法」には、切り替えスイッチのような働きをする「鍵《かぎ》」の言葉があり、それを唱えると、ユーリの好きなように化身を解いたり戻《もど》したりすることができるのも便利だった。化身を解けば、守護の法衣を身につけたユーリは透明《とうめい》人間になる。化身した姿でも入り込みにくい場所に入りたいときや、誰《だれ》にも見られたくないときには都合がいい。

ユーリはさっそく鍵言葉を使い、森崎美子に気づかれずに家を出た。マンションの共用廊下《ろうか》の物陰《ものかげ》で「伊藤品子」に化身すると、近くの公立図書館へ足を向けた。まずは下調べだ。

靴音《くつおと》をたてて道を歩きながら、ユーリは自分が肩から大きなショルダーバッグを提《さ》げていることに気づいて、驚《おどろ》いた。かなり重たい。信号待ちのときに中身を確かめてみると、取材帳やICレコーダー、筆記用具一式、名刺《めいし》入れ、財布《さいふ》に携帯《けいたい》電話——何でも揃《そろ》っている。

「これも化身の一部？」

「手ぶらじゃおかしいだろうからさ」法衣の胸ポケットでアジュが言った。「本物の複写《コピー》だから、伊藤品子さん本人が見たって、自分の持ち物に間違《まちが》いないと思うだろうよ」

携帯電話は、ちゃんと使えるようだった。

「あたしがこれを使うと、使用料は伊藤さんにかかるのよね」

「どうかなぁ。魔法で作られた複写は虚体《ゴースト》だから、料金の心配はしなくていいと思うけどね」

それでも、濫用《らんよう》は慎《つつし》んでおこう。悪いもの。

この図書館は、森崎友理子にとってもお馴染《なじ》みの場所である。よく佳奈《かな》ちゃんと本を借りに来たし、閲覧《えつらん》室で一緒《いっしょ》に宿題をやったこともある。

受付カウンターの前を通り過ぎるとき、歩き方がおかしくなってしまいそうなほど緊張《きんちょう》した。が、受付にいる図書館の職員は、ユーリの方に目を向けようともしなかった。

いつもはこんなことはない。利用者の子供たちが図書館に入ってきてカウンターの前を通ると、職員の人たちは、必ず「こんにちは」と声をかける。挨拶《あいさつ》しない子供もいるけれど、友理子と佳奈ちゃんは「こんにちは」と返すようにしていた。

今のあたしは大人の姿をしているから、ただそこにいるというだけでは、職員の人たちの注意を引くことはないのだ。

ちょっと大胆《だいたん》になって、ユーリはカウンターに近づき、新聞綴《つづ》りの保管場所を尋《たず》ねた。女性職員が丁寧《ていねい》に教えてくれた。

平日の昼間のことで、利用者はまばらだった。閲覧室にも数えるほどしか人がいない。新聞綴りを持ち込んで、腰を据《す》えて読んだ。

被害者も加害者も中学生だからだろう。図書館で保管されている一般紙はどれも報道が控《ひか》えめで、事実関係については、警察の発表をほとんどそのまま載《の》せているだけだった。ただ、学校に対しては厳しく取材し、かなり突《つ》っ込《こ》んだ記事を書いている新聞もある。

森崎大樹が通い、やがては森崎友理子も通うことになっていた、公立希望ヶ丘中学校。

今回の事件の動機に、いじめの存在は考えられないのか。再三再四の追及《ついきゅう》を、学校側はひたすら否定している。学年主任や担任教諭《きょうゆ》から、いじめがあったという報告は受けていない。A君（森崎君）や保護者からその件で相談を受けた事実はない。

学校側は防戦一方だが、「いじめはなかった」という回答の根拠《こんきょ》を示すことはできずにいる。ただ、「我々は関知していなかったから」というだけだ。だから、取材攻《こう》勢《せい》に押《お》されて次第《しだい》にじりじり後退している。

大人に化身している今なら、ユーリにもわかる。学校側がこの有様では、ほかに考えようはない。いじめはあったのだ。

だけど、森崎友理子にはわからなかった。友理子が知っていたのは「森崎大樹」ではなく、「お兄ちゃん」だったから。優等生でスポーツ万能の、友理子の自慢《じまん》のお兄ちゃんだったから。

細かい活字が目に刺《さ》さるようで、ユーリは両手で目元を押さえた。掌《てのひら》が頰に触《ふ》れると、乾《かわ》いた感触がした。この頰はあたしの頰じゃなく、三十歳を超《こ》えた大人の女性の頰だ。

化身すると、化身の対象となった存在の智恵《ちえ》や経験を借り受けることができる。でも、心の芯《しん》はユーリのままだ。友理子ではなく〝印を戴く者《オルキャスト》〟のユーリだから、泣き虫の甘《あま》えん坊の少女ではないにしろ、その心はまだ柔《やわ》らかい。

活字が刺さってちくちくと痛むのは、目ではなく心の方だろう。

森崎大樹の学校生活は、妹の友理子が手放しで憧《あこが》れたほどに、光溢《あふ》れるものではなかったのだ。

大樹が黄衣の王に魅入《みい》られた理由も、間違いなくそこにあるのだ。今までユーリは、大樹の側には、せいぜい好奇心程度の誘因しかなかったのに、たまたま運悪く〝英雄《えいゆう》〟という巨大《きょだい》な力に遭遇《そうぐう》してしまったのだと思っていた。いや、思い込もうとしていた。が、それは違うのだ。

〝器《うつわ》〟の側にも〝英雄〟を、黄衣の王を引き寄せる因子がある。森崎大樹は何を望み、何を願い、黄衣の王を召喚《しょうかん》してしまったのか。

「ユーリ、大丈夫《だいじょうぶ》かい？」

アジュが胸元《むなもと》で囁《ささや》いている。ユーリは掌でそっとアジュの小さな身体《からだ》を包み込んだ。

「大丈夫。ところでソラは？」

振り返ると、閲覧室の出入口に立っているソラが見えた。ユーリの方に背中を向け、何かに耳を傾《かたむ》けるような格好だ。くるくると四方に首を巡《めぐ》らせて、忙《いそが》しそうだ。

そうか？　そりゃそうだ。ここにも本がいっぱいあるんだから。

「アジュ、ここの本たちは——」

アジュがフンと小さな鼻から息を吐《は》いた。「さっきからうるさくてしょうがないんだ。ユーリ、ちょっと相手してやってくれる？」

ユーリは急いで新聞綴りを片付けると、人目のない書架《しょか》の裏側に隠《かく》れて、化身の呪文を解いた。

と、四方八方から声が押し寄せてきた。

「〝印を戴く者〟様、オルキャスト様!」

ユーリは声の奔流《ほんりゅう》を押し返すように声をあげた。

「挨拶が遅《おく》れてごめんなさい。あたしの名前はユーリです」

「ユーリ様」他を圧して凛《りん》と響《ひび》いてきたのは、落ち着きのある女性の声だった。

「ようこそおいでくださいました。皆《みな》が騒《さわ》いでおりますのをお許しくださいませ。この図書館には、オルキャスト様はおろか、〝無名の地〟の存在を知っている人間が足を踏《ふ》み入れることさえも、初めてなのです。皆、興奮してしまいまして」

「あなたたち、事情はご存じですか」

「はい、存じております。わたしたち書物は皆、〝無名の地〟と通じておりますから」

破獄《はごく》でございますねと、女性の声が言った。

ユーリはひとつ、うなずいた。

「最後の器になった少年は、わたしの兄です。森崎大樹という男の子です。皆さん、何か知っていることがあったら教えてくださいませんか」

大樹もここの図書館の利用者だった。本たちは彼《かれ》の顔を見知っているかもしれない。

「ユーリ様、申し訳ございません」

女性の声がかすかに震《ふる》えた。

「この場所におりますわたしの同胞《はらから》たちは、九割以上が赤ん坊《ぼう》と子供です。〃英雄〃の先《さき》の破獄のことは存じません。かくいうわたし自身も、過去のことは、知識として存じているだけなのです」

町の図書館の本たちだ。現代の新しい本が大半を占《し》めているのである。

「〃エルムの書〃をお持ちだったユーリ様のお兄様には、わたしどもなど必要ではございません。ですから少なくとも、〃エルムの書〃を手にしてからは、お兄様はここへ足を踏み入れることはなかったと思います。またそれまでは、お兄様も、わたしたち書物を愛してくれる多くのお子さんたちのお一人に混じり、とりたてて目立つこともなかったと存じます」

確かにそうだろう。筋が通っている。

「そうよね。ごめんなさい、わたしったらよく考えなくて」

「いえ、でもユーリ様。ひとつだけお耳に入れたいことがございます」

今から二ヵ月ほど前のことだという。

「わたしども皆が、この町に〃エルムの書〃があることを感じ取りました」

それはもしかすると、大樹が、水内一郎の別荘《べっそう》から『エルムの書』を持ち出し、こっそり家に持ち込んだときではないのか。

「はい、左様に思います。わたしども書物には、どれほど若く幼くとも、危険な写本の気配を感じ取る力は備わっておりますから」

『エルムの書』は確かに近くにあったが、図書館のなかに入り込んでくる気配はなかった。それでもここの本たちは、恐《おそ》ろしさに息を潜《ひそ》める日々だったという。

「そんななかで、わたしたちの同胞の一冊が焼け失《う》せるという事件が起こりました」

「一冊だけ？ 火事かしら」

いいえ——と、女性の声は低く即答《そくとう》した。

「あれは魔導の炎《ほのお》でございました」

ぎっちりと本たちが居並んでいる書架のなかで、ある一冊だけが、真夜中に火を放ち、あっという間に原形をとどめないほどの黒焦《こ》げになってしまったのだそうだ。翌朝、それに気づいた職員が書架から引き出そうとすると、その本は脆《もろ》く砕《くだ》けて、真っ黒な炭の粉の山と化してしまった。

「うん、それは確かに魔法だな」と、アジュが言う。「普《ふ》通《つう》の火事じゃあり得ないことだ」

「ユーリ様」

いつもいるんだかいないんだかわからないほど静かなソラが、そっと呼びかけてきた。

「私《わたくし》は先ほど、その本が置かれていた場所を見ました。今も魔導の匂《にお》いが残っております」

ソラに教えてもらって、ユーリはそこへ行った。「生活・暮らしの知識」という書架だ。

ぱっと見た限りでは、異変には気づかない。が、近づいてよく検分すると、燃え失せた本が置かれていたという棚《たな》の一部が溶《と》けて歪《ゆが》んでいる。黒っぽい染《し》みは煤《すす》の痕《あと》だろう。

ユーリは人差し指でその部分をこすってみた。

ざらついた感触《かんしょく》だ。

「どれどれ」

アジュがユーリの肩《かた》に這《は》い登り、そこからぴょんと書架の上に飛び乗った。

と、出し抜《ぬ》けに周囲の本たちが叫《さけ》び始めた。魂消《たまげ》るような恐怖《きょうふ》の悲鳴の合唱だ。ユーリは思わず立ちすくみ、ちょうど質問を放とうとしていたところだったから、自分で自分の舌を噛《か》んでしまいそうになった。

「な、何事？　どうしたの？」

図書館の本たちは、あの女性の声の本でさえもただ泣き叫ぶだけだ。耳が壊《こわ》れる！

ユーリは両手で耳をふさいだ。

ソラが素早《すばや》く進み出ると、アジュをわしづかみにして己《おのれ》の懐《ふところ》へと突っ込んだ。彼の目も驚きでまん丸になっている。

悲鳴のうねりが下がって、先細りになり、やがて止《や》んだ。子供が怯《おび》えてすすり泣くような声だけが、まだほんのかすかに残っている。

「い、今の、何？」

ユーリは目を瞠《みは》ったまま、誰にともなく問いかけた。それから、鞭《むち》のように鋭《するど》くソラを振《ふ》り返った。「ソラ、あなた今、何をしたの？」

ソラがひるんで後ずさった。が、懐に隠したアジュのことは、ぎゅっと掌で握《にぎ》ったままだ。

「そんなに強く握ったら、アジュが潰《つぶ》れちゃう！　早く出してあげて。出しなさい！」

「いいんだよ、ユーリ。オレはだいじょぶ」

黒衣の下から、アジュのくぐもった声が聞こえてきた。「ごめんよ、ごめん。みんなを怖《こわ》がらせた。オレ、うっかりしてた。ごめん」

ソラがようやく掌を緩《ゆる》めると、アジュがもぞもぞと動いて、彼の懐から顔を覗《のぞ》かせた。

「どういうこと？」

先ほどまでの凜々《りり》しさを失い、ひどく乱れて割れた女性の声が、ユーリの耳に響いてきた。

「ユーリ様。その者は、黄衣の王に触《ふ》れておりますね。〝黄《き》の印〟があります！黄衣の王の気にさらされていた者でございましょう！」

それが本たちを恐怖させるのだ、という。

「そうなんだ。ホントにごめんよ」

アジュの、ユーリの爪《つめ》の先ほどもない小さな耳から血の気が失せている。

「だから気をつけなくちゃいけないのに、オレ、すっかり忘れてた。守護の法衣や、ソラの黒衣のなかに隠れていれば平気なんだけどね」

さっき、アジュは書架に飛び移った。書架に直接触《さわ》った。それがまずかったというのだ。

「だけど、別荘の本たちは何ともなかったじゃないの」

「あいつらは強者揃《つわものぞろ》いだもの。そうだな、喩《たと》えるなら仙人《せんにん》とか魔法使《まほうつか》いとかの集団だ。けど、ここの本たちは、いわば普通の人間だ。〝黄の印〟がついたオレの放つ悪気に耐えられないんだ」

わからない。だいたい、〝黄の印〟って何よ？

ソラがユーリの法衣の袖《そで》に軽く触れた。「あとでお話し申し上げます。どうぞ今はお許しください。これは私の失策でございます。アジュ殿《どの》ばかりが悪いのではございません」

彼のすがるようなまなざしが、ユーリをしゃんとさせた。動揺《どうよう》を呑《の》み込んで、顔を上げた。

「みんな、もう大丈夫？」

「はい。お見苦しいところをお見せしました。お詫《わ》びいたします」

女性の声は、しかしまだ息をはずませている。

「ね、この焼けた本は何ていう本だった？　題名を教えてもらえないかしら」

この図書館では、一般的な分類だけでなく、この書架のように、利用者が目当ての本を見つけやすいように、用途《ようと》別の分類もしている。ハウツー本やガイドブックの場合が多い。

「暮らしの知識という分類なんだから、何かその手のものだと思うの」

同じ書架には、『知っておきたい救急手当て』『お酢《す》を使って毎日健康』などのタイトルが並んでいる。

「ユーリ様、ここの本たちの大半には、名前がございません」

「何で？　タイトルがあるでしょ？」

「わたしたちの多くは、互《たが》いのタイトルを存じません。それには意味がございません。また、その本のタイトルと、その本の〝名前〟とは、根本的に異なるものなのです」

言外に、（ご存じないのですか）と訝《いぶか》る調子がある。反問したくなるのを、ユーリは我慢した。

「そう。じゃ、調べてみる」

前後の本の分類番号をチェックして、その間の、抜けているのが焼けた本の番号だ。図書館コンピュータで検索《けんさく》してみればいい。通路を横切って、コンピュータの並んでいるブースへ向かった。

抜けている本は、すぐにわかった。

『意外に危険？　こうすればもっと便利！　家庭用洗剤《せんざい》の正しい使い方』

内容もタイトルどおりだろう。誤解のしようがない。書架《しょか》の分類ともしっくりくる。

「なんでこんな本が、わざわざ魔法の力で焼かれなくちゃならなかったのかしら」

「わたしたちにもわかりません」女性の口調が、申し訳なさそうに沈《しず》んだ。「ただ、その本が『エルムの書』の力で焼かれたことに間違《まちが》いはございません。わたしははっきりと感じました」

ということは、森崎大樹が焼いたのか。あるいは、彼を使って黄衣の王が——

「ヒロキがやったんだよ」ソラの懐で、アジュが小さく言った。「試《ため》してみたんじゃないかな、魔法をさ」

『エルムの書』によって得た魔導の力をテストしてみたということか。だけど、ならばなおさら不思議だ。なぜ、よりにもよって『家庭用洗剤の正しい使い方』なのだろう。

「テストだけなら、家の本でやってみてもよかったでしょうにね」

独り言を呟《つぶや》きながら、この本についてもっと詳《くわ》しい情報を得られないかと、ユーリは端末《たんまつ》のキーをパチパチ叩《たた》いた。画面も動かしてみる。

ソラがまた、ユーリの袖に触った。なぁに、と目をやると、彼は目顔で隣《となり》のブースを示した。

年配の男の人が、ブースの席に座《すわ》ろうとして中腰になったまま、目を剝《む》いてこちらを見ている。そうか！　ユーリは透明《とうめい》人間だ。この人の目には、キーがひとりでにパチパチ動き、画面がスクロールしているように見えるのだ！

ユーリはゆっくりと後ずさりしてブースから離《はな》れた。年配の男の人は、画面とキーの動きが停《と》まったコンピュータを、気味悪そうに見つめている。やがておっかなびっくり近づき、指先でぽんとキーに触って、首をひねった。

「危ない、危ない。あたしもうっかりしてた」

「意外とね、忘れちゃうんだよね」と、アジュがやっと調子を取り戻《もど》して軽く笑った。

また手近な書架の陰《かげ》に隠《かく》れて、ユーリは腕組《うでぐ》みをした。「いずれにしろ、ここでは何もわからないね」

「お役に立てず、心苦しい限りです」と、女性の声がまた歎《なげ》く。

いいのよ、気にしないでとユーリは笑った。

「あたしもまだまだ、ゼンゼン未熟なんだもの」

「ユーリ様、学校の図書室にはおいでになりましたか？」

希望ヶ丘中学の図書室だ。「ううん、まだ」

「そこならば、ユーリ様がお探しの事柄《ことがら》を存じている本がおるやもしれません。やはり名前のない赤ん坊と子供らが大半ですから、多くは期待できませんけれども、学校の本たちならば、ユーリ様の兄上様のことだけではなく、まわりの事どもも見知っておるやもしれませんよ」

「そうね。行ってみるわ。ありがとう！」

ユーリは立ち上がり、図書館を出ることにした。ロビーの先に公衆電話があったので、そこから地元警察署に電話をした。希望ヶ丘中学校の同級生殺傷事件の件で取材を希望する者だと伝えると、何度か電話が回された上で、とりあえず受付に来てみてくださいという返答があった。

ユーリは「伊藤品子」と名乗った。特に反応はなかった。「また、あんたか？　先週来たばかりじゃないか」なんていうケースを想定する必要はなさそうだ。よし、このまま化身《けしん》を通すことにしよう。

こういうことがテキパキできるのも、化身の力だろう。便利だけど、調子に乗っていると、本当の自分がどこにいるのかわからなくなりそうで、ユーリの心はけっして平らかではなかった。

「移動の魔法を使おう。オレが呪文《じゅもん》を唱えてあげるよ」

図書館前の歩道の植え込《こ》みのところで、アジュがソラの懐から出ると、ユーリの肩の上に移ってきた。「いいかい」

「よくない。先に説明しなさい。大半の本たちには〈名前がない〉って、どういうこと？」

ユーリの怖い声に、アジュはあさっての方向を見て鼻をぴくぴく動かしている。

「あのねユーリ。物語というものには、そんなに多くの種類はないんだ。十種類しかないんだよ。だけど、物語を内包した書籍《しょせき》は、もっともっともの凄《すご》い数、〝輪《サークル》〟のなかに出回ってるだろ？　でも、元をたどれば、どんな本もその十種類の物語のなかに収束しちゃうんだ。それを原型と呼ぶ」

人間は、ひとつひとつの書籍に題名をつける。分類するために便利だからだし、人間にとっては、題名をつけることも「物語を表現する行為《こうい》」の一部だったりするからだ。

しかし、本来の「物語」――十種類の「原型」が冠《かん》する題名と、個々の書籍が持つ題名とは、まったく関係がない。

「だから、番号で用が足りるのさ」

世に出て、最初に置かれた場所で付けられた番号さえあれば、個々の書籍たちに不便はない。

「本には、自分で名乗らなくちゃならないときなんかないからね。人間の手で番号をつけられることがなければ、番号さえないままに〝輪〟にいたって、何の困ったこともない」

〝輪〟に在る――人間の手で書かれ、まとめられ、印刷され製本されて生み出された多くの本たちの九九・九パーセントまでは、短命の存在である。永く〝輪〟にいることはない。すぐ〝咎《とが》の大輪《たいりん》〟に巻き取られ、また〝輪〟のなかに送り出されて、誰《だれ》かの頭に、心に宿り、別の本になる。今度も九九・九パーセントの確率で、短命の本に。

これは書籍に限らない。物語を綴《つづ》るありとあらゆる媒体《ばいたい》の「作品」に、同じことが言える。

ひやりと、ユーリの心に不穏《ふおん》な考えが湧《わ》いた。九九・九パーセントは、二つとない「固有の名前」には値《あたい》せず、あってもなくても変わりのないもの。すぐに代わりが出現するもの。

それは、人間も同じじゃないのか。

嫌《いや》な考えだ。だいいち間違っている。人間の存在は一人一人が貴重なものだ。自分の考えを振り払《はら》うために、ユーリはことさら大きく、わざとらしく「えへん」と声を出した。

「じゃ、アジュという名前を持つあんたは、そういう本たちより偉《えら》いのね？」

咎の大輪に巻き取られず、永く〝輪〟に在る必要を認められた。だから名前も持っている。

「まぁ、旧《ふる》いことは確かだね」と、アジュは威張《いば》った。ハツカネズミのくせに、上手にふんぞり返るものだ。髭《ひげ》をピンピンさせちゃって。

「なのに、うっかりしてることもある、と」

〝黄の印〟って何？　ユーリはさらに声に凄みをきかせた。そちらの説明こそ聞きたいのだ。

アジュは小さな足を踏《ふ》み換《か》えて、ユーリの肩《かた》の上でもじもじした。

「それを正直に話したら――」

「話したら？」

「ユーリ、オレを嫌《きら》いになる」

しゅんと萎《しお》れて、鼻先を守護の法衣にくっつけている。そして髭を震《ふる》わせながら一気に言った。

「だってそれは、オレがゼンゼン無力だったという話だから。オレがヒロキを助けられなかった、ヒロキを止められなかったという話だから。オレは『エルムの書』にかなわなかった。挑戦《ちょうせん》してみて、負けたんじゃない。あの書の魔力に、最初から太刀打《たちう》ちできなかったんだ」

すぐには返す言葉が見つからず、突《つ》っ立ったままのユーリに、ソラが静かに歩み寄った。

「『エルムの書』は、黄衣の王の邪悪《じゃあく》なる強大な力の一端を書き記した写本でございます」

「……うん、知ってる」

「その力の前で、アジュ殿は、兄上様の心に働きかけることができなくなりました。アジュ殿が本来持っている書の力を、『エルムの書』によって抑《おさ》えつけられてしまったのです」

ユーリはアジュを優《やさ》しくつまみあげて、胸元《むなもと》のポケットに入れた。

「でもアジュは、できる限り努力してくれたんでしょ？」

「ほんの始めのうちだけさ。すぐ、何もできなくなっちゃったから」

ガラスの箱に入れられたような感じだったという。周囲で起きていることは見えるけれど、音は断《た》たれている。こちらの声は届かず、どれだけジタバタしても、アジュは森崎大樹に近づくことができなくなってしまった。

「……思い出しても情けないよ」

ごめんよごめんよごめんよ。アジュがごにょごにょ謝《あやま》ると、胸元がくすぐったい。

ユーリは思わず笑ってしまった。

「アジュ、可愛《かわい》いね」

ユーリの笑顔《えがお》にほっとしたのか、ソラの表情が緩《ゆる》んだ。「そのようにして、書籍が、黄衣の王の力により本来の能力を抑えつけられてしまうことを、〝黄の印〟を付けられる、と申します」

その印の効力は永く続き、他の無垢《むく》な本どもを怯《おび》え恐れ狂乱《きょうらん》させる。

「それは、ひとつには、印に黄衣の王の力の片鱗《へんりん》が残っているからでございますが、もうひとつには、〝黄の印〟を通って、黄衣の王がその書籍に影響《えいきょう》を及《およ》ぼし、変えてしまうことができると信じられているからでもございます」

これにはユーリも驚《おどろ》いた。「そしたらアジュも？　アジュも影響されちゃうの？」

アジュはあわてて首を出した。「オレは平気。たぶん何ともない。たぶんじゃなくて、絶対になんでもない！」

オレは写本になったりしない。もしも覗《のぞ》き込むことができるなら、アジュがハツカネズミの小さな歯を食いしばっているのが見えそうだった。

「賢者《けんじゃ》もそう言ってた。保証してくれた。ユーリたちが〝無名の地〟に行ってる間に、いろいろ話してさ。そしたら、アジュは大丈夫《だいじょうぶ》だって」

ユーリは納得《なっとく》することにした。賢者の言うことなら間違いあるまいし、ここであれこれ心配したって時間を食うだけだ。

「わかったわかった。それに、もしもアジュが〝黄の印〟のせいで変わってしまうとしても、逆にそれが黄衣の王を探す手がかりになるかもしれないしね」

冗談《じょうだん》半分のつもりで軽く言ってみたのに、アジュは色をなして怒《おこ》った。

「おかしなこと言うなよな！　そんなのはあり得ない！　オレは変わったりしない！」

気まずくなってしまった。ユーリも今度は本気で「わかったわ」と言い、謝った。

「もう、いいよ。早く行こう」

アジュは守護の法衣の奥《おく》に隠れてしまった。

地元の警察署の建物なら、森崎友理子はよく知っている。家族でよく行く、安くて美味《おい》しいイタリアンレストランがすぐ近くにあるからだ。外壁《がいへき》は煤《すす》けた灰色、窓枠《まどわく》の色合いや形がいかにも旧式の、古びたビルである。

総合受付というところで名乗り、用件を伝えると、そこで十五分ほど待たされた。

やがて制服姿の婦警が一人やってきて、机越《ご》しに「伊藤さんですか」と呼びかけた。森崎美子と同じくらいの年齢《ねんれい》の人だろう。身体《からだ》全体がふっくらとしていて、顔つきも優しい感じの婦警さんだ。

「わたしは樫村《かしむら》と申します。先月来、森崎家の担当をしております。取材の申し入れということでしたが、森崎家の皆《みな》さんはマスコミの取材をお断りしております」

伝言がうまく伝わっていなかったらしい。

「私《わたし》は森崎さんではなく、警察の捜査状況《そうさじょうきょう》についてお尋《たず》ねしたくて参ったのです」

丸い目になだらかな下がり眉毛《まゆげ》の樫村婦警は、ちまちまとまばたきをした。

「現在、当署ではこの事件に関する記者発表を控《ひか》えております。新しい情報がございませんので」

「どなたか、担当の刑事《けいじ》さんにお会いできないでしょうか」

「皆、出払っております。大樹君の捜索《そうさく》を続けておりますから」

捜査ではなく「捜索」と、はっきり言った。

「何か手がかりは——」

「新しい情報はないと申し上げました」

森崎家をお訪ねになっても無駄《むだ》ですよと念を押《お》して、樫村婦警は行ってしまった。

「冷たいなぁ」と、アジュが言った。「ユーリ、あの婦警さんを知ってるかい？　ユーリの家の担当だって」

「知らないけど、分身《ダブル》は会ってるかも」

とりつくしまがないが、ああやって森崎家を守ってくれているのだという解釈《かいしゃく》もできる。現に、森崎美子と分身の友理子は、静かに生活しているようだった。

ともかく警察へ行けば何かわかるだろうというのは、安易な考えだった。記者や作家なら取材がし易《やす》いだろうというのも、頭が単純だった。本物の伊藤品子さんは、こういうときどんなアプローチを試みるのだろうか。

「どうする？　姿を消して忍《しの》び込《こ》んでみるかい？　資料とか、探しにさ」

名案のように聞こえるが、実は得策ではないとユーリは思った。この建物のなかのどの部屋に、大樹の事件に関する資料が保管されているのか、見当もつかない。

同じことを考えているのか、傍《かたわ》らでソラが、迷子になったような頼《たよ》りない眼差《まなざ》しでぐるりを見回している。

「ほかの方法を考えた方が良さそうだね」

ユーリが声をかけると、ソラはハッとしたみたいにまばたきをした。

「どうしたの？」

ユーリは彼《かれ》の顔をのぞきこんだ。そして、自分と同じ黒色だとばかり思い込んでいた彼の瞳《ひとみ》が、濃《こ》い紫色《むらさきいろ》だということに気づいた。普段《ふだん》は黒色と見分けがつかないが、顔に光があたると、よくわかる。

何だかドギマギしてしまった。

「申し訳ございません。気が散っておりました」

「ソラはお巡《まわ》りさんを見るの、初めてだろうからね」

「いえ……人の衣服や姿形には、驚くことはございません。それも〝輪〟の内の物語の要素でございます故《ゆえ》に」

静かでございますねと、ソラは呟《つぶや》いた。

ユーリも彼と一緒《いっしょ》にまわりを見回してみた。そこここに人がいるし、話し声も電話の音も聞こえる。静かという表現はあたらないと思うけれど、確かに騒々《そうぞう》しくはない。

「何事も起こっていないかのようでございます」

「そりゃまあ、〝無名の地〟とは違《ちが》うからさ」と、アジュが言った。「黄衣の王のことなんか、この領域《リージョン》の連中は知らないからね」

ソラの言わんとするのは、そういう意味ではないはずだ。ユーリには察しがついた。森崎大樹のことなんか、みんな忘れている。忘れて、普通の日常生活を送っている。

大樹が見つかろうが見つかるまいが、時間は流れる。

「仕方がないのよ――」

そのとき、ユーリの心臓が変なふうにねじれた。ユーリは掌《てのひら》で胸を押さえた。

何だろう、これ。鼓動《こどう》が飛んだみたい。

「いかがなさいました、ユーリ様」

胸がどきんとしたの、と答えようとしたら、また動悸《どうき》がした。ひゅっとしゃっくりみたいに息が乱れた。

「おかしいわ」

ユーリは足早に警察署の出入口に向かった。やかましい音をたてて自動ドアが開く。ドアのそばには誰もいない。通りの反対側《がわ》を歩いてゆくサラリーマンが見えるだけ。

ユーリは鍵《かぎ》言葉を口にして化身《けしん》を解いた。

「おいおいユーリ、まずいよ！」

化身のせいで鼓動が乱れてるんじゃないか。魔法《まほう》の影響ではないか。とっさにそう判断したから化身をやめたのだけれど、鼓動の乱れはおさまらない。どんどん胸苦しくなってくる。ユーリは膝《ひざ》を折って前屈《まえかが》みになった。

「ユーリ様！」

ソラがユーリを抱《だ》きかかえる。アジュが肩の上に駆《か》けのぼってきた。
耳の底がわんわんと鳴っている。自分の血のざわめき——だけではない。
叫《さけ》び声だ。大勢の声が何か叫んでいる。ユーリに向かって叫んでいる。それに応《こた》えて、胸騒《むなさわ》ぎがしているのだ。

学校。

急にそう思った。頭の奥に明かりが灯《とも》ったみたいだった。学校。大樹の学校だ。そこへ行かなくちゃ。あたし、呼ばれてる。呼ばれて——

そう、図書室だ。図書室の本たちがあたしを呼んでる。オルキャスト様、オルキャスト様、オルキャスト様！　おいでください、早く早く！

「アジュ、あたしをお兄ちゃんの学校へ飛ばして！」

「えええ？　急に何でだよ？」

「何でもいい！　早くしないと間に合わない！」

「アジュ殿《どの》、お急ぎください！　ここはユーリ様のおっしゃるとおりにするのです！」

ソラにも叱咤《しった》されて、ようやくアジュは呪文《じゅもん》を唱えた。

空《くう》をよぎり、ユーリたちは希望ヶ丘中学校へと移動した。降り立ったところは校庭だった。衣《ころも》の裾《すそ》をかすめるほどの近いところを、揃《そろ》いの体操着姿の生徒たちがランニングしてゆく。

ユーリの胸騒ぎはまだ止まらない。キッとして顔を上げると、悲鳴のように呼びかけてくる大勢の声の源を探した。建物の三階の、あの窓だ。ガラスがぴかりと光った。あれが図書室だ。

「走るわよ！」

ユーリは駆け出した。ソラはぴったりついてくる。二人の黒い衣が翻《ひるがえ》る。アジュは振《ふ》り落とされそうになり、ユーリの髪《かみ》にしがみついた。

階段を駆けのぼり、図書室に近づいてゆくにつれて、叫び声はどんどん大きく、鮮《せん》明《めい》になってゆく。もう、はっきりと言葉が聞き取れる。オルキャスト様、お助けください！　この者をお救いください！

ユーリは図書室に飛び込んだ。右側に受付用の長机。ほとんど真四角の部屋に書架《しょか》が整列している。閲覧《えつらん》スペースはなく、折りたたみ式の脚立《きゃたつ》が立てかけてある。

人気《ひとけ》はない。授業時間中で、生徒たちはみんな教室にいるのだ。

図書室は明るい。角部屋だから壁《かべ》の二面が窓で、いっぱいに陽《ひ》がさしこんでいる。

宙に漂《ただよ》う埃《ほこり》がキラキラ光って見える。

本たちが悲鳴をあげる。オルキャスト様、オルキャスト様！　お助けください！

そよ風がユーリの鼻面《はなづら》を撫《な》でた。どこか、窓が開いてる！

ごとりと音がした。ユーリは鞭《むち》で打たれたかのように、その音の方向へ飛び出した。

幅広《はばひろ》の書架に遮《さえぎ》られていた光景が目に飛び込んできた。窓際《まどぎわ》。半分ほど開いたガラス窓。脚立を踏み台に、そのガラス窓の縁《ふち》によじ登り、手すりに手をかけて、身を乗り出している制服姿の女の子——

前後を忘れ、ユーリは彼女《かのじょ》に飛びついた。ソラも飛んだ。彼の両手が女の子の肩をつかんだ。ユーリは彼女の胴《どう》にしがみついた。

「何してるの！　やめなさい！」

声を限りに叫び、力いっぱい後ろに引っ張ると、女の子は呆気《あっけ》なくガラス窓の縁から転げ落ちた。ユーリとソラと三人、こんがらがって床《ゆか》に倒《たお》れた。

ユーリはしたたか頭を打って、目から火が出た。ウソみたい。守護の法衣も、こういうアクシデントからは守ってくれないのかしらん？

「イッた〜い！」

「ユーリ様！」

ソラは女の子の下敷《したじ》きになり、起き上がれずにもがいている。ユーリは横に転がって、両手で頭を抱《かか》えた。

途端《とたん》に、女の子が跳《は》ね起きた。横座《よこずわ》りになり、両手を床について。目が飛び出しそうだ。血の気のない顔に、色のないくちびる。

「だ、だ、誰《だれ》？」

甲高《かんだか》く、調子のはずれた声だった。彼女の声が合図になったみたいに、本たちの叫びがぴたりと止《や》んだ。

「誰？　誰かいるの？」

ユーリの声が聞こえたのだ。女の子は両手を宙に振り回し、声の主を探そうとしている。彼女の指先が、ユーリの身体の三十センチほど上の空気をつかんだ。

ソラがやっと起き上がり、ユーリを助け起こしてくれた。女の子は膝立ちになり、さらに周囲へと腕《うで》を振り回す。

「誰？　今わたしに触《さわ》ったでしょ？　誰なの」

彼女には、あたしとソラの姿が見えない。触《ふ》れることもできない。

どうしようか――という問いかけを込めて、ユーリはソラの腕をつかんで顔を見上げた。ソラは食い入るように女の子を見つめている。

小柄《こがら》でやせっぽち。短く切った髪が、癖毛なのか寝癖《ねぐせ》なのかツンツンはねている。制服の白いブラウスと、野暮《やぼ》ったい（と、大樹もよく言っていた）デザインの吊《つ》りスカート。

それだけならば、特に目立つところのない女の子だ。が、彼女にはひとつだけ大きな特徴《とくちょう》があった。右目の上に、傷跡《きずあと》がある。虫が這《は》ったようにくねくねと、虫に刺《さ》されたみたいに腫《は》れていて、そのせいで右の瞼《まぶた》が半分ふさがっている。

女の子の表情が動いた。怯《おび》えている。怖《こわ》がっている。が、くちびるからこぼれ出たその声には、期待と希望、そして喜色が混じっていた。

「森崎——君？　森崎君なの？」

第七章　囚《とら》われの姫君《ひめぎみ》と白馬の騎士《きし》

呼びかけながら、女の子は立ち上がると、そろそろと歩を進め、さらに広い範囲《はんい》を手探《てさぐ》りし始めた。ぱちりと瞠《みは》った左目が、興奮で輝《かがや》いている。

「森崎《もりさき》君なの？　帰ってきたの？」

たじろいでいるのはユーリだけではなかった。ユーリを抱《だ》き支えてくれているソラは、背中を突《つ》っ張らせ、両肩《りょうかた》に力を込《こ》めて固まっている。彼《かれ》の顔をふり仰《あお》いだユーリは、濃《こ》い紫色《むらさきいろ》の瞳《ひとみ》の奥《おく》で、彼の心が揺《ゆ》れ動いているのを見た。

「ソラ、大丈夫《だいじょうぶ》？」

囁《ささや》き声で何度か呼びかけると、ようやくソラはまばたきをして、口を半開きにしたままユーリに向かってうなずいた。

「ユ、ユーリ様、お怪我《けが》は」

「どこも何ともないみたいよ」

二人は立ち上がった。両手で空間を探りながら、女の子は壁際《かべぎわ》の書架《しょか》のところまでたどり着き、そこでまた、無人の図書室に向かって呼びかける。

「森崎君、ここにいるなら返事して。ずっと心配してたんだよ」

泣き出しそうなのを、懸命《けんめい》に堪《こら》えている。

「あたし、一人じゃ、心細くて。早く森崎君が帰ってきてくれないかって……」

あまりにも親しく、遠慮《えんりょ》がなく、親愛を通り越して情愛の匂《にお》いさえする懇願《こんがん》だ。空間を手探りするほっそりとした手先、指先の動きにも、躊躇《ためら》いや怯《おび》えはない。ボーイフレンドの腕《うで》を探してるみたいだと、とっさにユーリは思った。というより、感じ取った。

「あの方は――お目が不自由なのでしょうか」

ソラが動揺《どうよう》に調子を失った声で呟《つぶや》く。違《ちが》うと思うよと、ユーリが答えようとしたとき、

「あら！」

女の子が足を止めた。彼女《かのじょ》の爪先《つまさき》から三十センチと離《はな》れていない場所に、アジュがちんまりと身をすくめていた。さっきユーリが転んだとき、床《ゆか》の上に放《ほう》り出されて、そのまま守護の法衣の内側《うちがわ》に戻《もど》るタイミングを失ってしまったのだろう。

ハツカネズミのアジュは、その小さな身体《からだ》全体で、「しまった！」と叫《さけ》んでいる。見つかっちゃった！

幸い、女の子はネズミが苦手ではないようだった。小首を傾《かし》げて、しげしげとアジュを見つめている。と、膝《ひざ》を折ってかがみ込みながら、今にもアジュを捕《と》らえようと手を出した。

とっさに、ユーリは腹を決めた。素早《すばや》く、守護の法衣のフードを取り去ると、声をあげた。

「驚《おどろ》かせてごめんなさい」

女の子は子鹿《こじか》のように俊敏《しゅんびん》に振《ふ》り返った。その喩《たと》えは、「俊敏」の方にかかる言葉ではない。女の子の容姿そのものにぴったりな表現だった。

ユーリはローブの前をくつろげ、自分の姿ができるだけ女の子の目に見えるようにした。そして、フードのせいで乱れた髪《かみ》をひとふりして、正面から女の子と向き合った。

「さっき窓から飛び降りようとしていたあなたを止めたのは、わたくしです」

女の子が初めて怯えを見せた。後ろを確認《かくにん》せずに後ずさりをして、後頭部を書架の棚《たな》にごつんとぶつけた。

アジュがすかさず走り出し、さっと伸《の》ばしたユーリの腕を伝って肩の上へと駆《か》け登る。女の子は左目だけでその動きを追いかけた。両腕でしっかりと身体を抱きしめ、震《ふる》えている。

「どうぞ怖《こわ》がらないで。わたくしはあなたを害する者ではありません」

精一杯の威厳《いげん》を込めて、ユーリは言い放った。直感的に、この場で女の子の心にストレートに届くのは、優《やさ》しさや労《いたわ》りではなく、威厳であるはずだと思った。

それは正解だった。女の子はゆるゆると息を吐《は》き出した。

「あなた……誰《だれ》？」

ユーリはわずかに顎《あご》をそらし、肩を張り、しっかりと視線を据《す》えて、答えた。そうだ、賢者《けんじゃ》の口調を真似《まね》しよう。

「わたくしは本の精です」

ソラが唖然《あぜん》としてユーリを見つめる。アジュはユーリの耳たぶにつかまる。

「この図書室にいる本の精です。化身《けしん》と申し上げてもよろしいでしょう」

言葉を続けながら、ユーリはゆっくりと一歩前に出た。女の子は書架に張りついている。

「あなたが命を捨てようとしていることを知り、お止めするために、この姿で出現しました」

そう言って、ユーリは足を揃《そろ》えて一礼した。今度は、〝無名の地〟で無名僧《むめいそう》たちがしていたお辞儀《じぎ》を真似したつもりだ。

「肩の上のこの白いネズミは、わたくしの使い魔《ま》です。魔と申し上げても、これもまた危険なものではございません。魔導の魔、魔法の魔とお考えください」

書物のみが持ち得る魔導の力です。

我ながら、自信に満ちた言いように聞こえた。

女の子の肩が、すとんと下がった。書架に背中をくっつけたまま、座《すわ》り込んでしまう。スカートの裾《すそ》が乱れて、膝小僧が丸見えだ。ユーリは彼女に近づき、片手を差し伸べた。

「どうぞお立ちください」

向こうの書架の脇《わき》に、教室で使う椅子《いす》が二脚《きゃく》、重ねて置いてある。

「まずは、落ち着いて腰掛《こしか》けましょう」と、ユーリは女の子に微笑《ほほえ》みかけた。

女の子は素直に手を差し出した。魅《み》せられたようになっている。

初夏の陽気だというのに、彼女の掌《てのひら》も指も冷え切っていた。ユーリは女の子の腕を取って、怪我人を導くように歩を運び、椅子に座らせた。そして彼女から少し離れたところに二脚目の椅子を据え、自分も腰をおろした。

ソラが静かに、ユーリの背後に立つ。

「お気持ちは静まりましたか？」

ユーリの問いかけに、女の子は片手を心臓の上にあてると、鼓動《こどう》を確かめるように軽く押《お》さえた。

「うん……大丈夫……みたいです」

「それはよかった」

「どうも、ありがとう」

間近に見ると、整った顔立ちをしていた。右目の傷跡《きずあと》は痛ましいけれど、それが女の子の美しさを損《そこ》ねているようには思えない。不思議だった。不幸な事故か、邪悪《じゃあく》な悪戯《いたずら》により傷つけられた、天使の像でも見ているような気がする。

「あのようなことをなさってはいけませんよ。あなたの大切な命は、ひとつしかありません。そしてあなたの命は、あなただけのものではないのです」

初めて着ける威厳の仮面《ペルソナ》に、早くも酔《よ》っぱらい始めていたユーリは、つい調子に乗ってお説教をした。と、女の子はさっと顔を上げて言い返してきた。

「どうしてそんなふうに言えるの？　命はあたしだけのものよ。誰も、あたしが死んだって困らないんだから」

ユーリの酔いは、呆気《あっけ》なく醒《さ》めた。え、だってと、威厳の欠片《かけら》もない言葉が口から飛び出す。

「で、でもご両親が」

「パパもママも、気にしやしない。パパなんか、お葬式《そうしき》にだって来ないわよ」

どうやら、女の子の家庭には複雑な事情があるようだ。ユーリは大慌《おおあわ》てで態勢を立て直し、必死に頭を巡《めぐ》らせた。さあ、何と言おう？

――お兄ちゃん。

この女の子は、恋人《こいびと》を呼ぶように呼びかけていた。求めていた。

「それでも、森崎大樹《ひろき》君は悲しむでしょう」

絶大な効果があった。女の子はブラウスの胸元《むなもと》をつかむと、うなだれた。細い肩がまた震え始める。

「わたくしたち本の精も、あなたがお命を粗末《そまつ》にすることを悲しく思います。あなたがわたくしたちを愛してくださっていたから」

ユーリは、自分でも意識しないうちに、「かまをかける」という手段をとっていた。

こうなっては仕方がない。今度はこっちが手探りで進むのだ。

「よく、ここに来てくださいましたよね」

女の子はうなずいた。このかまは中《あた》った。森崎君とご一緒《いつしよ》に――と、続けてしまっていいものかどうか、ユーリが十分の一秒のあいだ迷っているうちに、女の子の方から言った。「いつも森崎君と、ここで本の話をしてた。一緒に図書委員をしてたから」

ユーリは大きく微笑んだ。「存じ上げておりますよ」

アジュが耳元でちゅうと啼《な》いた。ユーリ、また調子こくんじゃないよという忠告か。が、これがいい間合いをとってくれた。女の子は弱々しく笑《え》みを浮《う》かべると、アジュを見た。

「そのネズミ、可愛《かわい》い。名前は何ていうんですか」

「アジュと申します。見かけは可愛らしいですが、実は大変な年寄りなのですよ」

「そりゃないよ、ユーリ！」突然《とつぜん》、アジュがいつものアジュとしてしゃべり始めた。「オレも本の精なんだからね。そりゃ人間よりはうんと長生きだけど、年寄りじゃない。まだ若者だ！」

女の子の目が丸くなった。傷跡に塞《ふさ》がれた右目さえ、ぐいと動いた。

あ～あ、台無しだ。

「もう、おとなしくしてられないのね、アジュ」

「いつまでもネズミのふりなんかしてられないよ。こんにちは、嬢《じよう》ちゃん」

に挨拶《あいさつ》した。

アジュは尻尾《しっぽ》をぷるんと振って、薄《うす》ピンク色の鼻先をふるふるさせながら、女の子
「嬢ちゃんの名前は何ていうんだい？　オレは知らないからさ、教えておくれよ」

これもまた作戦である。アジュは周到《しゅうとう》だ。

「乾《いぬい》みちるです」女の子はすぐに答えてくれた。

「ヒロキの同級生かい？」

うなずきかけて、女の子はハッとした。「アジュ――さん、森崎君のことは知ってるの？」

「うん。みちるちゃんと同じように、ヒロキのことを心配してるからね。オレだけじゃない。ユーリもそうだ。本の精たちは、みんなヒロキの身を案じてる」

それから、オレのことは呼び捨てでいいよ。

「わたくしの名はユーリ」と、ユーリはもう一度軽く礼をした。「謂《い》われのある名前ですが、説明していると長くなりますので、お許しください、みちるさん」

みちるがふっと頰《ほお》を歪《ゆが》めたので、ユーリは彼女の目を見た。気を悪くしたのかな？

でも瞳《ひとみ》は明るい。

「あたし、あだ名とか全然なくって」

指先で口元を押さえながら、みちるは言った。

「乾さんとしか呼ばれたことがないから、みちるさんって呼ばれると、何だかヘン」

「きれいなお名前です」と、ユーリは言った。

あだ名がない。それだけで、年下とはいえ同じ少女であるユーリには、乾みちるの寂《さび》しさが感じ取れた。それはまた、裏付けでもあった。みちるが、同級生たちは皆《みな》教室にいて授業を受けているこんな時間帯に、一人でこっそりと図書室にいることの意味の。自殺を図《はか》ろうとしていたことの理由の。

それでも尋《たず》ねてみた。「今は授業中でしょう。図書室にいて、先生に見つかったら叱《しか》られませんか？」

「大丈夫。こっそり忍《しの》び込んだから。あたし、今はまた、学校に来てないの。知ってるでしょ？」

ユーリは彼女の目を見つめたまま、ゆるくうなずいてみせた。

「森崎君がいなくなっちゃってから、また学校を休んでるの」

みちるは強くくちびるを嚙《か》みしめる。

「でも、図書室には来たくなるから——どうしても来なくちゃいけなくなるから、そういうときは忍び込んでくるの。それに、先生は叱らないよ。そういう約束になってるから」

「約束?」

「図書室登校でもいいって」

教室には入れないが、図書室なら入れる。保健室登校みたいなものか。

「でも、休み時間になると誰か来るかもしれないから、あんまりグズグズしてられない」

みちるの小さな整った面立《おもだ》ちに、にわかに恐怖《きょうふ》の色が走った。誰にも会いたくないのだ。

「それなら大丈夫《だいじょうぶ》。もしも誰か来たら、出て行ってしまうまで、わたくしがあなたの姿を隠《かく》して差し上げます」

と、ユーリが言い終わらないうちに、授業の終了を報《しら》せるチャイムが聞こえてきた。

みちるは目に見えて震え上がった。

「休み時間はどのくらい?」

「ご、五分」

たちまちのうちに、図書室の外の世界に、生徒たちの放つ喧噪《けんそう》が溢《あふ》れ始めた。ドアが開け閉《た》てされ、笑い声が響《ひび》く。足音が駆《か》け抜《ぬ》ける。

ユーリはそっと立ち上がり、みちるのそばに寄ると、守護の法衣で彼女《かのじょ》をすっぽりと頭から包み込んだ。口元に人差し指をあてる。

「これで安心。ちょっと目をつぶっていてね」

みちるの身体《からだ》は強張《こわば》り、冷たい汗《あせ》をかいていた。呼吸が速い。本当に怖《こわ》がっている。図書室の外の世界を。そこにいる生徒たちを。

ユーリは、空《から》になった椅子のうしろに姿勢正しく立ったままのソラを見た。彼《かれ》はみちるを見つめていた。頭が少しだけ傾《かし》いでいる。初めて見るものに見とれているような顔だ。目が離《はな》せずにいるみたいだ。

またチャイムが鳴って、静寂《せいじゃく》が訪《おとず》れた。幸い、短い休み時間に、図書室に踏《ふ》み込んで来る生徒はいなかった。

「さあ、またゆっくりできます」元の椅子に戻《もど》って、ユーリは座った。

「ユーリ、小さいのね」と、みちるが言った。「小学生ぐらいの感じ。あたしを怖がらせないために、わざとそう化身してくれてるの?」

刹那《せつな》、ユーリの心の一角を、そうよホントは小学生の女の子で、森崎大樹の小さな妹で、アジュに「嬢ちゃん」と呼ばれたこともあるのよ、という想《おも》いがよぎった。よぎっただけだった。

「この姿が好きなのです」と、静かに応じた。

「アジュとも釣《つ》り合いがとれますし」

「そうね。ペットのハツカネズミを連れてる、小さい女の子だね」

みちるは、さっきよりもやや大きく微笑んだ。笑みと一緒に声が溢れ出てきた。

「森崎君には、小学生の妹がいるの。よく話してた。うちのチビ友理、うちのチビ友理って」

突然の驚《おどろ》きに打たれても、ユーリは強くなっていた。乱れることはなかった。

「きっと悲しんでるよね。お兄ちゃんがいなくなって、泣いてるよね」

乱れたのはみちるの方だった。微笑んだことで、今まで彼女のなかで保たれていた危《あや》ういバランスが崩《くず》れたのだ。堰《せき》が切れた。

「あたし、謝《あやま》りに行かなくちゃ。森崎君があんなことをやったのは、全部あたしのせいなんだから。何もかもあたしが悪かったんだから。ちゃんと謝らなくちゃいけないの。だけどできなかった——できなかった！」

溢れ出てきたのは告白だった。我知らず、ユーリは周囲に、心のなかに、つかまるものを探した。突然の告白に、押《お》し流されてしまう。今度こそは驚きで顔色が失《う》せるのが、自分でもわかった。

そのとき、アジュの小さな手が、ユーリの耳たぶをぴちりと打った。長いしっぽがユーリの首筋を優《やさ》しく撫《な》でた。後ろに立っていたソラが、揺《ゆ》れかかるユーリの肩先《かたさき》をつと押さえた。

ユーリは首をよじり、ソラを振り仰《あお》いだ。ソラはまだ、食い入るようにみちるを見つめていた。濃《こ》い紫色《むらさきいろ》の瞳に、みちるの制服の白いブラウスが映っている。

アジュがユーリの耳に鼻先をくっつけて、しっかりするんだよユーリと囁《ささや》いた。こんな場なのに、ふき出してしまいそうになるほどくすぐったい。

みちるは顔をくしゃくしゃにして泣き出した。身を折って椅子《いす》から落ちそうになりながら、頭を抱《かか》えている。ユーリはふわりと守護の法衣を翻《ひるがえ》して立ち上がると、しゃがんで彼女に寄り添《そ》った。

「そういう苦しい思いが募《つの》って、命を捨てようとしたんですね？」

みちるは戦慄《おのの》きながら、何度も何度も頭を上下させて、うなずいた。その背中を、ユーリはゆっくりと撫でた。そうするうちに、自分も撫でられているような優しい気持ちになってきた。

「辛《つら》かったでしょう。重荷だったでしょう」

みちるは声をあげて泣いた。堰の内側《うちがわ》の淀《よど》んでいた水が、どんどん流れでてゆく。

ユーリはその流れの縁《ふち》に、しっかりと立っている。

「重荷を下ろしましょう。わたくしに教えてください。あなたが何を堪《た》え忍んできたのか、森崎君がなぜあのようなことをしてしまったのか。わたくしは――」

ううん、と強くかぶりを振って、

「もう堅苦《かた》しいのはやめ！　あたしはねみちる、本の精だから、すごくいろんなことを知ってるけど、でも現実世界のことはつかみきれないの。だって本なんだもの。自由に一人でどっかへ行って話を聞いたり、調べたりはできないから」

ユーリは目を上げて、図書室の本たちを見回した。沈黙《ちんもく》のうちに、支援《しえん》してくれる力を感じる。ユーリもまた本たちに、無言でうなずき返した。

「みちる、話してちょうだい。いったい何があったの？　それがわかれば、あなたと森崎君を助けるために、あたしたち本にもできることがあるかもしれない」

しゃくりあげながら、みちるは身体を起こした。顔は涙《なみだ》に濡《ぬ》れ、目の縁が真っ赤だ。右目の傷跡《きずあと》がなおさら痛々しい。乱れた前髪《まえがみ》が彼女の額と頬にかかるのを、ユーリはそっと撫でつけてやった。

「あなたはあたしたち本を愛してくれた。だからあたしたちは、あなたの味方よ。あなたの友達。信じて、打ち明けてちょうだい」

みちるは涙をぽとぽと落とし、スカートのポケットからハンカチを取り出すと、顔を拭《ふ》いた。ハンカチはしわくちゃで、湿《しめ》っぽい感じだった。ユーリたちと出会う前にもこうして泣き濡れて、ハンカチを使ったのだろう。

「森崎君は、ね」

切れ切れに言い出し、みちるは苦しそうに息をついた。ユーリはまた彼女の背中をさすった。

「あたしを、助けてくれたの」

「助けた？」

「あたしが虐《いじ》められてるのを、そういうことは良くないって、クラスのみんなに訴《うった》えてくれたの。かばってくれたのよ」

二人は、一年生のときのクラスメイトだった。

「入学してすぐのころから、あたしのことをいじめる子たちはいたのよ。でも、それほど酷《ひど》くはなかった。うんと酷く、開けっぴろげに、大勢でいじめるようになったのは、たぶん、体育の授業でプールが始まったことがきっかけだったんだろうと思う」

ユーリはまばたきをして、尋ねた。

「クラスのみんなが、あなたの何をいじめるっていうの？　あなたの何が悪いっていうのよ」

みちるは左目を大きく瞠《みは》り、じっとユーリを見つめた。「ユーリ、あたしの顔を見て何とも思わない？」

「目のところの、傷跡のこと？」

うなずいて、みちるはその傷に指で触《ふ》れた。

「三歳《さい》のときに、家の二階のベランダから落ちちゃったの。落ちたところに、ガーデニング用の道具が置いてあって……」

金属の道具で顔を切り、危うく、右目の視力を完全に失うところだったという。

「怪我《けが》をしたときと、それから一年ぐらい経《た》ってから、二度手術を受けたの。お尻《しり》と腿《もも》の裏側の柔《やわ》らかい皮膚《ひふ》をとって、移植したのよ。だからその傷跡は、身体の方にも残ってる」

プールの授業が始まったことで、女子のクラスメイトたちに、それを見られた。そのことが、いじめが拡大《かくだい》するきっかけだったというのだ。

「気味が悪かったんでしょうね。無理ないよ。自分でも鏡を見るのがイヤだもの」

入学当初から、みちるは一部のクラスメイトたちに、「お化け」と呼ばれていたという。傷跡が身体にもあることがわかると、その陰口《かげぐち》には遠慮《えんりょ》がなくなった。

「もちろん、そんなひどいことを言わない子もいるよ。でも、あたしをかばうことはできない。かばえば、今度はその子がいじめられるから、知らん顔をしてるしかなかったの」

ユーリは口を真一文字に結んでいた。怒《いか》りで言葉が出てこない。

みちるがいじめられたことの、メカニズムは理解できる。が、いじめる連中の心性《しんしょう》の卑劣《ひれつ》さ、汚《きたな》さは理解できない。理解したくない。

「——つまり、そういう連中は、あなたの顔の傷跡をサカナにして、あなたをいじめたりからかったりしたわけね？」

あまりに凄《すご》みをきかして問いかけたので、知らない人には、みちるを脅《おど》かしているように聞こえたろう。

「そう……」

「理由はそれだけね？」

みちるはぴくりとひるんだ。「わかんない。何を言われても、あたしが笑い飛ばしてたら、少しは違《ちが》ってたのかもしれない」

「そんなことない。あなたは悪くない」

ユーリは歯を食いしばっていた。

「あなたをいじめた連中の、何ていうのかしら、首謀者《しゅぼう》？　主犯格？　そいつらは男子？　女子？」

「最初は男子だったけど、二学期に入ってからは、女の子たちも……」
　五、六人だという。
「みんな名前はわかるわよね？　あたしに教えてくれない？」

「ユーリ」と、アジュが割って入った。「少し落ち着けよ」

「何で落ち着いていられるの？　落ち着いてなんかいちゃいけないのよ、アジュ！」

　ユーリは叫《さけ》んだ。拳《こぶし》を握《にぎ》りしめて、振《ふ》り上げる。

「こんな邪悪《じゃあく》なことがある？　許されていいわけがないでしょ？　みちる、あたしにそいつらがどこの誰《だれ》だか教えなさい。アジュ、呪文《じゅもん》を探してちょうだい」

「どんな呪文さ？」

「そいつらをまとめて〝無名の地〟に送り込《こ》んでやるのよ！　頭を剃《そ》り上げて裸足《はだし》にしてボロボロの衣《ころも》だけ着せて、残りの一生を〝咎《とが》の大輪《たいりん》〟を押して暮らさせてやる！　そいつらにこそ咎人の汚名《おめい》がふさわしいわ！」

　金切り声で叫び、思わず立ち上がったとき、ソラと目が合った。悲しげな紫色の瞳《ひとみ》を見た。

「あ、ごめん」

ソラはその「頭を剃り上げて裸足でボロボロの衣を着た」無名僧《むめいそう》なのだ。咎人なのである。その上さらに、放逐《ほうちく》された咎人だ。

「バカなことを言うんじゃないよ、ユーリ」

アジュの声は、急に老成した響きを持った。

「たとえオルキャストでも、そんな力は使えない。そんな呪文もない。〝輪《サークル》〟のなかから勝手に人間を選び出し、〝無名の地〟に追放することは、オルキャストの力でできることじゃないんだ」

「じゃ、誰にならできるのよ？」

ちょっと黙《だま》ってから、アジュは髭《ひげ》を震《ふる》わせながら答えた。「物語の神だ。たぶん」

たぶんという表現の腰が引けた感じに、ユーリの血圧は下がった。

「物語の神？　そんな神様がいるの？　神様だって物語なんでしょうに」

「だから」アジュはハツカネズミのくせに、やけに上手にため息をついた。「それは深秘《じんぴ》なんだ。触れてはいけない謎《なぞ》だ」

「賢者《けんじゃ》がそう言ってるの？」

アジュはちいさな両手で鼻の頭を隠《かく》して丸まりながら、また「たぶん」と答えた。

「賢者たちが言ってた、あなたがまだ若いっていうのは、そういう意味なのね」

ソラが穏《おだ》やかに声をかけてきた。「ユーリ様、みちる殿《どの》が困っておられます」

そのとおり、みちるは困惑《こんわく》で固まってしまっている。

「そうだね。ごめん。ありがとう」

うっかり、ソラに向かって言ってしまった。と、途端《とたん》にみちるの凝固《ぎょうこ》が溶《と》けた。

「ユーリ、今、誰に向かってありがとうって言ったの？」

彼女《かのじょ》にはソラの姿は見えないのである。

「何でもない。独り言」と、笑ってごまかす。アジュがユーリの肩から腕《うで》を伝って下りて、ぴょんとみちるの膝《ひざ》の上にジャンプした。

「オレ、ちょっとみちると一緒《いっしょ》にいようっと。ユーリは怖いから」

失礼な。でも、みちるが嬉《うれ》しそうに指先でアジュを撫で始めたので、鉾《ほこ》を収めることにした。

「で、森崎大樹君は、そういうバカな連中に反旗を翻したわけね？」

みちるはアジュを掌《てのひら》に載《の》せ、うなずいた。

「いつごろのこと？」

「去年の十月だったかな……。最初はホームルームで意見を言ってくれて」

「さっき、二人で図書委員をやってたって言ったよね？　なら、森崎君はもっと早くに、あなたがひどいいじめに遭《あ》ってることに気がつかなかったのかしら？」

思いがけず、みちるははにかんだように微笑《ほほえ》んだ。

「森崎君みたいな人気者で忙《いそが》しい子は、あたしのことなんか、フツーだったら眼中にないよ。それに、最初のうちはあたしをいじめる子たちも、大っぴらにはやらなかったから」

「森崎君は、クラス委員ではなかったの？」

そんなやりとりを聞いた覚えがあるのだ。森崎美子《よしこ》と大樹が話していた——あんた、クラス委員に推薦《すいせん》されたんでしょ？　どうするの？

「部活が忙しいから、図書委員ならやりますって、自分から言ったのよ。ヒマそうだから」

「みちるは本が好きだから、立候補したの？」

「女子の図書委員は、くじ引きで決めたの。みんなやりたがらなかったから」

あたしは、どんな委員だろうと、立候補なんて目立つことはできないと、小さく言い添えた。

「で、あとから森崎君が決まったと」

「うん」

ユーリは内心で考えた。みちるにとっては、それも不運だったかもしれない。一部の女子たちのなかに、みちるへの嫉妬《しっと》心《しん》が芽生えたのではないか。もちろん、学年が始まったばかりのころは、まだ何ともないだろう。が、だんだん森崎大樹の人気が高まってくるにつれて、なんであんな——心のなかで考えるのも嫌《いや》な表現だけれど、そいつらはそう言ったろうから——なんであんなおばけが、森崎君と二人で図書委員をやってるんだよっていう、ヤキモチが始まったのではないか。

「いじめが大っぴらになってきたんで、森崎君は気がついた、と」

そしてみちるのために戦った。これは正しいことじゃない。恥《は》ずかしいことだ。みんなそうは思わないかと呼びかけた。

「それまでは見て見ぬふりをしてた子たちも、あの森崎君が先頭に立ってくれたから、怖《こわ》がらなくてもよくなって——」

みちるに対する手ひどいいじめはやんだ。封《ふう》じ込められた。

「一年生の三学期は、あたし、毎日学校に来られたの」と、懐《なつ》かしむように目を細めて、みちるは小さく呟《つぶや》いた。

それは本当に良かった。が、

「そのあいだ、先生は何してたの？　先生も、森崎君が立ち上がるまでは見て見ぬふり？」

みちるは大慌《おおあわ》てで首を振った。「そんなことない！　兼橋《かねはし》先生は、一生懸命《けんめい》あたしを励《はげ》ましてくれたし、いじめをしてる子たちを叱《しか》ってくれたの」

兼橋昭子《あきこ》という、若い女性の先生だそうだ。英語を教えている。

「だけど……兼橋先生はまだ新米で、担任は初めてで……それにあの……」

ひどく言いにくそうに口をすぼめて、みちるは説明した。いじめグループの生徒たちの親に、いわゆる「文句の多い保護者」がいて、兼橋先生がいじめの件で指導をすると、すぐ学校へ怒鳴《どな》り込んできたり、教育委員会に電話したりして、

「それがあんまり強引《ごういん》で、あの……ウソも多くって、だからいつも、兼橋先生の方が悪いみたいにされちゃって」

ユーリはまた奥歯《おくば》を食いしばった。「校長先生は何をしてたの？」

みちるが黙っているので、ユーリは自分から言った。「兼橋先生の味方をせずに、あなたの味方もせずに、うるさい親にぺこぺこして、知らん顔してたわけね？」

さっきのアジュと同じようにうなだれて、みちるは「たぶん」と小声で答えた。

「みちるのお父さんお母さんは？」アジュが長い髭を震わせながら尋《たず》ねた。「みちる

が辛《つら》い思いをしてたんだ。きっと心配してたろ？」

少し持ち直していたみちるの顔色が、一気に白くなった。口元が震えて、肩《かた》が落ちる。

「あたしがベランダから落ちたとき、ママが一緒にいたんだけど」

ほんの一分、目を離《はな》しただけだった。

「それでママ、すごくパパに叱られて。パパの方のお祖父《じい》ちゃんお祖母《ばあ》ちゃんにも叱られて」

夫婦仲《ふうふなか》がこじれてしまい、結局、みちるの事故から間もなく離婚《りこん》したのだという。

「それからママは、一人で働いてあたしを育ててくれたの。ママ、いつも疲《つか》れてる。だからいつも不機嫌《ふきげん》なの。あたしが学校にあがると夜の仕事をするようになって、すごくお酒を飲むようになって、それも良くないんだと思う……」

みちるの母親には、みちるをかまっている心の余裕《よゆう》がないのかと、ユーリは考えた。

「パパは？」

問いかけに、みちるは一瞬《いっしゅん》、何か巨大《きょだい》なものに挟《はさ》まれて押しつぶされかけているかのように、苦しげな顔をした。

「パパは、あたしの顔を――見られないって」

見られない。見たくない。

「離婚したきり、あたしはいっぺんも会ってない。もう再婚して子供もいるし」

みちるの声が乱れて裏返った。でも、涙《なみだ》は出てこない。あまりの悲痛に、心が灼《や》けて涙が乾《かわ》いてしまうのだ。両手の指を鉤《かぎ》のように曲げて、今にも自分の顔をかきむしろうとするかのようだ。

「だからママは、あたしのこと恨《うら》んでる。パパと大恋愛《れんあい》で結婚したんだって。なのに、あたしのせいで駄目《だめ》になっちゃったんだ」

「それは違うよ！」

アジュがみちるの肩に駆《か》け上がると、彼女の指に飛びついて、しっぽを大きくぶらりとさせ、彼女の顔から引き離した。

「みちるのママはね、自分のことを責めてるんだ。それがあんまり辛いから、みちるにも優《やさ》しくできないんだ。みちるのことを恨んでなんかいるもんか！」

みちるはアジュを両の掌ですくい取ると、そこに顔を埋《うず》めた。アジュは温かく柔らかな白い毛皮を彼女の顔にこすりつけて慰《なぐさ》めている。

冷え冷えとした思いが、ユーリの胸に落ちてゆく。あまりの冷たさに、心が凍傷《とうしょう》を負ったのだろうか。きりきりと痛い。

みちるの身に起こったことは、誰の身の上にも起こり得る事故だった。とても不幸な事故だった。それが次から次へとさらなる不幸を呼び、みちるを苦しめてきた。幸せは、何と脆《もろ》いものだろう。喜びは、何と容易《たやす》く奪《うば》い去られるものだろう。当たり前のように享受《きょうじゅ》しているうちは、わからないけれど。

そして――邪悪は、何と巧《たく》みに人の心の隙《すき》に付け入るものなのだろうか。

嫉妬。怒《いか》り。罪悪感。取り返しのつかないことへの後悔《こうかい》。悲嘆《ひたん》。哀《あわ》れみ。すべて、それ単体では害のないものだ。人が誰でも心に抱《いだ》くものだ。むしろ、それをまったく抱くことのない心は、心として死んでいるとさえ言っていい。

が、ひとたびそこに邪悪が棲《す》み着くと、すべてが変貌《へんぼう》してしまう。邪悪は嫉妬に、怒りに、罪悪感に後悔に悲嘆に哀れみに、形を与《あた》える。それを表出するエネルギーを与える。

エネルギーは常に、「敵」を求める。「的《まと》」を欲《ほっ》する。

みちるは顔に傷を負い、心に傷を負った。父親に見捨てられ、母親との絆《きずな》を見失った。校長先生たちは見て見ぬふりをした。若い担任教師だけが味方になってくれたけれど、彼女の力は弱かった。みちるを取り囲む邪悪の軍勢は、強大な力でみちるに迫《せま》っていた。みちるには、逃《に》げ場がなかった。

囚《とら》われの、塔《とう》のなかの姫君《ひめぎみ》だ。

ふと、そんな喩《たと》えがユーリの心に浮《う》かんだ。うん、そうだ。みちるの華奢《きやしや》な姿、寂《さび》しい色をした美しい瞳《ひとみ》は、頼《たよ》るべき祖国を失い、王宮を追われて敵の虜囚《りよしゆう》となった高貴な姫君にぴったりだ。

そして森崎大樹は、孤立無援《こりつむえん》の美しい姫君を助けに馳《は》せ参じた、白馬の騎士《きし》だったのだ。

「――英雄《えいゆう》」

思わず、ユーリは声に出して呟いた。みちるが顔を上げた。

「みちるにとって、森崎君は英雄だったんだね」

みちるはうなずいた。

アジュの黒い瞳がひたとユーリを見据《みす》える。何か言おうと髭を動かして、やめた。

「英雄とお姫様は、敵を平らげたあと、いつまでもいつまでも幸せに暮らせるはずじゃないの？　お話ではそういうことになるのに」

そう。物語では。

「なぜ森崎君は、二年生になって、今の今になって、あんな事件を起こしたんだろう」

ユーリを見つめるみちるの黒い瞳に、みるみるうちに涙が溢《あふ》れ始めた。いや、涙ではない。透明《とうめい》だけれど、これは血だ。ユーリにはわかった。みちるの心を抉《えぐ》った、いちばん新しい傷口から血が流れ出ている。

「だから、あたしのせいなの」

森崎大樹は、みちるを助けた。まさに英雄的行為《こうい》で、彼女を救った。

「二年生になったら、今度は森崎君がクラスメイトにいじめられるようになっちゃったんだ！」

二年生になって、大樹とみちるはクラスが分かれた。担任教師も代わった。

「兼橋先生は、あたしがいじめられた事件の責任をとって、担任を外されたんだ」

ほとんど言いがかりみたいな処置だ。が、それでもみちるはまだ良かった。新しいクラスの雰囲気《ふんいき》は穏和《おんわ》で、担任の先生も、みちるが一年のときのような目に遭わないよう、気を配ってくれる人だったからだ。

だが、森崎大樹を囲む事情は違《ちが》った。

「あたしがいじめられてるときは、そのことを知ってる生徒も先生も少なかったの。隣《となり》のクラスの子たちなんか、半分も気づいてなかったと思う」

が、森崎大樹による大々的な正義の活動は、全学年の評判となった。

なかには、それを快く思わない者たちがいた。生徒たちばかりではない。先生たちの中にさえも。

「森崎君は、あたしのためにクラスで訴《うった》えたとき、ほかの先生たちが助けてくれないから、兼橋先生が困ってるってことも、一緒に訴えたんだ。僕《ぼく》たちの担任の先生が困ってるんだよって、言うべきことを言ってくれただけなのに」

しかし、教師たちのなかには、それを生意気だと考える向きがあった。大樹が学校を、先生たちをも批判の対象にしたからである。

ああいう英雄気取りは、何とかしないと。

教育上、よろしくない。

生徒は生徒の分《ぶん》を弁《わきま》えるべきだ。

二年生になった森崎大樹には、そういう担任教師が待ち受けていたのである。

ユーリの胸は、張り裂《さ》けそうなほどに痛み、戦慄《おのの》いていた。言葉にして問いかけるのが恐《おそ》ろしい。

「——それってつまり、担任が煽動《せんどう》して森崎君をいじめさせたってこと？」

みちるは答えない。ただ濡《ぬ》れた瞳を瞠《みは》り、ユーリを見つめ返すだけだ。

「もしかしたら、森崎君が刺《さ》した二人の生徒も、そういう先生の下で〝活動〟していたの？」

やっと、みちるが一度、二度とうなずいた。

喉《のど》が干上がって、息が苦しい。ユーリは何とか呼吸を整えた。

「担任の先生の名前は?」

「は、幡多《はた》先生」

五十歳《さい》近い男性教師だという。社会科の先生だと聞いて、ユーリはさらに呼吸困難になった。

「兼橋先生は、事件の後どうなったんだい? 今どうしてる?」と、アジュが訊《き》いた。

「学校を休んでる。あたしと同じ」

大樹が同級生たちを殺傷する事件を起こしたことで、希望《きぼう》ケ丘《おか》中学校は大混乱に陥《おちい》った。学校のなかには、適切に対処しようとする先生もあれば、誰《だれ》かに責任を押《お》しつけて体面を取り繕《つくろ》うことに汲々《きゅうきゅう》とする先生もいた。そのせめぎ合いのなかで、兼橋先生は早々に停職処分となった。幡多先生が、今回の事件は、森崎大樹が関《かか》わった一年時のいじめ事件の処理が適切でなかったことが原因だと強く主張して、校長先生たち学校幹部もそれを呑《の》み込《こ》んでしまったので、兼橋先生はまたも孤立無援。軽い言い方をすれば、貧乏くじを引かされることになったのである。

「アジュ、さっきのあたしの発言を訂正する」と、ユーリは言った。「真っ先に〝無名の地〟に放逐《ほうちく》されるべきは、校長先生と幡多先生だ」

「だからそんなことはできないんだってば！」

ユーリを叱りつけておいて、アジュはさらにみちるに問いかけた。「ヒロキのお父さんお母さんは、そういう事情を正確に知ってるのかな？」

みちるは一段と暗い眼差《まなざ》しになり、自信なさそうにかぶりを振《ふ》った。

「森崎君、一年生のときのことは、ご両親に話してなかったんじゃないかと思う。そんなの、わざわざ言うことないっていう感じだった」

ユーリにも理解できた。そうに違いないと思った。森崎大樹は、自分の親に、進んで手柄《てがら》話をするような少年ではなかった。

「じゃ、いじめられてることは？」

「それも話してないよ、アジュ」と、ユーリはみちるに先んじて答えた。「そういうものよ。言えないものなの」

ユーリは目を閉じた。やっとわかった。腑《ふ》に落ちた。あのとき——思いがけず大樹が早く帰宅して、こっそりお風呂《ふろ》に入っていたのは、学校でいじめられたからだったのだ。髪《かみ》や顔、あるいは身体《からだ》にでも、洗って落とさねばならない汚《よご》れをつけられたのだろう。あるいは、怪我《けが》をして血がついていたのかもしれない。

森崎大樹は強い少年だった。ちょっとやそっとのことではメゲなかった。だが、当時の彼《かれ》を囲んでいる状況《じようきよう》は異常だった。すぐ目の上に君臨する担任教師が、いじめの先導役だったのだ。しかも、「教育する」という錦《にしき》の御旗《みはた》をふりかざしている。彼の下で〝活動〟する他の生徒たちは、大樹をやっつけることに、いささかの躊躇《ちゆうちよ》も感じる必要はなかった。当然、図に乗るヤツだっていたろう。

これ以上の邪悪《じやあく》な構図はない。

一人の中学生に、立ち向かえる邪悪ではない。

だが、森崎大樹は黙《だま》って服従しなかった。正しくないものは、どれほど強大であろうとも正しくないのだ。膝《ひざ》を屈《くつ》してはならない。それと戦わなくてはならない。

だから大樹は、より大きな力を求めたのではないか。〝英雄〟の物語に惹《ひ》かれ、その強大な盾《たて》の裏側《うらがわ》に在る〝黄衣《こうい》の王〟の黒い光に魅入《みい》られてしまったのではないか。

破獄《はごく》の力を求める暗黒の王と、邪《よこしま》を破る力を欲する少年は、そうして出会った。

大樹をして〝最後の器《うつわ》〟にならしめたのは、やはり怒りだった。ただの憤怒《ふんぬ》とは言いたくない。義憤だ。正義の怒りである。

口惜《くや》しさと悲しみに、ユーリの胸は張り裂けそうだった。〝印《オルキヤスト》を戴く者〟の法衣の奥で、森崎友理子《ゆりこ》が泣いている。

「ヒロキに刺された二人は、生徒の側の親玉っていうか、リーダーっていうか」

アジュがもぞもぞと言葉を選んだが、みちるははっきり言い切った。「二人とも、幡多先生の腰巾着《こしぎんちゃく》よ。先生がやれって言うんだから、どんな酷《ひど》いことでもやっていいんだって、いちばん調子に乗ってた」

「――戦《いくさ》になると、そういう奴《やつ》らが出てくる。世の倣《なら》いさ」

ユーリは問い返した。「戦？」

「そうさ、戦だよ。これだって戦争だ」

それもまた黄衣の王が求めるものだった。〝英雄〟の物語には、必ず戦がつきまとう。

「ユーリ様」と、遠慮《えんりょ》がちにソラが呼んだ。彼の存在を忘れかけていたユーリは、目が覚めたようになった。

「みちる殿《どの》は、兄上様から『エルムの書』について何か聞いてはおられないのでしょうか。兄上様があれをどのように入手し、どのように扱《あつか》ったのか、ご存じではないでしょうか」

ソラはまだ、不思議な景色でも眺《なが》めるような顔つきで、みちるを見ている。ちょっぴり、みちるを恐れているみたいだ。思い過ごしだろうか。

「先ほど、みちる殿は気になることをなさいました。お姿の見えないユーリ様に向かって、森崎君と呼びかけられました」

そうだ。しかも、「帰ってきたの？」と言った。大樹が姿の見えない存在になり、突如《とつじょ》図書室に帰還《きかん》することが、彼女《かのじょ》にとっては充分《じゅうぶん》に予想される出来事だったようではないか。

いや、それを待っていたようでさえある。だからこそみちるは、「図書室に来たくなる。来なくちゃならない」とも言ったのではないか。

彼の疑問を理解したことを、ユーリは目顔でソラに伝えた。そして、もう役に立たないほど湿《しめ》っぽくなってしまったハンカチを目にあてているみちるに向き直り、両手を軽く組むと、乗り出した。

「みちる。ここから先のお話は、森崎君の命に関《かか》わるかもしれない大切なことです」

みちるはたじろぎ、ハンカチを取り落としそうになった。ユーリは口調を改める。

「ですから、わたくしがお尋《たず》ねすることに、どうぞ隠《かく》し事をせず、正直に答えてください。よろしいですね？」

みちるは充血した左目でユーリの目を見て、うなずいた。

「わたくしたち本の精は、彼がある強大な魔力《まりょく》を秘《ひ》めた書物の力を味方につけたことを知っております」

みちるは、きょとんとしたりしなかった。また、小さくうなずいた。

「それは『エルムの書』と申す書物。あなたはご存じですか?」

「森崎君が、話していました」

「あなたは見たことがありますか?」

かぶりを振る。「大切なものだし、黙って持ち出したから、気をつけて隠してあって」

「それ、いつのこと?」アジュがせっかちに割り込むのを、ユーリは彼の頭に人差し指を載《の》せて押さえて、続けた。

「みちる、あなたは本が好きですよね?」

「はい」

「森崎君も本が好きだった」

「嫌《きら》いじゃなかったけど、あたしみたいな本の虫じゃなかった。けど、あたしがいろいろ読んだ本の話をしたら、興味がわいてきたって言ってた」

本も悪くないね、と。

ユーリはゆっくりとうなずいた。「ではみちる。森崎君はあなたに、山のなかの別《べっ》荘《そう》の図書室の話をしたことはありませんか? 古《いにしえ》の時代に作られた書物が山ほど集められている、旧《ふる》い図書室の話です」

みちるの細い喉が、ごくりと上下した。

「その図書室なら知ってます。連れて行ってもらったもの。一緒《いっしょ》に行ったの。三人で」

「三人？」

「兼橋先生も誘《さそ》って、先生の自家用車で」

春休みに入って、間もなくのことだった。うららかな好天のなかのドライブで、とても楽しかったと、みちるは目を潤《うる》ませて言った。

そのころなら、みちるを苛《さいな》んでいたいじめは平らげられ、大樹が二年生になって直面する難事はまだ発生していない。なるほど、二人にとっていちばん心安らかな、平和な時期だったろう。

「森崎君はね、ホントだったら、あたしなんかと友達になるタイプじゃなかった」

身体を縮めて、みちるは小さく呟《つぶや》いた。

森崎大樹はクラスの人気者だった。モテた。みちるのような地味で引っ込み思案な女子は、普通《ふつう》なら、彼に近づく機会さえなかったはずだ──

「だから最初のうちは、一緒に図書委員をやってても、話なんてしなかった。あたしは森崎君に何て話しかけていいかわかんなかったし、森崎君だってそうだったと思うよ」

しかし、みちるを救う白馬の騎士《きし》として名乗りを上げたときに、大樹の立場も変わった。いや、考え方が変わったというべきか。

「森崎君、あたしと友達になろうとしてくれた。だけどあたしたちには共通点なんかないから、本の話ぐらいしかなかったから、森崎君も困ったんじゃないかな。それで、何かの拍子《ひょうし》に、うちの親戚《しんせき》に変わり者の叔父《おじ》さんがいてサ——っていう話になったのよ」

山のなかのお化け屋敷《やしき》みたいなオンボロの別荘に、世界中の珍《めずら》しい本を集めた図書室を作ってたんだよ。

みちるは興味を惹かれたけれど、いじめの問題が片付くまでは、ほかのことを考える余裕《よゆう》などなかった。それでも、山のなかの別荘の図書室のことは、心の奥に残っていた。だから、いじめがすっかり沈静化《ちんせい》した三学期の中頃《なかごろ》になって、大樹がまたその話題を持ち出したときには、嬉《うれ》しかった。

「思わず、あたしもそこへ行ってみたいなって、言っちゃったの」

すると大樹は、一緒に行こうと言った。

——オレもね、もういっぺん行きたかったんだ。

大樹がみちるに語って聞かせた水内《みのち》一郎の別荘を囲む事情は、正確で詳《くわ》しいものだった。同時に、大樹は別荘の場所もよく覚えていた。

——電車ではとても行かれないんだ。山ン中だから、車がないとね。だから、兼橋先生に頼《たの》んでみようよ。

兼橋先生も興味を持った。が、それは先生のことだから、二人の両親の許可が要《い》ると言った。

「でも森崎君は、うちの両親に話したら、絶対ＯＫしてくれないっていうの。遺産相続の物件だから、勝手に立ち入っちゃいけないんだって。だから内緒で行かないとって」

——平気だよ、先生。年末に行ったとき、窓とか見てきたけど、ガラスをちょこっと切って穴を空けて手を入れれば、カンタンに鍵《かぎ》を開けられるよ。内緒で入って見学して、内緒で出てくればいいよ。悪いことをしに行くわけじゃないんだから。

ユーリは驚《おどろ》いた。大樹にもそんな一面があったのだ。が、最初の訪問時に窓の造りなどを観察していたというのは、いかにも大樹らしいことでもあった。

「兼橋先生、怒《おこ》らなかった？」

みちるは今までいちばんイタズラっぽい顔つきになり、きれいな目元をほころばせた。

「最初は駄目《だめ》ですよって言ってたけど、結局は森崎君に説得されちゃった」

そうして、三人で出かけることになったのだ。

「ちゃっかりドライブか」と、ユーリは思わず呟いた。「いつ行ったんだろ。毎日、部活か野球ばっかやってるみたいに見えたのに」

アジュが素早《すばや》く「シッ!」と歯を鳴らしてくれたので、自分の失言に気づいた。みちるが怪訝《けげん》そうな顔をしている。まずい! ユーリは大いにわざとらしく咳払《せきばら》いをした。

「みちる、どう思いましたか、あの図書室を」

「オレもね、あそこにいたことがあるんだよ」と、アジュもあわてて言い添《そ》える。

「こうしてユーリの用心棒になる前は、仲間たちと一緒に、あそこで埃《ほこり》をかぶってたんだ」

「そっか、アジュも本当はネズミじゃなくて本なんだよね」

幸い、みちるの気が逸《そ》れたようである。

「森崎君から話を聞いて、あたしなりに想像してたんだけど、実物を見たら、そんなのゼンゼン足りなかった。今まで見たことも聞いたこともないような古い本ばっかり、あんなにたくさん……」

そう、あそこには、この図書室よりも、たくさんの本が集められていた。

「ドライブは、ホントに楽しかったの。好きな音楽を聴《き》きながら走って、おしゃべりして、途中《とちゆう》でお弁当を食べたり、景色を見たり」

みちるの口調が、少し沈《しず》んだ。

古色蒼然《そうぜん》とした別荘は、大樹の計画どおりに、あっさりと三人の侵入《しんにゅう》を許した。兼橋先生は冷や汗《あせ》をかいていたそうだけれど。

「図書室に近づいていくうちに、あたし、だんだん寒くなってきて……。何となく気分も悪くなってきて」

「淀《よど》んだ空気のせいだよ」と、アジュが言う。みちるは、それには何とも応じない。記憶《きおく》を引っ張り出しながら、わずかに眉《まゆ》を寄せている。

「森崎君は生き生きしてた。兼橋先生は、やっぱり緊張《きんちょう》してたけど、森崎君はホント、何か興奮してるっていうか舞《ま》い上がってるっていうか」

懐中《かいちゅう》電灯を手に、こっちこっちと、どんどん図書室へ進んでいった。兼橋先生とみちるは、薄暗《うすぐら》い別荘のなかで、大樹を追いかけねばならないほどだった。

「あたし……怖《こわ》かった」

実際にぶるりと身を震《ふる》わせて、みちるは言った。

「部屋全体が古い本でできてるみたいな、あの図書室。すごく怖かった。中に踏《ふ》み込《こ》むと、身体《からだ》が重くなるような感じがした」

しかし、みちるはそれを口には出さなかった。生き生きと目を輝《かがや》かせている大樹の邪魔をしたくなかったからである。

「兼橋先生はビックリしてた。日本語で書かれてる本が見あたらないねって。先生はもちろん英語は得意だし、第二外国語でスペイン語を習ったんだって。だけど、ここにある本は一冊も読めないんじゃないかしらって言ってた」

大樹は図書室に入るなり、書架《しょか》の本を調べることに夢中になってしまい、二人が話しかけても生返事しかしない。みちるは、どうにも息苦しくなって、何度か図書室を離《はな》れて外の空気を吸った。兼橋先生も同じようにしていたという。

森崎大樹には、図書室で一人になる機会がいくらもあったということだ。そのとき『エルムの書』とアジュを持ち出し、二人の目から隠してしまいこんだのだろう。

「ユーリ様」と、ソラが声を出した。ユーリはまたまた彼《かれ》の存在を忘れていたので、あやうく飛び上がりそうになった。

「な、何？」

「みちる殿《どの》にお尋ねいただけませんでしょうか。兄上様が、そのとき、どんなご様子で書架をお調べになっていたのか、もう少し詳しく」

「詳しくって？」

「ただ闇雲《やみくも》に、書架から本を取り出してめくっていたのか、それとも何か目的があり、それを探しておられたのか」

みちるは、「怖かった」という図書室の記憶に、今さらのように青ざめ、うつむいている。

ユーリはアジュを横目で見た。「今のソラの疑問には、あんたも答えられるわよね？」

アジュは妙《みょう》に狼狽《うろた》えている。「た、たぶん」

「たぶんって？　どういう意味よ」

「オレはね、ヒロキに触《ふ》れられて書架から引っ張り出されるまで——」

眠《ねむ》ってたんだ。長い尻尾《しっぽ》で顔を隠そうとしながら、アジュは白状した。

「本も眠るんだよ。誰《だれ》にも使われないあいだ、必要とされないあいだはね、眠ってるんだ」

「賢者《けんじゃ》も寝てたのかしら」

「あの爺《じい》さんは……賢者って呼ばれるくらいだから……その……」

「あんたのように眠りこけてはいなかった、と」

アジュがこれまで、森崎大樹との出会いについて、妙に沈黙がちだった理由が知れた。要するに、アジュは不覚をとったわけである。

「ヒロキの鞄《かばん》に入れられて、一緒にいるのが『エルムの書』だってわかった瞬間《しゅんかん》に、オレ、絶叫《ぜっきょう》したんだよ。だけどもう遅《おそ》かった」

ユーリはみちるの名を呼んだ。目を上げたみちるは、くちびるが白くなっていた。

「そのときの森崎君は、図書室にある特定の本を探しているようには見えなかったかしら?」

みちるは首をかしげた。左の瞳《ひとみ》が揺《ゆ》れる。

やがて、申し訳なさそうにかぶりを振《ふ》った。「わかんない。よく覚えてない。とにかくあたし、気分が悪くなっちゃって、でもそのことを森崎君には知られたくなくて、必死だったから」

あ、でも——と、みちるは軽く目を瞠《みは》った。

「そういえば、森崎君おかしなことを言ってた」

ドライブに行こうと、計画を練っているころのことである。

「どんなに素敵な図書室か、どれほど古い本がいっぱいあるか、この世のものとは思えないような眺めだったんだって言って」

——年末に家族と探検に行ってからさ、オレ、よくあの図書室の夢を見るようになったんだ。

「図書室のなかから、誰かが森崎君を呼んでるんだって。ずうっと呼びかけてる。ヒロキ、ヒロキって」

ユーリの背筋を、神経に沿って、氷点下の戦慄《せんりつ》が駆《か》けのぼった。

去年の十二月、家族で水内一郎の別荘を訪ねたころ、大樹は、みちるの白馬の騎士として戦っている最中だったはずだ。まさしく英雄《えいゆう》的にふるまい、味方を増やし、敵を平らげようとしていた。

そんな彼に、図書室から呼びかける存在があった。彼の名を呼んだのは——

黄衣の王。いや、〝英雄〟の力そのもの。それはひとつの盾《たて》の両面なのだから。

「ソラ、納得《なっとく》した？」

ユーリは口の右端《みぎはし》だけを動かしてソラに尋《たず》ねた。返事がない。見ると、ソラは再び放心したようにみちるの顔に見入っている。

アジュの尻尾がユーリの頰《ほお》を軽く叩《たた》いた。「オレもみちるに質問があるんだけど」

ユーリはうなずいた。みちるも、またうなだれていた面《おもて》を上げた。

「みちる、さっき、手探《てさぐ》りしながらヒロキを呼んでたよね？　でさ、帰ってきたのかって訊《き》いてた。あれはどういう意味だったのかな」

みちるは辛《つら》そうに顔を歪《ゆが》めた。飛び降り自殺をしかけて止められた、という体験に消耗《しょうもう》し、さらにその後の展開がこれだ。疲《つか》れているのだろう。でも、ユーリもこの質問への答えがほしい。みちるのそばに寄り、背中に掌《てのひら》をあてた。

「ごめんね。もうこれきりで質問攻《ぜ》めにはしないわ。みちるをうちまで送ってあげる。だから、アジュが訊いたことに答えてくれない？」

みちるはユーリの腕《うで》にすがりついてきた。守護の法衣を通し、みちるの温《ぬく》もりが伝わってくる。ユーリも、みちるの手に手を重ねた。

「二年生になって、今度は森崎君がいじめられてるって噂《うわさ》を聞いたとき」

「うん、うん」

「あたし森崎君に謝《あやま》って……いっぱい謝って……またあたしがいじめられるようになればいいんだから、あたしが学校に来なければいいんだから、もうあたしをかばったりしないでって、頼んだ」

もちろん、大樹が承知するはずがない。

――大丈夫《だいじょうぶ》だよ。そんな心配するなよ。

「だけど森崎君、やっぱりすごく傷ついてた。くたびれてた。このままじゃ押《お》しつぶされちゃうと思った。だからあたし、兼橋先生と相談して、森崎君のお母さんに会いにいこうって言ってたの」

大樹は、なぜかしらそれを察して、みちるにきつく釘《くぎ》を刺《さ》したそうだ。そんなことをしたら絶交だ、と。兼橋先生も説得したが、大樹は聞き入れなかった。大丈夫、自分の力で何とかできます。オレ、何とかする自信があるから。

そうだ。ユーリは心のなかでうなずいた。自信はあったに違《ちが》いない。『エルムの書』を手に入れ、その影響《えいきょう》を受け始めていたのだから。

結果として、森崎大樹は同級生殺傷事件を引き起こした。

だが、使ったのはちっぽけなナイフだ。『エルムの書』がなくても、黄衣の王の力がなくても、普通《ふつう》の中学生が普通に使うことのできるナイフだった。そこが解《げ》せない。大樹に憑依《ひょうい》して、ちっぽけなナイフを、間違った方法で使わせる。そのことだけに、黄衣の王の邪悪《じゃあく》な力が働いたというのでは——何とも納得がいかない。

でも、それもありなのか。それも「戦《いくさ》」か。人が人を傷つけて血を流させ、命を奪《うば》う。立派な戦の形を成しているのか。

「あたし、あの事件の朝、森崎君に会ったの」

考え込んでいたので、ユーリはみちるの言葉を危《あや》うく聞き流してしまうところだった。ひと呼吸遅《おく》れて、むせてしまうくらいに驚いた。

「会った？　彼と？」

「うん。登校してすぐに、ホールの下駄《げた》箱のところで。森崎君、何かすごく元気に溢《あふ》れてた」

大樹は彼女《かのじょ》にこんなことを言った。

——今日、ちょっとびっくりするようなことが起こるよ。

「びっくりするようなこと」ユーリは復唱した。みちるは青ざめて、何度もうなずく。

——それで全部解決だ。問題はなくなる。

「みちるはそれを信じたのかい？」と、アジュが尋ねる。みちるは首を振る。

「怖かった。あたし怖がりなの。臆病《おくびょう》なんだ。森崎君、ヘンだと思った。だって、また浮《う》かれてるみたいだったんだもの」

だからみちるは彼に追いすがり、問い詰《つ》めた。解決するって、どうやるの？　何をするつもりなの？　一人で突《つ》っ走っちゃダメだよ。

大樹は笑っていたそうだ。

——平気だって。心配するなよ。たぶん上手《うま》くいくから。

たぶん？　たぶん？　じゃあ、上手くいかなかったらどうする？　みちるが必死に食い下がると、大樹はふと笑顔《えがお》を消した。

——上手くいくよ、絶対。全部上手くいったら、乾さんにちゃんと説明してやるよ。

「あたしには信じられなかった。森崎君が、何かとんでもないことをやろうとしてるってことがわかるだけだった」

何か悪いことをしようとしてるんじゃないでしょうね？　大樹に近づいて、精一杯《せいいっぱい》詰問《きつもん》した。

——悪いこと？

大樹は、急に幼い子供に戻《もど》ってしまったみたいなあどけない顔をして、問い返したそうだ。

——悪いことって、どんな？

みちるは答えた。大人たちや先生たちに責められて、森崎君が捕《つか》まえられて、どっかへ連れて行かれちゃうようなことよ。その時点で、みちるの不安な想像は確かに的中していたのだ。

だが大樹は、その詰問に、むしろ笑顔を取り戻した。みちるに優しく笑いかけて、こう言った。

——万にひとつ、そんなことになってしまっても、オレは乾さんには会えるよ。誰にも気づかれないように姿を消して、乾さんに会いにきて、何が起こったかちゃんと説明するよ。

それは、誰にも捕まらないという意味なのか。みちるはますます恐《おそ》ろしくなった。

だが大樹は動じない。

約束するから、と言った。

——場所も決めておこうか。図書室にしよう。これからどういうことが起ころうと、オレは必ず、乾さんに会いに来るよ。図書室で会おう。姿は見えなくても、乾さんには、それがオレだってわかるはずだから。わかるようにするからさ。

誰にも気づかれないように姿を消して——わざわざそう言い置いたところに、意味がある。大樹は『エルムの書』を通し、魔法《まほう》を身につけていたのだろう。当たり前の人間を超《こ》える力を。ちょうど、今のユーリのように。

今度は、ユーリが訊いた。「みちるは彼の言葉を信じたのね？」

みちるは信じた。いや、信じたいと思った。そう願った。だから、それ以上は大樹を引き留めなかった。

「それで、さっきあたしたちを森崎君だと思ったんだね……」

みちるの瞳に、また涙が溜《た》まり始めている。泣いても泣いても、この娘《むすめ》の悲《ひ》嘆《たん》は涸《か》れないのだ。

「事件が起こってからずっと、あたし、待ってた。いつか森崎君が図書室に帰ってくるって」

不登校になってしまっても、図書室には来ることができた。来なければならない理由があった。大樹が帰ってくると約束したから。

しかし、待っても待っても空《むな》しいだけだった。大樹は失踪《しっそう》したきり、戻らない。事件からもう何日経《た》った？　みちるは寂《さび》しく、恐ろしい場所に、一人で取り残されてしまった。

絶望して死を望み、図書室へ来たのだ。

「何の根拠《こんきょ》もないけど、図書室の窓から飛び降りれば、森崎君が今いる場所に飛んでいけるような気がしたんだ……」

ユーリにはその気持ちがわかる。痛いほどに。

「辛いでしょうに、すっかり話してくれてありがとう」

みちるの身体《からだ》を抱くようにして、椅子《いす》から立ち上がらせた。

「さあ、あなたはまず家に帰って休まなくちゃいけない。とにかく今は心と身体を癒《いや》して、少しでも元気になることが先決よ」

約束して。顔の前に指を一本立てて、ユーリはみちるをしっかりと見つめた。

「二度と自殺なんて考えない。絶対に考えない。それは森崎君を悲しませるだけよ。

いいわね?」

「ヒロキは、必ずオレたちが探し出して連れ帰るから。な?」と、アジュも声をあげる。

あてのない約束を拠《よ》り所に、さらに大事な約束を重ねることになる。でも、みちる
は「はい」と応じてくれた。

「あたし、待ってる」

「うん。信じて待ってて」

そのときである。ユーリはふわりと目眩《めまい》を感じた。身体じゅうを寒気《さむけ》が駆け抜《ぬ》ける。

「オルキャスト様!」図書室の本たちが、息を殺した囁《ささや》き声で、次々と呼びかけてく
る。「オルキャスト様! お気をつけください! 近づいて参ります!」

ユーリはさっと身構えた。ソラもきりりとぐるりを見回す。アジュがユーリの頭の
てっぺんに飛び上がった。

「何が近づいてくるの?」

本たちが早口に囁き返す。「〝黄《き》の印〟に穿《うが》たれしモノが参ります!」

「そりゃ、オレだよ!」アジュが変に裏返ったような声を出した。「おまえら、今ご
ろ気がついたの? オレにも〝黄の印〟がついてるんだ。だけど大丈夫だからさ」

「オルキャスト様の従者ではございません!」

本たちの囁きが尻上《しりあ》がりに甲高《かんだか》くなり、叫《さけ》び声へと変わっていく。

「近づいて参ります！　近づいて参ります！　早くこの場をお離《はな》れください！」

離れるって、どこへ？

ソラがユーリの手首をつかみ、図書室の出口へ向かって走り出した。片腕でみちるの肩《かた》を抱いたまま、ユーリも引きずられるように走り出す。

「こちらへ！」ソラは叫んで、図書室のドアを開け放った。

三人は廊下《ろうか》へ飛び出した。アジュはユーリの髪《かみ》にしがみついて宙に浮く。そして彼《かれ》の小さな身体がユーリの頭に着地しないうちに、ユーリはつんのめるようにして停《と》まった。アジュは尻尾で半弧《はんこ》を描《えが》いてユーリを飛び越《こ》し、ユーリの前を行くソラの背中にぶつかって、黒衣に爪《つめ》を引っかけた。

「な、何だよ！」

ソラも停まった。目の前の、信じがたい景色に動きを止めた。

図書室は校舎の西の突き当たりに位置している。だから出入口の外は、校舎がLの字に折れている曲がり角まで、廊下が一直線に延びている。ここを訪《おとず》れたときには、横手に並んだ窓から明るい陽射《ひざ》しが差し込《こ》み、眩《まぶ》しいくらいに明るかった廊下だ。なのに今は、暗くなっている。いや正確には、暗くなりつつあるのだ。

天井《てんじょう》と左右の窓と壁《かべ》、そして廊下。四辺で構成される四角い空間。筒《つつ》のように、曲がり角まで真《ま》っ直《す》ぐに。そのいちばん奥《おく》に、四角い空間をぴったりと埋《う》め尽《つ》くして、真っ暗な闇《やみ》がある。それがするすると近づいてくる。四角な形を几帳面《きちようめん》に保ったまま、あたかも暗黒の壁のように押し寄せてくるのだ。

四角い闇に、廊下の空間が満たされてゆく。

ソラが目を瞠《みは》り、視線を闇に釘付けにしたまま、ユーリとみちるの前に大手を広げて立った。ユーリもまたみちるを背中にかばい、彼女を優《やさ》しく後ろに押しやった。そしてソラの腕の下をくぐって、彼の前に出た。

「ユーリ様！」

「大丈夫」

短いやりとりと同時に、四角い闇がユーリの鼻先一メートルほどのところまで迫《せま》り、ぴたりと止まった。

ユーリは両肩をいからせ、両足を踏ん張り、顎《あご》を反らした。

（下巻につづく）

英《えい》雄《ゆう》の書《しよ》(上)

新潮文庫　み－22－23

平成二十四年七月一日発行
平成二十七年三月五日二刷

著者　宮《みや》部《べ》みゆき

発行者　佐藤隆信

発行所　株式会社 新潮社
郵便番号 一六二―八七一一
東京都新宿区矢来町七一
電話 編集部(〇三)三二六六―五四四〇
読者係(〇三)三二六六―五一一一
http://www.shinchosha.co.jp

価格はカバーに表示してあります。

乱丁・落丁本は、ご面倒ですが小社読者係宛ご送付ください。送料小社負担にてお取替えいたします。

印刷・錦明印刷株式会社　製本・錦明印刷株式会社

ISBN978-4-10-136933-4 C0193